Horizontes culturales y literarios

GRACIELA ASCARRUNZ DE GILMAN
MARIAN ZWERLING SUGANO

University of California, Berkeley

1817

HARPER & ROW, PUBLISHERS, New York
Cambridge, Philadelphia, San Francisco, Washington
London, Mexico City, São Paulo, Syndey

for my father

in memory of my mother

Sponsoring editor: Alan McClare
Development editor: Marian Wassner
Project editor: Brigitte Pelner
Designer: Gayle Jaeger
Production manager: Marion A. Palen
Photo researcher: June Lundborg
Compositor: TriStar Graphics
Printer and binder: The Murray Printing Company
Line drawings: Claude Martinot

Cover photo: Vista de Segovia del Alcázar, Stan Levy, Photo Researchers

HORIZONTES CULTURALES Y LITERARIOS

Library of Congress Cataloging in Publication Data

Gilman, Graciela Ascarrunz de.
  Horizontes culturales y literarios.

  English and Spanish.
  1. Spanish language—Readers. I. Sugano, Marian
Zwerling, 1951–   II. Title.
PC4117.G423 1984   468.6'421   83–22711
ISBN 0–06–042311–0

Acknowledgments

Page 4: "Dios te bendiga" from Bloque DEARMAS (Caracas).

Page 5: "Aspectos de la familia en la sociedad actual" by Irene de Borbón Parma. *Cambio 16*, #371, 1 de enero de 1979 (Madrid).

Page 9: "Miedo." In *Poesías completas de Gabriela Mistral*. Reprinted by permission of Joan Daves. © 1924, 1925 by Gabriela Mistral.

Page 11: "¡Viva la igualdad de los sexos!" by Daniel Samper. In *A mí que me esculquen*, Bogotá, 1980.

Page 14: Cartoon by Cosper. *Blanco y negro*, #3212, 24 de noviembre de 1973 (Madrid).

Page 16: "Mi padre" by Manuel del Toro. In *Antología general del cuento puertorriqueño*, tomo segundo, 2ª ed. Casareo Rosa-Nieves, Felix Franco Oppenheimer, San Juan de Puerto Rico, 1970.

Page 20: "Han venido." In *Poesías de Alfonsina Storni*, Editorial Universitaria, EUDEBA S. E. M., Buenos Aires, 1961.

Page 24: "Normas para colegios secundarios." *La semana* #151, 19 de septiembre de 1979 (Buenos Aires). Every effort has been made to locate the copyright holder of this selection. A suitable fee for this use has been reserved by the publisher.

Page 28: "Cowboys de mediodía." *Cambio 16*, #508, 24 de agosto de 1981 (Madrid).

Page 34: Mafalda, by Joaquín S. Lavado QUINO. *10 años con Mafalda*, Buenos Aires.

Page 35: "Al colegio (Estampa)" by Carmen Laforet. In *Mis páginas mejores*, Biblioteca Románica Hispánica, dirigida por Dámaso Alonso. VI. Antología Hispánica, Madrid, 1956.

Page 38: "Enseñar con el ejemplo" (poster). *Bohemia*, #31, año 1973, julio de 1981 (Habana, Cuba).

Page 39: "Dos ensayos sobre la educación." In *Obras ensayos de Ernesto Sábato*, Editorial Losada, S.A., Buenos Aires, 1970.

Page 40: "Inteligencia" by Juan Ramón Jiménez. Reprinted by permission of Herederos de Juan Ramón Jiménez.

Page 44: "La computadora en casa." *Cambio 16*, #504, 27 de julio de 1981 (Madrid).

Page 48: "Las 'superplantas' del futuro" by Winthrop P. Carty. Reprinted by permission from *Américas*, mayo-julio 1982. Una revista bimestral publicada por la Secretaría General de la OEA en español e inglés (Washington).

Page 51: "Oficina año 2000." *Destino*, #1835, 2 de diciembre de 1972 (Barcelona). Every effort has been made to locate the copyright holder of this selection. A suitable fee for this use has been reserved by the publisher.

Page 52: "La clave del problema energético . . ." from "La mayor central de energía solar del mundo" in *Facetas*, 21 de diciembre de 1980. *Los Tiempos* (Cochabamba, Bolivia).

Page 55: "Nosotros, no" by José Bernardo Adolph. Reprinted by permission of Compañía General Fabril Editora, S.A., Buenos Aires.

Page 57: Mafalda, by Joaquín S. Lavado QUINO. *10 años con Mafalda*, Buenos Aires.

Page 62: "El cacao vino de América" by Guillermo Soreda Molina. *Mundo hispánico*, #367, diciembre de 1977 (Madrid). Every effort has been made to locate the copyright holder of this selection. A suitable fee for this use has been reserved by the publisher.

Page 67: Scheffy cartoon. Reprinted from *The Saturday Evening Post* © The Curtis Publishing Company. "Puede ahorrarse . . ." (cartoon) © Punch/Rothco.

Page 68: Poster from *Impacto*, #1664 (Mexico). Every effort has been made to locate the copyright holder of this selection. A suitable fee for this use has been reserved by the publisher.

Page 69: "México: La nueva dimensión," *Opiniones*, vol. III, #8, noviembre de 1980 (Washington).

Page 70: ¿Sabía Ud. que . . . ? from *Opiniones*, vol. III, #8, noviembre de 1980 (Washington).

Page 71: "Las buenas inversiones" by Julio Cortázar. In *Último Round*, Editores S.A., México, 1969.

Page 74: Cartoon from *Cambio 16*, #527, 4 de enero de 1982 (Madrid).

Page 77: Poster from *Tiempo*, #2009, 3 de noviembre de 1980 (Mexico). Every effort has been made to locate the copyright holder of this selection. A suitable fee for this use has been reserved by the publisher.

Page 79: "Vendedores." *Artes de México y del mundo*, S.A., #184, año XXI.

Page 85: "El chupinazo" by Carlos Carnicero. *Cambio 16*, #501, 6 de julio de 1981 (Madrid).

Page 89: "La fiesta de San Juan Bautista en Puerto Rico" by Nelson Orengo. Reprinted by permission of the author.

Page 91: "Cuando suenan las doce campanadas" by Manuel Amat. *Destino,* #1839, 30 de diciembre de 1972 (Barcelona).

Page 93: "La muerte vista por el mexicano de hoy" by Luis Alberto Vargas G. *Artes de México,* #145, año XVIII, 1971.

Page 97: "Gran fandango y francachela de todas las calaveras" by José Guadalupe Posada. In *Posada's Popular Mexican Prints,* Dover Publications, Inc., New York, 1972.

Page 99: Mafalda, by Joaquín S. Lavado QUINO. *10 años con Mafalda,* Buenos Aires.

Page 100: "Leyenda del imperio de los incas . . ." by J. Antonio Paredes Candia. In *Leyendas de Bolivia,* 2ª ed. Los amigos del libro. Cochabamba, Bolivia, 1975.

Page 108: "Me voy pal pueblo." *Cambio 16,* #353, 10 de septiembre de 1978 (Madrid).

Page 113: "El Guernica: fin de un exilio," © *Carta de España.*

Page 117: "En este pueblo todos quieren ser Picasso." *Siete Días,* #745, año XIV, 23 al 29 de septiembre de 1981 (Buenos Aires).

Page 120: "La cola del gato" by Juan Carlos Dávalos. In *El viento blanco y otros relatos,* 3ª ed., EUDEBA, Buenos Aires.

Page 124: "Humor" by Joaquín S. Lavado QUINO. *Siete días ilustrados,* #652 año XIII, 12 al 18 diciembre de 1979. (Buenos Aires).

Page 126: "Todo vale la pena" by Gabriel Celaya. In *Cuatro poetas de hoy: Antología,* Taurus, Madrid, 1960.

Page 130: "El retorno de los brujos." *Cambio 16,* #559, 16 de agosto de 1982 (Madrid).

Page 132: "Supersticiones indias . . ." by M. Rigoberto Paredes. In *Mitos, supersticiones y supervivencias populares de Bolivia,* 3ª ed., Ediciones Isla, La Paz, Bolivia, 1963.

Page 135: "Levantarse con el pie izquierdo" (cartoon) by Holligrove.

Page 137: "Misteriosa casa que burla . . ." *Supermente,* #50, 2 de julio de 1980, Editorial Posada, S.A., México.

Page 139: "El leve Pedro" by Enrique Anderson Imbert. In *El mentir de las estrellas,* Editorial Emecé, Buenos Aires, 1979.

Page 144: "Anoche cuando dormía . . ." by Antonio Machado. © Herederos de Antonio Machado.

Page 145: "El significado de los sueños" by M. Rigoberto Paredes. From "Influencia de los sueños . . ." in *Mitos, supersticiones y supervivencias populares de Bolivia,* 3ª ed., Ediciones Isla, La Paz, Bolivia, 1963.

Page 150: Poster from *Bohemia,* año 1973, #31, 31 de julio de 1981 (Habana, Cuba).

Page 151: "Baby H.P." by Juan José Arreola. In *Confabulario,* Editorial Joaquín Mortiz, S.A. México, 1971.

Page 154: Miguelito, by Joaquín S. Lavado QUINO. *10 años con Mafalda,* Buenos Aires.

Page 155: "Instrucciones para subir una escalera" by Julio Cortázar. In *Historias de cronopios y de famas,* Ediciones Minotaura, Buenos Aires, 1974.

Page 158: "Combinación es nutrición" (poster). *Impacto* #1670, 3 de marzo de 1982. Every effort has been made to locate the copyright holder of this selection. A suitable fee for this use has been reserved by the publisher.

Page 162: "El señor profesor" (cartoon) by Holligrove.

Page 163: "En la misteriosa lejanía" by Fernando Diez de Medina. In *Mateo Montemayor,* Los Amigos del Libro, La Paz, Bolivia, 1969.

Page 166: "Oda a los calcetines" by Pablo Neruda. Carmen Balcells (Agent).

Page 173: "Cantinflas: Príncipe mexicano de la comedia" by Ron Butler. Reprinted by permission of *Américas,* abril 1981, una revista bimestral publicada por la Secretaría General de la OEA en español e inglés (Washington).

Page 176: Mafalda, by Joaquín S. Lavado QUINO. *10 años con Mafalda,* Buenos Aires.

Page 177: "El telegrama" from "Espejos y espejismos." *Destino,* #2205, 10 al 16 de enero de 1980 (Spain). Every effort has been made to locate the copyright holder of this selection. A suitable fee for this use has been reserved by the publisher.

Page 181: "Por favor mantente en sintonía . . ." (cartoon). *Vanidades,* #14, año 19, 10 de julio de 1979.

Page 182: "Anónimo" by Esther Díaz Llanillo. In *Cuentos cubanos,* Editorial Laia, S.A., Barcelona, 1974.

Page 186: "Aceleración de la historia" by José Emilio Pacheco. In *No me preguntes como pasa el tiempo (Poemas 1964–68),* Joaquín Mortiz, México, 1969.

Page 190: "La identidad y el exilio" by Jorge Duany. Reprinted by permission of the author.

Page 194: "La magia de los murales" by Paul Elitzik. Reprinted by permission of the author.

Page 197: "nuestro barrio" by Alurista. In *Floricanto en Aztlán.* Chicano Studies Center, second edition, Los Angeles, 1976.

Page 199: "La dialéctica de la raza . . ." from "El futuro de Hispanoamérica" by D. José Manuel Paz Agüeras, *Gráfica,* Vol. XXXIV, #214, octubre de 1980.

Page 202: "En la brecha" by José de Diego. In *Literatura chicana: texto y contexto.* Antonia Castañeda Shular, Tomás Ybarra-Frausto, Joseph Sommers. Prentice-Hall Inc., 1972.

Page 203: "Las salamandras" by Tomás Rivera, University of California, Riverside. Reprinted by permission of the author.

PHOTO CREDITS

Page 2: © Beryl Goldberg 1983 / *p. 9:* Carl Frank, Photo Researchers / *p. 20:* © Erika Stone / *p. 22:* Bernard Pierre Wolff, Photo Researchers / *p. 33:* © Beryl Goldberg 1983 / *p. 42:* United Press International / *p. 45:* Dennis Brack, Black Star / *p. 52:* Andrew Sacks, Editorial Photocolor Archives / *p. 60:* © Beryl Goldberg 1983 / *p. 65:* © Ken Heyman / *p. 82:* Carl Frank, Photo Researchers / *p. 84:* Klaus Francke, Peter Arnold / *p. 88:* J. Koudelka Magnum / *p. 106:* © Robert Rattner 1983 / *p. 112:* Will Blanche, Design Photographers International / *pp. 114, 119 top left and bottom:* © Museo del Prado, Madrid / *p. 119 top right:* Alinari, Editorial Photocolor Archives / *p. 127:* Peter Menzel / *p. 128:* Allyn Baum, Monkmeyer Press Photo Service / *p. 143:* Rick Winsor, Woodfin Camp & Associates / *p. 146:* Carl Frank, Photo Researchers / *p. 148:* Claudio Edinger, Kay Reese & Associates / *p. 161:* Mimi Cotter, International Stock Photography / *p. 170:* Diego Goldberg, Sygma / *p. 172:* © Beryl Goldberg 1983 / *p. 179:* Frank Salmo, Black Star / *pp. 188, 194:* © Robert W. Brown / *p. 204:* Jean-Marie Simon, Taurus Photos

Contenido

Preface

Horizontes is a fully coordinated program designed to bridge the gap between elementary and advanced Spanish at the college level. It consists of a grammar text (*Horizontes gramaticales*), a reader (*Horizontes culturales y literarios*), a workbook/laboratory manual (*Manual de laboratorio y ejercicios*), and a coordinated series of cassette tapes. The program provides a complete review of first-year studies as well as appropriate new materials to meet the needs and stimulate the interests of continuing students.

Each lesson of the reader presents an exciting array of reading selections related to the theme of the corresponding lesson of the grammar. The readings have been taken from recent newspapers and magazines as well as from collections of short stories, essays, and poetry. They present various aspects of Hispanic culture, society, and literature, from its traditions and myths to its daily preoccupations and innovative trends. We have tried to represent the wide range of cultural and linguistic variations within the Spanish-speaking world by including texts by both Spanish and Hispanic American authors. All readings are authentic examples of the language as a native speaker uses it, and not "textbook" Spanish. All literary selections are complete and unabridged. The criteria for the inclusion of readings are the following: interest to the student, appropriate level of difficulty, potential for developing the lesson theme, and proven effectiveness in the classroom.

Horizontes culturales y literarios is written entirely in Spanish, except for those occasions where we found English necessary for complete and efficient explanation of vocabulary. We feel that an all-Spanish text complemented by a classroom where Spanish is spoken encourages students to think in Spanish and to free themselves from their dependence on English.

Horizontes culturales y literarios can be taught in a semester, two quarters, or year-long format, depending on the number of hours of instruction per week and whether the book is used separately or in conjunction with *Horizontes gramaticales*, the *Manual de laboratorio y ejercicios*, and audio program. The text can be used at the intermediate level to supplement a grammar review text or as the sole text in a conversation course. Its highly flexible organization makes it an excellent choice for culture and civilization as well as literature courses.

The principal features of the text include the following:

- Readings: Each lesson contains several magazine articles, at least one literary prose piece, and one or more poems. The readings are of varying difficulty within the intermediate range, so that instructors may select those most appropriate for their class level.
- *Cuestionario* and *Ejercicios de comprensión:* The questions following

readings are designed to guide the students through the text as well as to check their comprehension of it. These exercises help students become more effective readers by requiring creative responses rather than a simple repetition of the reading.

- *Puntos de vista* and *Temas de reflexión* provide avenues for the expansion of ideas introduced in the readings through conversation, composition or class presentations. They encourage students to think creatively about the lesson theme by drawing on personal experience.
- *¿Sabía Ud. que. . .?* selections put students in contact with Hispanic culture by highlighting and explaining interesting social, historical, literary, or linguistic concepts mentioned in the readings.
- *Improvisación* and *¡Charlemos!* provide outlets for spontaneous and creative uses of Spanish within the framework provided by the lesson theme and the readings. They stress development of oral skills, while *Creación* provides thought-provoking topics for composition.
- Vocabulary is composed of two sections. The *Vocabulario activo* is listed before the reading and contains those words that intermediate students should incorporate in their speech and writing. Contextual exercises are provided to reinforce vocabulary acquisition. All other new vocabulary is glossed in the margins of the readings. Definitions have been provided in Spanish whenever feasible. For the convenience of instructors who choose to use only selected readings, vocabulary entries in both the *Vocabulario activo* and marginal glosses are repeated from selection to selection.

In addition, the lessons contain jokes, riddles, comics, and poster art and advertisements to acquaint students with Hispanic humor and life-styles.

During the past few years we have shared many of these readings with our students in classes at the University of California, Berkeley. We thank them for their warm and intelligent reception and their perceptive comments and suggestions.

We wish to acknowledge the support and contributions of all the Lower Division staff of Berkeley's Department of Spanish and Portuguese. We extend very special thanks to the following people for their help in the preparation of this reader: Milton Azevedo, Inés Bergquist, Jorge Duany, Robert Gilman, Nelson Orengo, and Marian Wassner. We are grateful to the following reviewers of our text for their helpful suggestions:

Ronald M. Barasch; Bernardo Antonio González, Wesleyan University; Theodore B. Kalivoda, University of Georgia; Steve M. Rivas, California State University, Chico; Emily Spinelli, University of Michigan-Dearborn; Judith Strozer, University of California, Los Angeles.

G.A.G.
M.Z.S.

Los vínculos familiares

La familia, tanto en los países hispánicos como en los Estados Unidos, es la entidad básica de la organización social. Como norma general, la familia norteamericana reconoce como miembros de la familia a padres, hijos, nietos, tíos, sobrinos y . . . ¡pare de contar! La familia hispánica, por su lado, no se contenta con estos pocos miembros e incluye en el seno familiar, además de los ya mencionados, a primos, primos segundos, suegros, yernos, ahijados y compadres. Y . . . ¡pobre de aquél que no pueda recordar el parentesco familiar con toda claridad!

Hoy día, sin embargo, en una época en que se debaten los valores de todas las instituciones, la familia no es una excepción. En la lectura Aspectos de la familia en la sociedad actual se explora el desequilibrio que ha surgido del choque entre los roles sexuales tradicionales y el nuevo concepto que de ellos se está formando. A través de los siglos el padre hispánico ha sido, y sigue siendo, el jefe de la familia ante los ojos de la sociedad. Al contraer matrimonio, él sabe que su deber es formar una familia y trabajar por ella. La esposa, en cambio, es la figura central del hogar y en sus manos está la responsabilidad de mantener fuertemente unidos los lazos familiares. En los últimos años, sin embargo, con el creciente número de mujeres profesionales que van saliendo de las universidades, hay jóvenes esposas que aspiran a reorganizar la distribución de roles de los sexos para así poderse dedicar al hogar y al trabajo a un mismo tiempo. Para lograr esta meta razonan que es necesario formar mentalmente a la mujer hispánica del mañana y prepararla, no solamente como esposa y madre, sino también como profesional para así desenvolverse (develop and grow) en la sociedad del mañana.

El hombre hispánico no ignora que la sociedad está cambiando y que tarde o temprano los llamados «derechos de la mujer» se impondrán en los hogares modernos. A pesar de eso, hay quienes se resisten a creer que las nuevas tendencias lograrán infiltrarse por las paredes de sus casas. El humorista colombiano Daniel Samper en ¡Viva la igualdad de los sexos! parece burlarse de algunas de las inconsistencias del movimiento feminista y está a favor de ampliar la noción de igualdad.

Tres selecciones literarias están dedicadas al amor familiar. Miedo de Gabriela Mistral es un poema del amor maternal y los temores que lo acompañan. Han venido de Alfonsina Storni habla de la conmovedora reunión de una madre con sus hijas. El cuento Mi padre del puertorriqueño Manuel del Toro sondea con sensibilidad y delicadeza los pensamientos familiares. Este relato, contado desde el punto de vista de un muchacho, nos revela los sentimientos contradictorios que tiene un hijo por su padre.

Dios te bendiga...

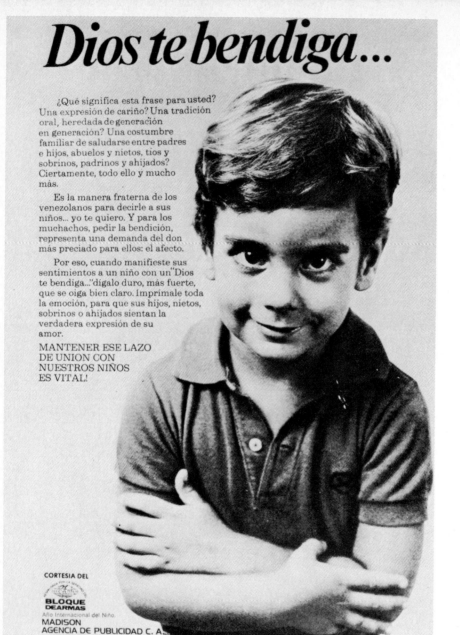

¿Qué significa esta frase para usted? Una expresión de cariño? Una tradición oral, heredada de generación en generación? Una costumbre familiar de saludarse entre padres e hijos, abuelos y nietos, tíos y sobrinos, padrinos y ahijados? Ciertamente, todo ello y mucho más.

Es la manera fraterna de los venezolanos para decirle a sus niños... yo te quiero. Y para los muchachos, pedir la bendición, representa una demanda del don más preciado para ellos: el afecto.

Por eso, cuando manifieste sus sentimientos a un niño con un"Dios te bendiga..."dígalo duro, más fuerte, que se oiga bien claro. Imprímale toda la emoción, para que sus hijos, nietos, sobrinos o ahijados sientan la verdadera expresión de su amor.

MANTENER ESE LAZO DE UNION CON NUESTROS NIÑOS ES VITAL!

el cariño afecto, amor

el padrino *godfather*
/ **el ahijado** *godchild*

el don regalo
el afecto amor, cariño

imprimir transmitir

el lazo conexión

Práctica de vocabulario

¿Cuál es la forma femenina de:?

el padre	_____	el padrino	_____
el hijo	_____	el nieto	_____
el abuelo	_____	el ahijado	_____
el tío	_____	el sobrino	_____

Vocabulario activo

Estudie las siguientes palabras y expresiones que aparecen en la lectura
Aspectos de la familia en la sociedad actual.

Sustantivos

el cansancio fatiga
la ciudadana *citizen*
el corte separación
el esfuerzo *effort*
la guardería *child-care center*

el horario *schedule*
la meta *goal*
el nivel *level*
la pareja *couple*

Verbos

alcanzar *to reach*
compartir *to share*
hallarse encontrarse

plantear causar, ocasionar
recargar *to recharge*

Adjetivo

cotidiano diario

Adverbio

acaso quizás

Expresiones

de moda *in fashion*
en cuanto a con respecto a

ASPECTOS DE LA FAMILIA EN LA SOCIEDAD ACTUAL

Irene de Borbón Parma

Las discusiones sobre la familia española oscilan a menudo entre dos niveles.
En uno, se habla de la familia en términos conceptuales y su papel en la
sociedad; no se considera más que un plan teórico. En el otro extremo, se baja
al nivel de unos problemas de moda: la ley del divorcio o del aborto.

5   Creo conveniente hablar de la familia simplemente en su realidad
cotidiana y del problema planteado en la civilización industrial y urbana por la
disociación de la vida familiar.

     La familia, como núcleo y unidad, es esencial en la sociedad. Es en ella
donde el niño forma su equilibrio para ser mañana independiente y afrontarse
10 con la vida. Es en ella donde el hombre y la mujer pueden relajarse del
cansancio causado por los problemas de la vida. Si hay discordia en este
núcleo, no se halla ni el equilibrio ni el descanso mental. Se habla hoy en día

mucho del divorcio, de la necesidad de poder separarse cuando la vida en común ya resulta imposible. Se habla muy poco de cómo evitar el divorcio, de
15 qué habría que cambiar en esta sociedad en que vivimos para evitar los roces°y tensiones que se producen.

roces fricciones

En la sociedad española el hombre trabaja para mantener económicamente a la familia y la mujer se queda en casa para resolver problemas del hogar y de sus hijos. Para el hombre, esto significa hoy en día
20 un trabajo en la mayoría de los casos rutinario y cansado, por la falta de participación en la gestión° y con un horario excesivo. Sale temprano de casa y vuelve tarde. No tiene energía ni tiempo de responsabilizarse en cuanto a los hijos.

gestión proceso

Para la mujer, esto significa dedicarse exclusivamente al hogar y hay un
25 corte entre su mundo y el del marido. Si trabaja, es por necesidad económica, no por interés, y supone un doble esfuerzo, porque siempre es ella quien tiene que hacer las tareas del hogar.

La vida familiar está en desequilibrio por los roles distribuidos a los sexos. Allí donde el hombre desde joven se prepara para trabajar, la mujer lo hace
30 para casarse. Es una meta y un fin en sí. Es un refugio y una seguridad para la vida.

Si digo que la familia es el núcleo básico e importantísimo y que preparar a los hijos para esta vida es una magnífica tarea, lo creo sinceramente, pero para hombres y mujeres por igual. Debe ser una tarea y
35 una responsabilidad compartida. No puede ser un refugio, un círculo o núcleo cerrado celosamente. Debe ser el centro de convivencia° y encuentro de unas personas que tengan el espacio libre para desarrollar su carácter a través de sus intereses personales. Debe ser un centro para recargar la batería y utilizar la energía hacia fuera, un centro abierto, felicidad no para sí mismo, sino para
40 ofrecerla hacia el exterior.

convivencia vida en común

Para cambiar esta distribución de roles entre los sexos, que conlleva° un desequilibrio profundo en la familia, hace falta ser consciente de que cada persona es alguien de por sí, que el refugiarse detrás de otro anula la personalidad, que tomar opciones (con todo lo difícil que es) hace crecer la
45 personalidad. Primero hay que saber quién eres, tomar el gusto de vivir como individuo porque, indudablemente, pide mucho valor y voluntad. Sin embargo, crea una familia más estable, una educación de los hijos más equilibrada y compartida entre padre y madre, ya que los hijos necesitan de sus padres y los padres necesitan de sus hijos.

conlleva produce

50 Si acaso la mujer no tiene responsabilidad como ciudadana trabajadora, ¿no puede interesarse en la política? Tengo curiosidad en saber cuántas mujeres han votado en las últimas elecciones. ¿Cuántas han estimado su deber opinar por ellas mismas? Es tan cómodo refugiarse detrás del marido—«él lo sabrá mejor que yo»—. Pues, no mujer, no. Si tú quieres dar una educación
55 amplia a tu hijo, tienes que opinar, optar e interesarte en lo que pasa fuera de tu casa. Este mundo es responsabilidad de todos, no sólo de los hombres.

Ahora bien, ¿cómo realizar esto en nuestra vida tan estructurada, con sus condicionamientos económicos, sociales y mentales?

En primer lugar, hay que ir pensando en soluciones concretas. Se
60 necesita un día de labor más corto y con horario flexible. Esto haría posible que la pareja se ocupara de los hijos y del hogar conjuntamente. Sería ya sólo una cuestión de organización para que el uno empezara y terminara su trabajo más temprano, y el otro, más tarde.

Hay que pensar en guarderías y colegios donde padres y vecinos
65 colaboren activamente en la gestión con el personal especializado, para no crear unos centros cerrados y especialistas, un centro donde «abandonas» a tu hijo, sino un centro abierto y propio por su participación, que sea prolongación de la familia. Esto permite a la madre ir a trabajar con la conciencia tranquila.

70 En segundo lugar, conviene dar a la mujer la posibilidad de acceder a un trabajo liberador no sólo en los aspectos técnicos de los horarios, sino por el propio interés del mismo. El trabajo responsable es un trabajo interesante, liberador e integrador, porque no reduce al hombre a ser una pieza° de un amplio mecanismo, sino que le transforma en coautor de la obra. Es verdad
75 que este argumento vale también para el trabajo masculino, pero de algún modo puede alcanzar más fácilmente este nivel el hombre que la mujer, tanto por razones prácticas (ausencia de maternidad) como por hábitos sociales (se tiene más confianza en el hombre). De ahí que es precisa la formación juvenil de la mujer, prepararla para una vida profesional, mentalizarla como persona
80 responsable y no solamente para ser futura esposa y madre.

Esto acabará con las actitudes egocéntricas y de víctima, en las cuales se encierran tantas veces el marido y la mujer. Y se llegará a una familia más abierta, porque marido y mujer tendrán sus intereses, su independencia económica basados en una mayor relación de responsabilidad y de armonía.

—*Cambio 16,* España (Adaptado)

pieza *piece, player*

Cuestionario

1. ¿Por qué es la familia esencial en la sociedad?
2. ¿Cómo es la familia nuclear en la sociedad española? ¿Qué papeles juegan el hombre y la mujer? ¿Qué problemas hay en ese sistema?
3. ¿Cómo debe ser la familia según la autora? ¿Qué será necesario para cambiar la distribución de roles entre los sexos?
4. ¿Qué responsabilidades debe tomar la mujer?
5. ¿Cuáles son algunas de las soluciones que propone la autora? ¿Qué sugiere en cuanto al día de labor? ¿a las guarderías?
6. ¿Cómo debe ser el trabajo de la mujer? ¿Por qué se llegará a una familia más abierta haciendo estos cambios?

Práctica de vocabulario

A. *Dé el sustantivo relacionado con los siguientes verbos y úselo en una oración original.*

> *Ejemplo:* discutir   *discusión*
> *Hay dos tipos de discusiones sobre la familia de hoy.*

Verbo	Sustantivo
1. esforzarse	————
2. emparejar	————
3. guardar	————
4. cansar	————
5. cortar	————

B. *Dé el verbo relacionado con los siguientes sustantivos y úselo en una oración original.*

> *Ejemplo:* el habla   *hablar*
> *Hoy en día se habla mucho del divorcio y no de cómo salvar el matrimonio.*

Sustantivo	Verbo
1. el planteamiento	————
2. el alcance	————
3. el hallazgo	————

Puntos de vista

1. ¿Está Ud. de acuerdo con lo que dice la autora? ¿Cree Ud. que el problema de la familia hoy en día reside en el desequilibrio de la distribución de roles entre los sexos? ¿Cree Ud. que el padre debe participar más activamente en la crianza de los niños?
2. ¿Qué opina Ud. de las guarderías? ¿Cuáles son las ventajas y desventajas?
3. Se dice que los estereotipos sexuales son transmitidos por la sociedad. ¿Qué experiencias ha tenido Ud. para apoyar o contradecir esta creencia? ¿Cómo podríamos cambiar la situación actual para lograr la igualdad de los sexos?

Vocabulario activo

Estudie las siguientes palabras y expresiones que aparecen en el poema *Miedo*.

Sustantivos

la golondrina *swallow* (pájaro) **la reina** *queen*
el nido *nest* **el trono** *throne*

Verbos

mecer *to rock*
peinar *to comb*

En Otavalo, una mujer
ecuatoriana lleva a su hijo
cargado a la espalda.

MIEDO

Gabriela Mistral   (Chile, 1899–1957)

Yo no quiero que a mi niña
golondrina me la vuelvan.
Se hunde° volando en el cielo
y no baja hasta mi estera;°
5   en el alero° hace nido
y mis manos no la peinan.
Yo no quiero que a mi niña
golondrina me la vuelvan.

Yo no quiero que a mi niña
10 la vayan a hacer princesa.
Con zapatitos de oro
¿cómo juega en las praderas?°
Y cuando llegue la noche
a mi lado no se acuesta . . .
15 Yo no quiero que a mi niña
la vayan a hacer princesa.

Y menos quiero que un día
me la vayan a hacer reina.
La pondrían en un trono
20 a donde mis pies no llegan.
Cuando viniese la noche
yo no podría mecerla . . .
¡Yo no quiero que a mi niña
me la vayan a hacer reina!

se hunde se mete
estera (door)mat
alero eaves

praderas meadows

Cuestionario

1. ¿Quién habla en el poema? ¿Qué deseo expresa para su hija en la primera estrofa? Describa Ud. el pequeño escenario que crea la poetisa para expresar su miedo.
2. ¿Cómo difiere la segunda estrofa de la primera? ¿Es el deseo de no perder a su hija esencialmente el mismo?
3. ¿Cómo funciona la tercera estrofa en el poema? ¿Cómo interpreta Ud. los versos: «La pondrían en un trono / a donde mis pies no llegan.» (v. 19-20)? ¿Qué nos dicen sobre la madre?

Temas de reflexión

1. Imagínese el escenario del poema. ¿Dónde estarán la mamá y su hija? ¿Qué sucesos habrán ocasionado estas palabras?
2. ¿Cómo funciona la repetición en el poema? ¿Cree Ud. que el poema se parece a un rezo?
3. ¿Por qué se llama el poema «Miedo»? ¿Qué miedos diferentes expresan las tres estrofas? Compare los versos 3-4, 11-12 y 19-20. ¿Ve Ud. alguna semejanza entre los deseos expresados en los versos 5-6, 13-14 y 21-22?

Vocabulario activo

Estudie las siguientes palabras y expresiones que aparecen en la lectura ¡**Viva la igualdad de los sexos!**

Sustantivos

el **embarazo** *pregnancy*
el **incendio** *fire*
el **peligro** *danger*

el **sueldo** salario
el **varón** hombre

Verbos

apoyar *to support (physically or idealistically)*
comprobar (o > **ue**) *to prove*
jubilarse *to retire*

pelear luchar
sostener *to support (financially)*
sudar *to sweat*

Adjetivo

odioso *hateful*

Expresiones

por lo demás *as for the rest, apart from this*
por si acaso *just in case*

¡VIVA LA IGUALDAD DE LOS SEXOS!

Daniel Samper

Estoy totalmente de acuerdo con la igualdad del hombre y la mujer, y me parece que hay que apoyar enérgicamente las ideas que en tal sentido vienen a exponer las femenistas. Es más: yo creo que muchas de las liberacionistas femeninas se quedan cortas en sus peticiones de igualdad. Modestia aparte, yo
5 no. Cuando yo hablo de igualdad hablo de . . . bueno, de igualdad–igualdad.

Y me parece que, para acabar con esa odiosa discriminación sexual que consagran° la Constitución, las leyes y la sociedad, el primer paso hacia la igualdad de la mujer y el hombre es llevar a las mujeres al cuartel.° Sí. Que presten servicio militar, como los hombres. Igualdad es igualdad. Además, la
10 edad para casarse* será la misma del hombre. Nada de que el hombre tenga que esperar más tiempo. Tampoco se le entregará a ella la custodia de los niños menores de siete años* en caso de separación matrimonial: una semana el uno, una semana el otro. Igualdad es igualdad. Y, en el mismo evento, si ella está ganando mejor sueldo que el marido, será la mujer quien le pase
15 dinero para alimentos y lo sostenga, lo mismo que a los hijos. Lo otro no sería igualdad.

Y que se acaben los privilegios motivo° embarazo. La ciencia ha comprobado que al futuro padre le dan trastornos° y sufre, y se preocupa, y anda angustiado para ver cómo se levanta la plata° para la clínica. Es justo
20 que él también tenga sus descansos. O que ella trabaje como él. Y después de nacer el niño, nada de que la señora se quede en cama muy sabroso° durante tres meses mientras uno suda en la oficina. Mes y medio para ella, y mes y medio para uno. Por otra parte, o la mujer se jubila a los 55 años, como lo hace el hombre según la ley, o se establecen los 50 años para todos. Ni más
25 faltaba. Igualdad es igualdad.

Por lo demás, hay que extender la igualdad al deporte. Hasta ahora los lanzamientos° femeninos de disco, jabalina° y bala° se practican con objetos más livianos.° Nanaí.° En adelante, o livianos para todos, o pesados para todos. Y ya es hora de que ellas empiecen a correr la maratón. Nada de que la
30 mayor distancia para atletismo femenino sea los 1.500 metros. Y se acaba el soft-ball, por si acaso, para que las mujeres se dediquen al béisbol como los hombres.

Además, punto final a esa discriminatoria costumbre de que en las ocasiones de peligro hay que salvar primero a mujeres y niños. Los niños,
35 pase. Pero las mujeres tendrán que pelear por su vida como cualquier varón, lo mismo en un incendio que en el puesto de un bus.° Igualdad es igualdad, ¿o no?

consagran autorizan

cuartel *barracks*

motivo por razones de /**dan trastornos** inquietan

se . . . plata se consigue dinero

sabroso agradablemente

lanzamientos *throwing* /**jabalina** *javelin* /**bala** *shot put* /**livianos** *light* /**Nanaí** No, no. (pop.)

puesto . . . bus *bus stop*

¿Sabía Ud. que...?

❋ **La edad para casarse** de la mujer y del hombre hispánicos difiere en unos 4 a 6 años. Se espera que el hombre al casarse tenga ya una posición económica estable para poder mantener el hogar, mientras que la mujer puede comenzar a pensar en el matrimonio al graduarse de la escuela secundaria.

❋ En la mayoría de los países hispánicos, en casos de divorcio, **la custodia de los hijos menores de seis o siete años** la tiene la mujer. Si los niños son mayores de siete años generalmente son las muchachas que se quedan con la madre; el padre se hará cargo de los niños. Las leyes, sin embargo, están cambiando con los tiempos y en muchos casos son los ex-cónyuges que deciden de mutuo acuerdo lo que mejor conviene a los hijos.

Cuestionario

1. Según el autor, ¿en qué se quedan cortas las liberacionistas femeninas?
2. ¿Qué cambios establecería el autor para acabar con la discriminación sexual en el mundo hispánico? ¿Cómo cambiaría el servicio militar en Colombia? ¿la edad para casarse? ¿la custodia de los hijos en caso de separación matrimonial?
3. ¿Por qué merece el hombre un tratamiento igual durante y después del embarazo?
4. ¿Qué se debe hacer para extender la igualdad al deporte? ¿a las ocasiones de peligro?

Temas de reflexión

1. ¿Cómo describiría Ud. el tono del artículo de Samper? ¿Es serio? ¿travieso? ¿satírico? ¿Qué palabras o expresiones le hacen pensar así?
2. Si lográramos la igualdad absoluta entre los sexos, ¿qué otros cambios, además de los que menciona el autor, veríamos en la sociedad? ¿Cree Ud. que la igualdad absoluta es una meta hacia la cual debemos progresar?

¡Charlemos!

Debate: Discuta con sus compañeros de clase los siguientes temas polémicos.

1. La mujer, al igual que el hombre, debe participar en la conscripción (*draft*) y combatir en el frente en caso de guerra.
2. El padre debe recibir la custodia de los niños en caso de divorcio.
3. Tanto hombres como mujeres deben tener privilegios durante el embarazo.
4. Las mujeres deben competir igualmente con los hombres en los deportes.

Vocabulario activo

Estudie las siguientes palabras y expresiones que aparecen en la lectura *Sinfonía*.

Sustantivos

el anciano hombre viejo   **el lector** *reader*
el banquero *banker*   **la monja** *nun*
el cabello pelo   **el pecador** *sinner*
el coro *chorus*   **el solterón** *bachelor*

Expresiones

de rodillas *on one's knees*
la luna de miel *honeymoon*

SINFONÍA

Conjugación del verbo «amar»

Pedro de Alarcón   (España, 1833–1891)

CORO DE ADOLESCENTES: —Yo amo, tú amas, aquél ama; nosotros amamos, vosotros amáis, ¡todos aman!

CORO DE NIÑAS: *(a media voz)* —Yo amaré, tú amarás, aquélla amará; ¡nosotras amaremos!, ¡vosotras amaréis!, ¡todas amarán!

5   UNA FEA Y UNA MONJA: *(a dúo)* —¡Nosotras hubiéramos, habríamos y hubiésemos amado!

UNA COQUETA: —¡Ama tú! ¡Ame usted! ¡Amen ustedes!

UN ROMÁNTICO: *(desaliñándose°el cabello)* —¡Yo amaba!   desaliñándose *mussing*

UN ANCIANO: *(indiferentemente)* —Yo amé.

10 UNA BAILARINA: *(trenzando°delante de un banquero)* —Yo amara, amaría . . . y amase.   trenzando *prancing*

DOS ESPOSOS: *(en la menguante°de la luna de miel)* —Nosotros habíamos amado.   en . . . menguante al final

UNA MUJER HERMOSÍSIMA: *(al tiempo de morir)* —¿Habré yo amado?

UN POLLO:° —Es imposible que yo ame, aunque me amen.   pollo joven

15 EL MISMO POLLO: *(de rodillas ante una titiritera°)* —¡Mujer amada, sea usted amable, y permítame ser su amante!   titiritera *puppeteer*

UN NECIO:° —¡Yo soy amado!   necio persona tonta

UN RICO: —¡Yo seré amado!

UN POBRE: —¡Yo sería amado!

20 UN SOLTERÓN: *(al hacer testamento)* —¿Habré yo sido amado?

UNA LECTORA DE NOVELAS: —¡Si yo fuese amada de este modo!

UNA PECADORA: *(en el hospital)* —¡Yo hubiera sido amada!

EL AUTOR: *(pensativo)* —¡AMAR! ¡SER AMADO!

Cuestionario

1. ¿Podría Ud. explicar y justificar la selección de tiempos y modos verbales para cada personaje?
2. ¿Cómo explicaría Ud. el cambio de tiempos verbales entre las dos declaraciones (ll. 14–16) del pollo?

Creación

Escriba Ud. su propia conjugación del verbo *amar* con otros personajes. O si prefiere, seleccione otro verbo (*querer, creer, soñar, vivir,* etc.) y prepare otra sinfonía.

Improvisación

Con sus compañeros de clase escenifique los papeles de *Sinfonía*. Las conjugaciones del verbo *amar* serán recitadas con la mayor emoción y el tono apropiado para cada personaje.

¡Adelante!

Humor

—Esta es la señora que ocupaba la cama contigua a la mía en maternidad.

COSPER

Improvisación

Explique Ud. a la clase cuál es el aspecto gracioso de este chiste. ¿De qué se dan cuenta el hombre rubio y su hijo moreno? Imagínese que Ud. y un compañero de clase son estos dos personajes. ¿Cómo reaccionarían? ¿Qué dirían a su esposa y madre bienamada? ¿Hablarían con la otra familia? Usando sus poderes creadores y teatrales, ¡dramatice la escena!

Vocabulario activo

Estudie las siguientes palabras y expresiones que aparecen en la lectura **Mi padre**.

Sustantivos

el aliento *breath*
el asombro *sorpresa*
la cicatriz *scar*
el cobarde *coward*
el escalofrío *chill*
la hazaña *great deed, feat*
la herida *wound*
el mostrador *counter*
la navaja *(razor) blade*

el paso/el pasito *step/small step*
la pena *sorrow*
el polvo *dust*
el puñal *dagger*
el ron *rum*
el tablero *board*
el tajo *cut*
el valor *courage*

Verbos

alargar *to hand (something) to someone*
arrojar *echar, lanzar*
atrapar *to catch*
atreverse (a) *to dare to*
comprobar (o>ue) *to prove, verify*
despreciar *to scorn*
envidiar *to envy*

intentar *tratar, esforzarse*
lucir *to show off*
palpar *tocar*
pegar *to stick*
sonar (o>ue) *to sound*
tragarse *to swallow*

Adjetivos

acostado *lying (down)*
descalzo *sin zapatos*
hondo *profundo*

manso *gentle*
tibio *warm*

Expresiones

a hurtadillas *on the sly, secretly*
a ver *let's see*
de cerca *closely*

ni siquiera *not even*
por poco *almost*

MI PADRE

Manuel del Toro   (Puerto Rico, n. 1911)

De niño siempre tuve el temor de que mi padre fuera un cobarde. No porque
lo viera correr seguido de cerca por un machete°como vi tantas veces a Paco,
el Gallina,*y a Quino Pascual. ¡Pero era tan diferente a los papás de mis
compañeros de clase! En aquella escuela de barrio donde el valor era la virtud
5 suprema, yo bebía el acíbar°de ser el hijo de un hombre que ni siquiera
usaba cuchillo. ¡Cómo envidiaba a mis compañeros que relataban una y otra
vez sin cansarse nunca de las hazañas de sus progenitores! Nolasco Rivera
había desarmado°a dos guardias insulares.° A Perico Lugo lo dejaron por
muerto en un zanjón°con veintitrés tajos de perrillo.° Felipe Chaveta lucía una
10 hermosa herida desde la sien°hasta el mentón.°

Mi padre, mi pobre padre, no tenía ni una sola cicatriz en el cuerpo.
Acababa de comprobarlo con gran pena mientras nos bañábamos en el río
aquella tarde sabatina° en que como de costumbre veníamos de voltear las
talas° de tabaco. Ahora seguía yo sus pasos hundiendo°mis pies descalzos en
15 el tibio polvo del camino, y haciendo sonar mi trompeta. Era ésta un tallo de
amapola°al que mi padre con aquella su mansa habilidad para todas las cosas
pequeñas había convertido en trompeta con sólo hacerle una incisión
longitudinal.

Al pasar frente a La Aurora, me dijo:
20 —Entremos aquí. No tengo cigarros para la noche.

Del asombro por poco me trago la trompeta. Porque papá nunca entraba
a La Aurora, punto de reunión de todos los guapos del barrio. Allí se jugaba
baraja,°se bebía ron y casi siempre se daban tajos.° Unos tajos de machete
que convertían brazos nervudos°en cortos muñones.° Unos tajos largos de
25 navaja que echaban afuera intestinos. Unos tajos hondos de puñal por los que
salía la sangre y se entraba la muerte.

Después de dar las buenas tardes, papá pidió cigarros. Los iba
escogiendo uno a uno con fruición°de fumador, palpándolos entre los dedos y
llevándolos a la nariz para percibir su aroma. Yo, pegado al mostrador
30 forrado°de zinc, trataba de esconderme entre los pantalones de papá. Sin
atreverme a tocar mi trompeta, pareciéndome que ofendía a los
guapetones°hasta con mi aliento, miraba a hurtadillas de una a otra esquina
del ventorrillo.° Acostado sobre la estiba°de arroz veía a José, el Tuerto,*
comer pan y salchichón°echándole los pellejitos°al perro sarnoso°que los
35 atrapaba en el aire con un ruido seco de dientes. En la mesita del lado
tallaban con una baraja°sucia Nolasco Rivera, Perico Lugo, Chus Maurosa y
un colorado° que yo no conocía. En un tablero colocado sobre un barril se
jugaba dominó. Un grupo de curiosos seguía de cerca las jugadas.° Todos
bebían ron.

Right-margin glosses:

No . . . machete *Not because I saw him running away from someone with a machete knife*

bebía . . . acíbar *suffered the bitterness*

desarmado *sin armas* /insulares *de la isla* /zanjón *deep ditch* /tajos . . . perrillo *slashes* /sien *temple* /mentón *chin*

sabatina *de un sábado*/voltear las talas *walk over the plantation*

hundiendo *sinking* /tallo de amapola *poppy stalk*

baraja *cards* /se . . . tajos *they cut each other up* /nervudos *fuertes* /muñones *stumps*

fruición *placer*

forrado *lined*

guapetones *big bullies* /ventorillo *taberna (La Aurora)* /estiba *load* /salchichón *sausage* /pellejitos *skins* /sarnoso *mangy* /tallaban . . . baraja *were shuffling a deck of cards* /jugadas *plays*

40 Fue el colorado el de la provocación. Se acercó adonde°papá, alargándole la botella de la que ya todos habían bebido:

—Dése un palo,°don . . .

—Muchas gracias, pero yo no puedo tomar.

—Ah, ¿conque me desprecia porque soy un pelao?°

45 —No es eso, amigo. Es que no puedo tomar. Déselo usted en mi nombre.

—Este palo se lo da usted o ca . . . se lo echo por la cabeza.

Lo intentó, pero no pudo. El empellón°de papá lo arrojó contra el barril de macarelas.° Se levantó medio aturdido°por el ron y por el golpe, y palpándose el cinturón con ambas manos, dijo:

50 —Está usted de suerte, viejito, porque ando desarmao.°

—A ver, préstenle un cuchillo.

Yo no podía creerlo, pero era papá el que hablaba.

Todavía al recordarlo un escalofrío me corre por el cuerpo. Veinte manos se hundieron en las camisetas sucias, en los pantalones raídos,°en las botas
55 enlodadas,°en todos los sitios en que un hombre sabe guardar su arma. Veinte manos surgieron ofreciendo, en silencio de jíbaro encastado,°el cuchillo casero,°el puñal de tres filos,°la sevillana corva . . .°

—Amigo, escoja el que más le guste.

—Mire don, yo soy un hombre guapo, pero usté es más que yo. —Así
60 dijo el colorado y salió de la tienda con pasito lento.

Pagó papá sus cigarros, dio las buenas tardes y salimos. Al bajar el escaloncito°escuché al Tuerto decir con admiración:

—Ahí va un macho completo.

Mi trompeta de amapola tocaba a triunfo. ¡Dios mío; que llegue el lunes
65 para contárselo a los muchachos!

adonde adonde estaba

Dése . . . palo *have a drink*

pelao pobre

empellón golpe /**macarelas** *mackerel* /**aturdido** *stunned*

desarmao desarmado; sin armas

raídos viejos, usados /**enlodadas** *muddy*

jíbaro encastado campesino típico /**casero** de la casa /**filos** *cutting edges* /**sevillana corva** cuchillo gitano

escaloncito *steps*

¿Sabía Ud. que...?

❋ «El Gallina» es un **sobrenombre** (*nickname*) que se da a una persona que tiene miedo de todo. En los países hispánicos es corriente y no se lo considera cruel llamar a las personas por sus sobrenombres que generalmente indican un defecto o alguna característica especial de la persona. A una persona que sólo tiene un ojo lo llaman, como en el caso de José, «el Tuerto». Muchas veces se conoce únicamente el sobrenombre de las personas y no el nombre.

Cuestionario

1. ¿Por qué temía el muchacho que su padre fuera un cobarde? ¿En qué se diferenciaba de los demás papás?
2. ¿Cuándo comprobó el muchacho que su padre no tenía cicatriz?

3. Describa Ud. la trompeta del muchacho. ¿Quién la hizo?
4. ¿Por qué se asombró el muchacho cuando el padre dijo que entraría a la taberna La Aurora?
5. Describa Ud. La Aurora. ¿Quiénes la frecuentaban?
6. ¿Quién provocó al padre? ¿Cómo comenzó la pelea?
7. ¿Qué pasó cuando el padre pidió que le prestaran un cuchillo al colorado?
8. ¿Qué dijo el Tuerto al salir el padre de la taberna? ¿Cómo se sintió el hijo al oírlo?

Práctica de vocabulario

Estudie Ud. en la lectura anterior el significado de las palabras o expresiones de la lista, y después complete las oraciones con la(s) palabra(s) o expresiones apropiada(s).

sonar (l.15)   una cicatriz (l.11)
intentaron (l.47)   de cerca (l.2)
un cobarde (l.1)   tibia (l.15)
ni siquiera (l.5)   a hurtadillas (l.32)
una navaja (l.25)   alargaron (l.41)

1. _____ es una persona a quien le falta valor.
2. ¡Cómo quieres comprar un coche si _____ tienes dinero para comer!
3. Después de la operación en que le hicieron una incisión, tenía _____ muy larga en el pecho.
4. El agua no está ni caliente ni fría; está _____.
5. El hombre se afeitaba con _____.
6. Antes de robar el dinero el ladrón miraba _____ por todos los rincones de la tienda desierta.
7. Porque el aprendiz lo admiraba, seguía _____ todas las acciones de su maestro.
8. Los niños _____ alcanzar los dulces que estaban en el mostrador, pero no pudieron.
9. El muchacho hacía _____ su trompeta con alegría.
10. Cuando pidió el cuchillo, veinte manos se lo _____.

Temas de reflexión

1. ¿Qué aspectos de la psicología infantil le parecen los más interesantes del cuento? ¿Es común en los niños el temor que el padre sea un cobarde o que sea diferente de los otros padres? ¿Es una característica netamente hispánica que los niños estén orgullosos de saber que su padre es un «macho completo»?
2. ¿Qué importancia tiene la trompeta en el cuento? ¿Cómo interpreta Ud. la frase al principio del cuento: «Era ésta un tallo de amapola al que mi padre con aquella su mansa habilidad para todas las cosas

pequeñas había convertido en trompeta con sólo hacerle una incisión longitudinal.» (ll.15–18)?

3. Según la descripción de La Aurora y los hombres que la frecuentaban, ¿cómo era el ambiente en que creció el muchacho? ¿Era una región rica o pobre? ¿Era fácil o difícil la vida allí? Explique su respuesta.

¡Charlemos!

El tema central del cuento es el gran descubrimiento de un niño: el narrador nos cuenta lo que pasó el día en que desapareció el temor de tener un padre cobarde y empezó a sentirse orgulloso de él. Todos nosotros hemos tenido experiencias parecidas. ¿Podría Ud. contar el gran descubrimiento de su vida?

Improvisación

Juego: El club de los mentirosos (*To Tell the Truth*)

Cada estudiante escribirá un párrafo relatando algún acontecimiento extraordinario que desea compartir con sus compañeros. El (La) instructor(a) escogerá a tres estudiantes de la clase y leerá el relato de uno de ellos. El resto de los estudiantes, por medio de preguntas, tendrá que descubrir quién es el autor del relato. Como Ud. ya se lo puede imaginar, el verdadero autor dirá la verdad pura y sus compañeros mentirán hábilmente a fin de no ser descubiertos como mentirosos. ¿Es posible que los impostores puedan engañarlos a Uds. fácilmente? Sólo lo sabremos después del juego.

Vocabulario activo

Estudie las siguientes palabras y expresiones que aparecen en el poema **Han venido**.

Sustantivos

la golondrina *swallow*
el hombro *shoulder*
la lágrima *tear*
el orgullo *pride*

Verbo

soler (o>ue) *acostumbrar*

Adjetivo

tibio *warm*

*En un atardecer en Puerto Vallarta, México, la familia descansa
después del trabajo.*

HAN VENIDO

Alfonsina Storni   (Argentina, 1892–1938)

Hoy han venido a verme
mi madre y mis hermanas.

Hace ya tiempo que yo estaba sola
con mis versos, mi orgullo . . . casi nada.

5 Mi hermana, la más grande, está crecida,
es rubiecita;° por sus ojos pasa
el primer sueño: He dicho a la pequeña:
—La vida es dulce. Todo mal acaba . . .

rubiecita de pelo
rubio

Mi madre ha sonreído como suelen
10   aquellos que conocen bien las almas;
ha puesto sus dos manos en mis hombros,
me ha mirado muy fijo . . .
y han saltado mis lágrimas.

Hemos comido juntas en la pieza°   **pieza** cuarto
15   más tibia de la casa.
Cielo primaveral . . . para mirarlo
fueron abiertas todas las ventanas.

Y mientras conversábamos tranquilas
de tantas cosas viejas y olvidadas,
20   mi hermana, la menor, ha interrumpido:
—Las golondrinas pasan . . .

Cuestionario

1. Describa Ud. la reunión de la madre y las tres hermanas. ¿Dónde toma lugar? ¿Cuál es la estación del año?
2. ¿Cómo es la hermana que habla, la «yo» del poema? ¿Qué quiere decir «yo estaba sola / con mis versos, mi orgullo . . . casi nada.» (v. 3–4)?
3. ¿Qué observa y qué le dice la hermana mayor a la pequeña? ¿Cuál fue la reacción de la madre? ¿Por qué lloró la poetisa?
4. Describa la cena. ¿Dónde tuvo lugar? ¿Por qué estaban abiertas las ventanas?
5. ¿Qué significa el último verso, «las golondrinas pasan.»? ¿Quién lo dice?

Temas de reflexión

1. Este poema tiene como tema el paso del tiempo en las personas. Dentro de este marco, ¿podría Ud. explicar la sonrisa de la madre? ¿la soledad de la hija mayor? ¿el primer sueño de la segunda hija? ¿la alegre interrupción de la más pequeña? ¿Qué etapas de la vida representan?
2. Hay un viejo proverbio español que dice «Un dedo no hace mano, ni una golondrina verano.» ¿Sabía Ud. que la golondrina es considerada el heraldo del verano? ¿Cree Ud. que este hecho tiene importancia para el poema?

Los senderos de la enseñanza

Hablar en forma general de los senderos de la enseñanza por los que tienen que atravesar los estudiantes hispánicos sería un error puesto que cada país ha creado sus propias normas educativas de acuerdo a las necesidades nacionales. Las lecturas que aquí presentamos se refieren a dos países en los que el porcentaje de analfabetismo (illiteracy) es muy bajo y en ningún momento la niñez se ve privada de educación: España en Europa y la Argentina en el continente sudamericano.

Las etapas de enseñanza en ambos países son tres: la elemental o primaria, la secundaria o media, y la superior o universitaria.

La primaria es gratis y obligatoria. En ella los alumnos de 6 a 12 años aprenden a leer y a escribir y adquieren los conocimientos de las materias básicas. Característica española es la instrucción religiosa que forma parte del programa escolar de los niños. Característica argentina es la instrucción cívica que reciben los alumnos: el respeto a los símbolos patrios y a los héroes de la nación se aprende a muy temprana edad. Iniciarse en la escuela primaria es siempre un motivo de gran regocijo (rejoicing) y las campanadas que llaman a clases despiertan grandes expectaciones en los padres que por primera vez llevan a sus hijos a la escuela. Carmen Laforet, en su estampa Al colegio, capta las emociones profundas de una madre en ese momento trascendental de la vida.

La escuela secundaria no es obligatoria en ninguno de los dos países. Esta etapa se divide en dos ciclos: el técnico y el profesional. A la edad de 14 años los estudiantes ya tienen que estar conscientes de sus inclinaciones para el futuro. El ciclo técnico de la educación secundaria conduce directamente a trabajos prácticos y el ciclo profesional culmina con el título de «bachiller» que es más o menos el equivalente del diploma de high school en los Estados Unidos. Este título capacita a los graduados de colegios y liceos secundarios para matricularse en la universidad.

Los difíciles años formativos de la adolescencia han sido objeto de muchos estudios, artículos y encuestas (surveys). En ambos países se piensa que la juventud norteamericana ejerce gran influencia sobre los estudiantes de 15 a 18 años y se ha tratado por varios medios de contrarrestar este impulso avasallador (dominante). En la Argentina, la Dirección Nacional de Educación se vio en la necesidad de dictar normas especiales para los colegios secundarios a fin de mantener la tradicional corrección estudiantil. En España, según el artículo Cowboys de mediodía, los jóvenes de Madrid «en algunas cosas hasta son más americanos que los propios yanquis».

Los estudios universitarios tanto en España como en la Argentina son mucho más especializados que en los Estados Unidos y el estudiante, desde el comienzo de su carrera, tiene que estudiar las materias que se dictan en su propia facultad sin lugar a mucha elección. Los años de estudios universitarios varían según las profesiones y no existe un título profesional genérico que corresponda al B.A. o M.A. de los Estados Unidos. La carrera universitaria culmina con el título profesional de ingeniero, doctor, abogado o profesor.

Vocabulario activo

Estudie las siguientes palabras y expresiones que aparecen en la lectura
Normas para colegios secundarios.

Sustantivos

el aula sala de clase	**el maquillaje** *makeup*
el cuello *neck, collar*	**el peinado** *hairdo*
el delantal *apron, smock*	**el varón** hombre

Verbos

asomar mostrar, aparecer	**recoger** *to gather*
ingresar entrar	**retirarse** salir, irse
prescindir evitar, omitir	

Adjetivos

desterrado banished
escolar de la escuela
suelto *loose*

NORMAS PARA COLEGIOS SECUNDARIOS DE LA ARGENTINA

Arreglo°personal, comportamiento, actitudes, ambiente: todo fue reglamentado
para alumnos, profesores y locales de colegios secundarios. Fue por la circular
Nº 137 de la Dirección Nacional de Educación Media y Superior. Ejemplos
para los estudiantes:

arreglo *grooming*

5 • Los varones, con el pelo corto y las orejas descubiertas.° Sin barba.
  • Las niñas con el pelo recogido.
  • Para ellos: pantalón clásico, saco,°camisa y corbata.
  • Para ellas: delantal blanco, sin que asome la pollera°y con cuello cerrado o
    polera°blanca debajo. En caso de usar pantalón, será azul marino.
10 • Guardar profundo respeto a los símbolos patrios°y a los próceres.° Cantar
    con unción°el Himno Nacional y las canciones patrióticas.
  • Asistir puntualmente, actuar con disciplina y mantener silencio en toda
    ceremonia y acto escolar.
  • Ponerse de pie cada vez que ingrese en el aula una autoridad, profesor o
15 toda persona mayor.
  • Mostrar corrección y cortesía en el trato°con los compañeros y evitar el
    lenguaje inadecuado y la familiaridad excesiva.
  • Cuidar la higiene del local.

Para los profesores:

20 • Saco, camisa y corbata, para ellos.
  • Si el personal femenino usa pantalón, llevará también sacón°o tapado.°

descubiertas visibles

saco *sport coat*
pollera falda
polera *turtleneck*
patrios de la patria
/**próceres** héroes
/**unción** devoción

trato relación

sacón chaqueta
larga /**tapado**
abrigo

ASÍ, **SÍ...**

De las disposiciones se desprende° que varios detalles quedaron desterrados expresamente:

- El desaliño°o la falta de aseo.°
25 - El pelo largo para los chicos.
- Los peinados sueltos para las chicas.
- Prohibidos—para todos, incluso los profesores—los pantalones vaqueros o similares.
- Los jóvenes no usarán barba.
30 - Las alumnas no usarán maquillaje ni tampoco una cantidad exagerada de alhajas.°

se desprende se deduce, se concluye

desaliño negligencia /**aseo** limpieza

alhajas *jewelry*

- No podrá verse ropa de color debajo del delantal ni reemplazarse la corbata por un cuello de suéter.
- Los alumnos no podrán fumar dentro del establecimiento y los profesores no
35 fumarán dentro de la unidad° escolar, en presencia de los estudiantes.

unidad área

- Los colegiales no podrán hacer presentaciones o solicitudes colectivas, las que deberán realizarse en forma individual. Tampoco podrán retirarse del colegio sin autorización.
- Los docentes° observarán corrección y precisión en el uso del lenguaje.

docentes los que enseñan

40 Se prescindirá del trato familiar o de excesiva confianza con los alumnos.
- Se evitará todo comentario que afecte el principio de la autoridad y de la jerarquía.°

jerarquía *hierarchy*

—*La Semana*, Argentina (Adaptado)

ASÍ, **NO...**

Ejercicio de comprensión

Los siguientes son estudiantes hipotéticos de una escuela secundaria en la
Argentina. En cada caso, indique si, de acuerdo a la descripción en el artículo,
el estudiante está dentro de las normas para colegios secundarios.

¿Dentro de las normas?

1. _____ Sí _____ No   Paco Valdez lleva pelo largo y barba descuidada.

2. _____ Sí _____ No   Marta García lleva pantalón azul marino y una polera blanca
debajo de su delantal.

3. _____ Sí _____ No   Luis Álvarez lleva saco, camisa y corbata y unos pantalones
clásicos.

4. _____ Sí _____ No   Elena Rodríguez y Santos llega tarde al colegio todos los días. Se
niega a ponerse de pie cuando entra el profesor.

5. _____ Sí _____ No   Alonso Quintana lleva pantalones vaqueros y fuma frente a la
escuela antes de comenzar las clases.

6. _____ Sí _____ No   Pedro Santander es un estudiante muy serio. Guarda profundo
respeto a los símbolos patrios y canta el Himno Nacional con
unción.

7. _____ Sí _____ No   Alicia Martínez aconseja a unos estudiantes del primer año que a
la hora del almuerzo no soliciten privilegios en grupo colectivo,
sino que vayan individualmente a hablar con las autoridades.

8. _____ Sí _____ No   Rosa Villaseñor llega un día al colegio con su delantal blanco pero
con el cabello suelto, maquillaje y varias alhajas.

Práctica de vocabulario

¿Puede ser o no?

1. El año escolar dura unos nueve meses.
2. Se puede prescindir de agua y comida y vivir contento.
3. Se lleva un delantal para proteger la ropa.
4. El aula llevaba mucho maquillaje.

Puntos de vista

1. ¿Qué opina Ud. de las normas para colegios secundarios? ¿Son
justas? ¿estrictas? ¿exigentes? ¿excesivas?
2. ¿Cuáles eran las normas en su escuela secundaria? ¿Cómo se
comparan con las normas argentinas?
3. ¿Cree Ud. que los directores de las escuelas tienen el derecho de
imponer normas a los estudiantes? ¿Cuál es la filosofía detrás de tales
normas? ¿Cree Ud. que debemos tener normas semejantes en la
universidad?

Improvisación

Imagínese que Ud. es el director de una escuela secundaria en la Argentina.
Sus compañeros de clase son estudiantes que asisten a la escuela. Critique Ud.
su modo de vestir y su comportamiento según las normas establecidas.

Vocabulario activo

Estudie las siguientes palabras y expresiones que aparecen en la lectura
Cowboys de mediodía.

Sustantivos

la autocrítica *self-criticism*	**el nivel** *level*
el, la colega *colleague*	**la pareja** *mate, couple*
la encuesta *poll, survey*	**el varón** *hombre*

Verbos

destacar *to point out*	**rechazar** *to reject*
disponer (de) *to have available*	**señalar** *indicar*
recoger *to gather*	

Adjetivos

agudo *sharp, acute*	**estupendo** *maravilloso*
escaso *scarce*	**remunerado** *que paga*

Expresiones

al revés *el opuesto, al contrario*	**llevar a cabo** *to carry out*
de pronto *de repente, de golpe*	**por lo demás** *as for the rest, apart from this*
empinar el codo *to get drunk*	**el sentido del humor** *sense of humor*
estar a gusto *estar cómodo*	

COWBOYS DE MEDIODÍA

Los jóvenes de Madrid y Nueva York: Como dos gotas de agua

Madrid es un barrio de Nueva York; lo malo es que está un poco lejos del
centro. El Tío Sam llegó hace muchos años. Abrió su maleta y salieron
hamburguesas, coca-colas, ropa vaquera, música en inglés y películas de
Hollywood. De pronto, ¡zas!, salió una base militar.

5   Joseph A. Cussen ha llevado a cabo una encuesta: «Dos ciudades y su
juventud», que recoge las respuestas de los alumnos de diecinueve escuelas
de Madrid y Nueva York. La encuesta revela que los dos grupos de jóvenes,
entre los quince y los diecinueve años, tienen mucho en común.

Los madrileños son más pobres, más solitarios y más partidarios° de   **partidarios** a favor de
10 empinar el codo, pero, por lo demás, se parecen a sus colegas neoyorquinos
como una gota° de agua a otra. Todos ellos son gentes que están creciendo en   **gota** *drop*
una inmensa ciudad poco representativa del resto de las ciudades de su país.

La colonización cultural salta a la vista.° A la hora de escuchar música,   **salta . . . vista** *stands out*/**abrumadora** *overwhelming*
los madrileños, en abrumadora° mayoría, eligen «rock» y disco. En algunas
15 cosas hasta son más americanos que los propios yanquis: el porcentaje de los
que declaran que les gusta el *country* y las películas del Oeste es superior en
Madrid que en Nueva York.

Los chicos de Nueva York tienen más posibilidades de acceder a un trabajo remunerado y son más precoces en el amor. Los madrileños, escasos
20 de dinero y más tímidos, recurren° al alcohol para olvidar sus problemas. En Madrid no hay abstemios° entre los quince y los diecinueve años. También el problema de la droga es más agudo. Aunque en Nueva York, son más los que se drogan que en Madrid, la mayoría se limita a fumar marihuana. El porcentaje de madrileños que consume heroína duplica al de Nueva York.

25 A todos les gusta hacer lo mismo en sus ratos libres: charlar con los amigos, oír música, ver la televisión y estremecerse° con las películas de horror y las de amor. A los americanos les gustan más las comedias, a los madrileños las de miedo.

Los neoyorquinos son más religiosos y más conservadores en política. Un
30 alto porcentaje opina que el comunismo es peligroso. También son más pacifistas. Un abrumador 80 por 100 prefiere que el servicio militar sea voluntario.

A la hora de señalar sus defectos demuestran tener un sentido de la autocrítica más elevado que el de los españoles. A los madrileños les parece que los españoles son estupendos, generosos, idealistas y con sentido del humor.

35 Sus relaciones familiares son muy parecidas, quizá porque el modelo de familia neoyorquina, con un 50 por 100 de latinos, negros y judíos, no es muy diferente del español. La mayoría de los encuestados° viven con sus padres, consideran que la educación recibida es correcta y están a gusto en casa. El porcentaje de los que rechazan la autoridad paterna declara que preferiría
40 vivir fuera de casa y opina que sus padres son demasiado estrictos, es casi idéntico en ambas ciudades.

A la hora de pensar en formar su propia familia, los neoyorquinos son más precoces: más de la mitad prefieren casarse antes de los veinticinco años, mientras que entre los madrileños es al revés. En lo que se refiere a las
45 cualidades que esperan encontrar en su futura pareja, los neoyorquinos incluyen con frecuencia un alto nivel moral. A los madrileños esto no les preocupa. Prefieren que su futura mujer o marido tenga sentido del humor. También entre los madrileños es más alto el porcentaje de los que piensan que es bueno que una familia tenga tres o cuatro hijos.

50 Se observan también algunas diferencias entre las respuestas de las chicas y las de los chicos. En Nueva York las chicas son más rebeldes que sus compañeros. Un 26 por 100 piensa que sus padres son demasiado estrictos con ellas, frente al 15,6 por 100 de respuestas masculinas en este sentido. En Madrid sucede al revés. Sólo el 19,5 por 100 de las chicas se queja, mientras
55 que el porcentaje entre los varones es de un 28,9 por 100. El grupo de las neoyorquinas es también el que presenta un porcentaje más elevado de descontento con el hecho de vivir en familia.

Entre las chicas americanas lo importante es estudiar. Un 38,6 por 100 lo considera más importante incluso que la familia o los amigos, mientras que
60 entre las españolas sólo un 10,4 por 100 destaca los estudios en primer lugar. En ambas ciudades ellas dedican más horas al estudio que ellos.

De todo el grupo, son las chicas neoyorquinas las que se muestran más

recurren *resort to*

abstemios *los que no toman bebidas alcohólicas*

estremecerse *tremble*

encuestados *interviewees*

aficionadas a ir de tiendas, probablemente porque disponen de más dinero
que las españolas y porque Nueva York es una de las ciudades más atractivas
65 a la hora de hacer compras.

—Cambio 16, España (Adaptado)

Cuestionario

Conteste las preguntas según la información dada en la lectura anterior y en los cuadros.

Los encuestados		
	Madrid	*N.Y.*
Edad: 15 a 19 años:		
Hombres	298	226
Mujeres	164	279
BUP/E. Pública	72%	49%
COU/E Privada	20	38
Universidad	8	12
Familia acomodada	33	15
Clase media	54	72
Modesta	13	13

    1. Describa Ud. a los encuestados. ¿De dónde son? ¿Cómo son sus familias? ¿Qué edad tienen? ¿Cuál es su nivel de educación?

Actividades en que prefieren emplear el tiempo libre. *(el % es de 300, debido a que cada joven escogió tres actividades)*		
	Madrid	*N.Y.*
Charlando con amigos	69%	67%
Oyendo música	68	67,1
De tiendas...	4,9	15,2
Deportes..	39	42,1
De paseo	20	13,3
Cine o teatro	10,1	14,5
Viendo la tele	37	38,8
Leyendo..	34	17,8
Ven la televisión menos de una hora al día	35,9	24,8
Ven la televisión más de dos horas al día.............................	19,5	39,4
Todos los días pasan menos de una hora estudiando en casa o en una biblioteca..	22,5	25
Cada día dedican más de dos horas a estudiar	35,3	25,9
Salen con su chica o su chico		
Todos los días..	8,4	4
Dos o tres veces por semana	13,2	22,4
Una vez por semana	6,9	22
No tengo novio (-a)	69,3	48,7

Tipo de música que prefieren	Madrid	N.Y.
Rock	56,1%	70,3%
Disco	50,9	56,6
Jazz	13,2	18
Country	18,1	14,1
Salsa	—	13,5
Clásica	35,3	10,3
Folklórica	6,9	—

Tipo de película que prefieren (cada joven indicó dos)	Madrid	N.Y.
Horror	47,4%	39,2%
Policiacas	27,3	18,6
Western	10,8	3
Musicales	18,4	15,1
Comedias	28,2	65,8
Amor	29,3	34,9
Históricas	21,9	4,4

2. ¿En qué se parecen y en qué difieren? ¿Qué les gusta hacer en sus ratos libres? ¿Por qué se puede decir que los jóvenes madrileños se parecen a sus colegas neoyorquinos como una gota de agua a otra?

Familia

	Madrid	N.Y.
¿Te gustaría vivir en otro lugar en vez de en la casa de tus padres?		
Sí	39,8%	39,8%
No	54,5	55,8
Ya vivo fuera de casa	2,2	2,8
Pienso que la manera en que me han criado mis padres fue		
Demasiado estricta	25,5	21,4
Correcta	66,5	70,5
Demasiado tolerante	5,2	5,9
¿Vive con uno de los abuelos en casa?		
Sí	14,5	12
No	85,5	88
Creo que un matrimonio debe tener		
Uno o dos hijos	38,7	53,1
Tres o cuatro	41,8	36,2
Cinco o más	11,5	3,8
Ninguno	1,7	1,4
¿Debe ser el padre la autoridad máxima de la familia?		
De acuerdo	23,8	20,4
No estoy de acuerdo	74,7	78,2
Mis padres y yo nos entendemos		
Muy bien	23,8	32,3
Bastante bien	55,2	56,6
Muy poco	20,3	11,1

Amor

	Madrid	N.Y.
No tienen novio o novia todavía	69,3%	48,7%
Edad ideal para casarse		
De 19 a 21 años	4,5	4,2
De 21 a 24 años	36,6	58
Después de los 25	54,1	35,4

Cualidades que esperan encontrar en su futura pareja

Las jóvenes madrileñas indicaron estas cinco con más frecuencia:

1. Inteligente.
2. Cariñoso.
3. Responsable.
4. Sentido del humor.
5. Trabajador.

Los jóvenes madrileños nombraron estas cualidades que buscaban en una esposa:

1. Inteligente.
2. Cariñosa.
3. Guapa.
4. Responsable.
5. Sentido del humor.

Las mujeres de Nueva York mencionaron estas cinco:

1. Cariñoso.
2. Alto nivel moral.
3. Inteligente.
4. Responsable.
5. Amable.

Los jóvenes que residen en Nueva York mencionaron estas cualidades con más frecuencia:

1. Guapa.
2. Cariñosa.
3. Inteligente.
4. Alto nivel moral.
5. Sentido del humor.

3. ¿Cómo se comparan sus ideas sobre la familia y el amor? ¿Le sorprende que sus vidas familiares sean tan similares? Explique su respuesta.
4. ¿En qué difieren las respuestas de las muchachas de las de los muchachos? ¿Quiénes son más rebeldes? ¿más descontentos?
5. ¿Cómo se comparan sus ideas sobre los estudios? ¿Quiénes estudian más, los chicos o las chicas?

Puntos de vista

Lo que opinan unos de otros

¿Qué opinaron los jóvenes de Madrid de los Estados Unidos y de los norteamericanos?

Algo favorable	42,9%	Muy favorable	10,8%
No me gustan, los detesto	25,8	*(El 3,2 por 100 no respondió.)*	
No sé mucho de ellos	17,3		

¿Qué opinaron los jóvenes de Nueva York, de España y de los españoles?

No sé mucho de ellos	49%	No me gustan, los detesto	1%
Algo favorable	25,5	*(El 1 por 100 no respondió.)*	
Muy favorable	23,4		

¿Cómo son los españoles? *(A los madrileños se les pidió elegir tres características que, en su opinión, definen al español.)*

Con sentido del humor	74%	Materialista	17%
Generoso	41	Simplista	16
Idealista	38	Alto nivel moral	11
Práctico y realista	23	Imperialista	7
Inteligente	22	Con complejo de superioridad	7
Trabajador	20	*(Un 6 por 100 no indicó respuesta.)*	

¿Cómo piensan los españoles que son los norteamericanos?

Materialista	55%	Trabajador	15%
Con complejo de superioridad	48,9	Simplista	9
Racista	48,7	Idealista	9
De mentalidad imperialista	44	Con sentido del humor	3
Práctico y realista	29	Alto nivel moral	2
Inteligente	19	Generoso	2

(El % total es de 285/300 debido a que el 5 por 100 no respondió y cada encuestado debía haber dado tres respuestas.)

Según el neoyorquino, el norteamericano es

Materialista	48,5%	Alto nivel moral	14,3%
Trabajador	45,7	Idealista	13,7
Con complejo de superioridad	41	Racista	11,5
Práctico y realista	37,6	Generoso	10
Inteligente	26	Imperialista	7
Con sentido del humor	23	Simplista	6

Algunos estudiantes de la Universidad Nacional Autónoma de México se reúnen para comentar los eventos del día.

1. Estudie el cuadro «*Lo que opinan unos de otros*». ¿Qué grupo parece saber más sobre el otro? ¿Cómo explica Ud. la diferencia entre los porcentajes en las respuestas «No sé mucho de ellos» y en «No me gustan, los detesto»? ¿Cómo se compara la opinión que tienen los madrileños de los españoles y de los norteamericanos? ¿Cuál le parece más favorable? ¿Le sorprende la coincidencia entre la opinión que tienen los jóvenes madrileños de los norteamericanos y la de los neoyorquinos?
2. ¿Cuáles son las estadísticas que más le sorprenden? ¿las de las drogas? ¿de la religión? ¿de la política?
3. ¿Cómo diferirían los resultados si se entrevistara a jóvenes de dos ciudades o pueblos pequeños de España y de los Estados Unidos? Explique su respuesta.

Práctica de vocabulario

Estudie Ud. en la lectura anterior el significado de las palabras de la columna
B. Reemplace cada palabra en letra bastardilla en la columna A por el
antónimo de la columna B.

	A		B
___	1. En esta temporada las legumbres frescas son *abundantes*.		*a.* remunerado (l. 19)
___	2. El porcentaje de *mujeres* que se quejan de la vida familiar no es muy elevado.		*b.* varones (l. 55)
___	3. El trabajo que hace para la comunidad es *gratis*.		*c.* escasas (l. 19)
___	4. Tomaron la decisión *sin prisa*.		*d.* rechazaron (l. 39)
___	5. Los obreros *aceptaron* el contrato ofrecido por los gerentes.		*e.* de pronto (l. 4)

Humor   MAFALDA

¡Charlemos!

Explique el humor de la historieta. ¿Qué comprende Felipe al final? ¿Cómo
cambian sus razonamientos sobre la vida de las moscas? ¿Encuentra Ud.
alguna filosofía detrás de la «lección» que le da Mafalda?

Vocabulario activo

Estudie las siguientes palabras y expresiones que aparecen en la lectura **Al
colegio**.

Sustantivos

la acera *sidewalk*	**la mejilla** *cheek*
el bolsillo *pocket*	**la niebla** *fog*
la fila *line, row*	**el orgullo** *pride*
el guante *glove*	**el rincón** *corner*

Verbos

agruparse formar un grupo
arrastrar *to drag*
colgar (o > ue) *to hang*

dibujar *to draw*
emprender comenzar
encender (e > ie) *to light up*

Adjetivos

gracioso divertido
lejano distante
tentador *tempting*

tierno *tender*
parado *stopped, standing*

Expresiones

cogidos de la mano *hand in hand*
con el rabillo de los ojos *out of the corner of the eye*
darle vergüenza (a alguien) *to be ashamed*
no dejar de + infinitivo *not fail to* + *infinitive*

AL COLEGIO (ESTAMPA)°

Carmen Laforet   (España, n. 1921)

Vamos cogidas de la mano en la mañana. Hace fresco, el aire está sucio de
niebla. Las calles están húmedas. Es muy temprano.

    Yo me he quitado el guante para sentir la mano de la niña en mi mano, y
me es infinitamente tierno este contacto, tan agradable, tan amical, que la
estrecho° un poquito emocionada. Su propietaria vuelve hacia mí la cabeza, y
con el rabillo de los ojos me sonríe. Sabe perfectamente la importancia de este
apretón,° sabe que yo estoy con ella y que somos más amigas hoy que otro
día cualquiera.

    Viene un aire vivo y empieza a romper la niebla. A todos los árboles de
la calle se les caen las hojas, y durante unos segundos corremos debajo de
una lenta lluvia de color tabaco.

    —Es muy tarde; vamos.

    —Vamos, vamos.

    Pasamos corriendo delante de una fila de taxis parados, huyendo de la
tentación. La niña y yo sabemos que las pocas veces que salimos juntas casi
nunca dejo de coger un taxi. A ella le gusta; pero, a decir verdad, no es por
alegrarla por lo que lo hago; es, sencillamente, que cuando salgo de casa con
la niña tengo la sensación de que emprendo un viaje muy largo. Cuando
medito una de estas escapadas,° uno de estos paseos, me parece divertido ver
la chispa° alegre que se le enciende a ella en los ojos, y pienso que me gusta
infinitamente salir con mi hijita mayor y oírla charlar; que la llevaré de paseo al
parque, que le iré enseñando, como el padre de la buena Juanita,° los
nombres de las flores; que jugaré con ella, que nos reiremos, ya que es tan

estampa imagen

estrecho press, squeeze

apretón squeeze

escapadas salidas

chispa spark

Juanita personaje en un cuento para niños

graciosa, y que, al final, compraremos barquillos°—como hago cuando voy
25 con ella—y nos los comeremos alegremente.

      Luego resulta que la niña empieza a charlar mucho antes de que
salgamos de casa, que hay que peinarla y hacerle las trenzas° (que salen
pequeñas y retorcidas,° como dos rabitos° dorados debajo del gorro°) y
cambiarle el traje, cuando ya está vestida, porque se tiró encima° un frasco°
30 de leche condensada, y cortarle las uñas, porque al meterle las manoplas° me
doy cuenta de que han crecido . . . Y cuando salimos a la calle, yo, su madre,
estoy casi tan cansada como el día en que la puse en el mundo . . . Exhausta,
con un abrigo que me cuelga como un manto;° con los labios sin pintar
(porque a última hora me olvidé de eso), voy andando casi arrastrada por ella,
35 por su increíble energía, por sus infinitos «porqués» de su conversación.

      —Mira, un taxi.—Éste es mi grito de salvación y de hundimiento°
cuando voy con la niña . . . Un taxi.

      Una vez sentada dentro, se me desvanece° siempre aquella perspectiva
de pájaros y flores y lecciones de la buena Juanita, y doy la dirección de casa
40 de las abuelitas, un lugar concreto donde sé que todos seremos felices: la niña
y las abuelas, charlando, y yo, fumando un cigarrillo, solitaria y en paz.

      Pero hoy, esta mañana fría, en que tenemos más prisa que nunca, la niña
y yo pasamos de largo delante de la fila tentadora de autos parados. Por
primera vez en la vida vamos al colegio . . . Al colegio, le digo, no se puede ir
45 en taxi. Hay que correr un poco por las calles, hay que tomar el metro, hay
que caminar luego, en un sitio determinado, a un autobús . . . Es que yo he
escogido un colegio muy lejano para mi niña, ésa es la verdad; un colegio que
me gusta mucho, pero que está muy lejos . . . Sin embargo, yo no estoy
impaciente hoy, ni cansada, y la niña lo sabe. Es ella ahora la que inicia una
50 caricia° tímida con su manita dentro de la mía; y por primera vez me doy
cuenta de que su mano de cuatro años es igual a mi mano grande: tan
decidida, tan poco suave, tan nerviosa como la mía. Sé por este contacto de su
mano que le late° el corazón al saber que empieza su vida de trabajo en la
tierra, y sé que el colegio que le he buscado le gustará, porque me gusta a mí,
55 y que aunque está tan lejos, le parecerá bien ir a buscarlo cada día, conmigo,
por las calles de la ciudad . . . Que Dios pueda explicar el porqué de esta
sensación de orgullo que nos llena y nos iguala durante todo el camino . . .

      Con los mismos ojos ella y yo miramos el jardín del colegio, lleno de
hojas de otoño y de niños y niñas con abrigos de colores distintos, con mejillas
60 que el aire mañanero° vuelve rojas, jugando, esperando la llamada a clase.

      Me parece mal quedarme allí; me da vergüenza acompañar a la niña
hasta última hora, como si ella no supiera ya valerse por sí misma° en este
mundo nuevo, al que yo la he traído . . . Y tampoco la beso, porque sé que
ella en este momento no quiere. Le digo que vaya con los niños más
65 pequeños, aquellos que se agrupan en el rincón, y nos damos la mano, como
dos amigas. Sola, desde la puerta, la veo marchar, sin volver la cabeza ni por
un momento. Se me ocurren cosas para ella, un montón de° cosas que tengo

barquillos *thin rolled wafers*

trenzas *braids* /**retorcidas** *twisted* /**rabitos** *little tails* /**gorro** *bonnet* /**se . . . encima** *spilled* /**frasco** *botella* /**manoplas** *mittens*

manto *cape*

hundimiento *collapse*

se me desvanece *disipa*

caricia *caress*

late *palpita*

mañanero *de la mañana*

valerse . . . misma *take care of herself*

un montón de *a lot of*

que decirle, ahora que ya es mayor, que ya va al colegio, ahora que ya no la
tengo en casa, a mi disposición a todas horas . . . Se me ocurre pensar que
70 cada día lo que aprenda en esta casa blanca, lo que la vaya separando de
mí—trabajo, amigos, ilusiones nuevas—, la irá acercando de tal modo a mi
alma, que al fin no sabré dónde termina mi espíritu ni dónde empieza el
suyo . . .

Y todo esto quizá sea falso . . . Todo esto que pienso y que me hace
75 sonreír, tan tontamente, con las manos en los bolsillos de mi abrigo, con los
ojos en las nubes.

Pero yo quisiera que alguien me explicase por qué cuando me voy
alejando por la acera, manchada° de sol y niebla, y siento la campana del
colegio llamando a clase, por qué, digo, esa expectación anhelante,° esa
80 alegría, porque me imagino el aula y la ventana, y un pupitre mío pequeño,
desde donde veo el jardín, y hasta veo clara, emocionantemente, dibujada en
la pizarra con tiza amarilla una A grande, que es la primera letra que yo voy a
aprender . . .

manchada *spotted*
anhelante ansiosa

Cuestionario

1. ¿Cuál es la relación entre la narradora y la niña? ¿Cómo lo sabemos?
2. ¿Podría Ud. describir el paisaje, el tiempo, la estación del año? ¿Qué
   importancia tienen en el cuento?
3. ¿La narradora nos cuenta las experiencias de un solo día o de varios
   días y salidas parecidas?
4. ¿Qué acontecimiento importante marca este día?
5. La madre dice que en sus salidas casi nunca deja de coger un taxi
   (ll.15–16). Pero hoy, ¿qué medios de transporte usa para llegar al
   colegio de la niña? ¿Por qué?
6. ¿De qué se da cuenta la madre al recibir una caricia tímida de la
   niña?
7. Al llegar al jardín del colegio, ¿cómo se separan madre e hija?
   Resuma la actitud de la narradora ante la separación.
8. Este cuento lleva el subtítulo de «estampa». ¿Podría Ud. explicar por
   qué?
9. La identificación total entre madre e hija, que culmina en el último
   párrafo, se puede observar desde el comienzo del cuento. ¿Podría Ud.
   mencionar algunas indicaciones de esta unión a través del relato?

Práctica de vocabulario

*Estudie Ud. en la lectura anterior el significado de las palabras o expresiones
de la lista siguiente, y después complete las oraciones con la palabra o
expresión apropiada.*

la acera (l.78)   le daba vergüenza (l.61)   con el rabillo de los ojos (l.6)   un rincón (l.65)
parados (l.14)   encendió (l.20)   arrastrado (l.34)   cogidos de la mano (l.1)

1. Los novios siempre andaban por la calle _____.
2. Antes de contestarnos el viejo se sentó en su sillón favorito y _____ su pipa.
3. El chiquillo travieso me miró _____ después de engañar a su hermana.
4. Caminábamos por _____ porque era peligroso caminar por el centro de la calle.
5. La mamá llevaba casi _____ a su niño que no quería ir al médico.
6. La mamá y su niña pasaron por la fila de taxis _____ porque preferían caminar.
7. Había muchachos agrupados en _____ de la sala de clase.
8. A la pobre muchacha _____ llevar ropa tan vieja y usada.

Creación

Todo el relato se cuenta desde el punto de vista de la madre. ¿Cuáles serían
los pensamientos, las emociones, las reacciones de su hija? ¿Estaría consciente
del amor de su mamá, o estaría perdida en su propio mundo de sueños y
fantasías? Ese primer día del colegio, ¿tendría miedo de separarse de su
mamá, o estaría llena de esperanzas? Ahora, ¡Ud. es el autor! Basándose en el
cuento, *Al colegio*, reescríbalo desde el punto de vista de la hija.

ENSEÑAR CON EL EJEMPLO

Pagar pasaje es un deber ineludible tanto para los mayores como para los niños.

Al subir al ómnibus acompañado de niños, cerciórese de que todos lleven su medio en la mano. Sea usted el primero en echarlo en la alcancía y que ellos lo hagan después. Así, con el ejemplo, se van formando los niños que serán los hombres de mañana.

EMPRESA OMNIBUS URBANOS CIUDAD DE LA HABANA

pagar pasaje *to pay fare* /el deber obligación /ineludible *inevitable* /cerciorarse asegurarse /la alcancía *money-box*

Vocabulario activo

Estudie las siguientes palabras y expresiones que aparecen en la lectura *Dos ensayos sobre la educación.*

Sustantivos

el castigo *punishment*
la creencia *belief*
la sabiduría *wisdom*

Verbos

chocar *to strike, to collide*
soportar *tolerar*

Expresiones

al cabo de *al fin de, después de*
de provecho *useful*
valer la pena *to be worthwhile*

DOS ENSAYOS SOBRE LA EDUCACIÓN

Ernesto Sábato   (Argentina, n. 1911)

Edad

¿Qué se puede hacer en ochenta años? Probablemente, empezar a darse cuenta de cómo habría que vivir y cuáles son las tres o cuatro cosas que valen la pena.

Un programa honesto requiere ochocientos años. Los primeros cien 5 serían dedicados a los juegos propios de la edad, dirigidos por ayos° de quinientos años; a los cuatrocientos años, terminada la educación superior, se podría hacer algo de provecho; el casamiento no debería hacerse antes de los quinientos; los últimos cien años de vida podrían dedicarse a la sabiduría.

Y al cabo de los ochocientos años quizá se empezase a saber cómo 10 habría que vivir y cuáles son las tres o cuatro cosas que valen la pena.

Un programa honesto requiere ocho mil años.

Etcétera.

ayos maestros

Educación

Un animal se educa chocando contra el mundo exterior y adquiriendo así ciertos reflejos que lo hacen apto para soportar la vida. Un niño también. No veo, entonces, cómo han de poder considerarse ciertos castigos como contraindicados;° ¿no forma parte la mano del padre del mundo exterior? No 5 creo que se pretenda argüir seriamente que hay una diferencia esencial entre un niño que va hacia un objeto y un objeto que viene hacia un niño; sería reincidir° en las oscuras creencias del movimiento absoluto.

contraindicados unadvisable

reincidir to fall back

Cuestionario

1. ¿Qué busca Sábato en su ensayo *Edad*? ¿Por qué cree que una vida de ochenta años no es suficiente?
2. ¿Cómo describe un «honesto» programa educacional de ochocientos años? ¿Cuándo se terminaría la educación superior? ¿A qué edad se casaría?
3. ¿Por qué concluye Sábato que «un programa honesto requiere ocho mil años»? ¿Por qué termina el ensayo con la palabra «Etcétera»?
4. Según el ensayo *Educación*, ¿cómo se educa un animal? ¿y un niño?
5. ¿Cree Sábato que hay una diferencia entre un niño que choca con un objeto y un objeto que choca con un niño?
6. ¿Está el autor a favor o en contra del castigo corporal? Explique.

Puntos de vista

1. ¿Está Ud. de acuerdo con el autor que una vida de ochenta años no es suficiente? Explique su respuesta.
2. ¿Qué piensa Ud. del programa que esboza (*sketches out*) Sábato para una vida de ochocientos años? Si Ud. pudiera tener una vida tan larga, ¿cómo la pasaría? ¿Hasta qué edad asistiría a la escuela? ¿Qué estudiaría? ¿Se casaría? ¿Cuándo? ¿Tendría hijos?
3. ¿Qué opina Ud. del castigo corporal? ¿Le daban nalgadas (*spankings*) sus padres? ¿Se las daría Ud. a sus propios hijos? ¿Cuáles son las ventajas y desventajas de este tipo de castigo?

Creación

Sábato no está seguro si aun después de ochocientos años uno puede empezar a saber cómo vivir y cuáles son las tres o cuatro cosas que valen la pena. Aunque Ud. tiene sólo una fracción de esa edad, dénos su opinión: ¿Cuáles son las tres o cuatro cosas o ideas más importantes en este momento para Ud.? Desarrolle sus ideas en una composición breve.

INTELIJENCIA [1]

Juan Ramón Jiménez   (España, 1881–1958)

¡Intelijencia, dame
el nombre exacto de las cosas!

---

[1]Respetamos la ortografía de Jiménez al usar j en lugar de g.

. . . Que mi palabra sea
la cosa misma,
5 creada por mi alma nuevamente.
Que por mí vayan todos
los que no las conocen, a las cosas;
que por mí vayan todos
los que no las olvidan, a las cosas;
10 que por mí vayan todos
los mismos que las aman, a las cosas . . .
¡Intelijencia, dame
el nombre exacto, y tuyo,
y suyo, y mío, de las cosas!

Cuestionario

1. ¿Qué pide el poeta a la inteligencia? ¿Qué efecto produce la serie de
   cláusulas comenzando con *que*?
2. ¿Cómo interpreta Ud. los versos (3–5) « . . . Que mi palabra sea / la
   cosa misma, / creada por mi alma nuevamente.»?
3. ¿Cuáles son las tres clases de relaciones con las cosas que menciona el
   poeta? ¿Cómo difieren «los que no las conocen», «los que ya las
   olvidan» y «los que las aman»? ¿A qué tipo de gente
   representaría cada una de las tres?
4. ¿Cómo difieren los dos primeros versos de los tres últimos?

Temas de reflexión

1. Aunque el lenguaje del poema es muy fácil, la interpretación es algo
   complicada. ¿Cómo interpreta Ud. el poema? El problema
   fundamental parece ser el de la relación entre las palabras y las cosas.
   El poeta se ve ante las cosas, o sea, ante el mundo, y desea encontrar
   un lenguaje poético con el cual escribir para relacionarse con ese
   mundo. ¿Cómo debe ser ese lenguaje? ¿Cómo servirá el lenguaje a
   los otros? ¿Le parece a Ud. que hay más de un lenguaje posible?
2. ¿Por qué hace el poeta este pedido a la inteligencia? Otros poetas han
   pedido inspiración a las musas, al corazón, a la mujer amada, etc.
   ¿Cree Ud. que la inteligencia puede ser una fuente de lo poético?

Al acercarse el año 2000, y después de un siglo de acelerados adelantos científicos, el hombre se pregunta cuál será el destino de la humanidad. En ██████íses más desarrollados hay cierto optimismo, y se piensa que el progreso ██████ógico de las últimas décadas ayudará a resolver no sólo los problemas domésticos, sino también los grandes problemas universales. Algunas de las selecciones en esta lección parecen confirmar esta percepción de la vida del mañana. En La computadora en casa, por ejemplo, vemos que el sueño de los robots ya se ha hecho realidad y se espera que en los próximos diez años éstos reemplacen a los seres humanos en las tareas más difíciles o rutinarias, como lo han venido haciendo en la industria, el comercio y los bancos. En los hogares, las computadoras personales ya se están imponiendo y llegará el día en que se pueda realizar todo tipo de transacciones sin tener que salir de la casa ██ se nos asegura que las máquinas son exactas, obedientes y que no cometen errores; además, no son temperamentales como los seres humanos.

En lo que se refiere a los problemas universales, hay la esperanza de que la ciencia los vaya resolviendo con el transcurso del tiempo. La llegada a la luna, por ejemplo, marcó una nueva era, y tan pronto como alcancemos a los otros planetas es posible que resolvamos los problemas de la sobrepoblación y de los limitados recursos naturales. La clave del problema energético en el siglo XX, según muchos científicos, está en el sol. Hay proyectos para instalar centrales de energía solar en los países del Tercer Mundo «donde el sol es abundante y todavía existen enormes áreas disponibles». Así, se espera que los países en desarrollo puedan abastecer (meet) sus futuras necesidades de energía.

Pero mientras en los países más desarrollados se debaten los grandes problemas científicos del siglo, en la América hispánica se preguntan si para el año 2000 habrán logrado su independencia económica y si los habitantes de sus naciones llevarán una vida en la que se haya abolido el hambre y el frío. Los escritores hispánicos no parecen compartir el optimismo de los científicos. En Nosotros, no, por ejemplo, José Bernardo Adolph observa con recelo (foreboding) los adelantos de la ciencia, y se pregunta si el hombre realmente está capacitado para poner fin a las miserias humanas que le afligen o si al final será vencido por sus propios inventos.

Vocabulario activo

Estudie las siguientes palabras y expresiones que aparecen en la lectura *La computadora en casa.*

Sustantivos

la aspiradora *vacuum cleaner*	el grado *degree*
la bandeja *tray*	el horno *oven*
la calefacción *heating*	los muebles *furniture*
la cifra *número*	la pantalla *screen*
el cajón *drawer*	el polvo *dust*
la cuenta corriente *checking account*	la seguridad *security, safety*
la cuenta de ahorros *savings account*	la vivienda *casa*

Verbos

ahorrar *to save* (dinero)	borrar *to erase*
alcanzar *to reach*	encender (e > ie) *to turn on, to light up*
apagar *to put out, to turn off*	recorrer *pasar por*
apretar (e > ie) *to press*	

Adjetivos

capaz *capable*	impreso *printed*
cuadrado *square*	vacío *empty*
entretenido *entertaining*	

Expresiones

el ama de casa *(f.) housewife*	efectuar los pagos *to make payments*
a la venta *for sale*	más allá *beyond*

LA COMPUTADORA EN CASA
El sueño de los robots se hace realidad

El visitante pronuncia el nombre de los señores de la casa y la puerta principal se abre. «Pasen a la salita», les dice una voz. La sala se enciende. El café, humeante,° es servido en bandeja pocos segundos después. ¿Tiene esa familia la doncella° ideal? No hace falta. Todos esos detalles—y más—pueden
5 obtenerse comprando una computadora doméstica.

    Las hay desde quinientos dólares (45,000 pesetas) hasta cifras casi infinitas, depende de lo que se ande buscando. Y valen para todo: limpiar la casa, contestar la correspondencia, preparar la comida, ayudar a los niños a hacer los deberes o despertarle a uno con una voz amable que anuncia fecha,
10 santo del día* y previsiones meteorológicas para la jornada.°

    La revolución de la computadora, extendida ya por todo el mundo occidental en industrias y oficinas, es también una realidad en muchos hogares. Las más sencillas son las llamadas° «computadoras personales»

humeante *steaming*
doncella *criada*

jornada *día*

llamadas *so-called*

Las computadoras «valen para todo: limpiar la casa, contestar la correspondencia, preparar la comida . . .»

(también las más baratas), poco más grandes que una máquina de escribir, con
15 una pequeña pantalla adosada,° cuya primera utilidad es la de hacer **adosada** *attached*
desaparecer el cajón de papeles y documentos que guarda cualquier familia.
Incluso los modelos más modestos sirven para llevar el estado de las cuentas
corrientes o de ahorro, de los créditos bancarios y de las letras.° Casi todos **letras** *bills*
son capaces de escribir talones:° el día uno de cada mes, por ejemplo, si es **talones** cheques
20 que así se ha programado, la máquina escupe,° ya preparados, los cheques **escupe** emite
para efectuar los pagos que se deben ese mes. En un futuro, que quizá sea
sólo de pocos años, se podrán conectar directamente con las computadoras de
los bancos para efectuar desde casa depósitos bancarios y giros° a otras **giros** transferencias
cuentas.
25 Muchas de esas «computadoras personales» sirven también para contestar
el correo y para escribir incluso novelas, cuyo texto queda guardado en su
memoria para ser corregido y editado posteriormente, sin gastar ni un solo
papel en pruebas°: el único texto impreso que sale de la máquina es el **pruebas** *rough-*
resultado de la obra final. *draft*

30   Un oficial del gobierno está escribiendo sus memorias en una de estas computadoras. Va ya por el tercer capítulo después de haber sufrido un par de percances° que ilustran las dificultades de los humanos por vivir a costa de máquinas. El primer capítulo se le «perdió» en la memoria del computador y los técnicos se lo «recuperaron». Pero días después apretó alguna tecla° que

35 no debía y capítulo y medio se le borraron sin remedio: tuvo que empezar a escribir el libro otra vez. Para que no les pase lo mismo, millares° han cursado o están siguiendo cursos populares sobre manejo° de computadoras que se ofrecen en escuelas y centros cívicos por las noches o en fines de semana.

     Más allá de la «computadora personal», existen a la venta computadoras

40 que sirven para realizar casi todas las funciones del hogar. Una—que se está empezando a hacer popular—es la computadora que garantiza la seguridad de un hogar: una máquina pequeña que sólo abre las puertas cuando las personas que quieren entrar pronuncian una clave,° hace sonar una alarma si alguien intenta penetrar por otra parte y enciende y apaga las luces de las

45 diversas habitaciones para que nadie se dé cuenta de si la casa está habitada o vacía.

     Otra computadora con cierto éxito es la dedicada a ahorrar consumo de energía en el hogar. Hace que se apaguen las luces de una habitación cuando la gente sale de ella, se ocupa de que cocina y horno sólo estén encendidos el

50 tiempo necesario para dejar un guiso° en su punto, y apaga la calefacción cuando la temperatura ambiental alcanza ciertos grados.

     Naturalmente, también hay computadoras para limpiar—el sueño del ama de casa—, aunque por su alto precio aún no se han hecho populares. Estas máquinas son como aspiradoras con cerebro electrónico, que guardan en su

55 memoria las dimensiones de cada habitación y el lugar en el que están situados los muebles, y pueden recorrer en pocos minutos todos los centímetros cuadrados de una vivienda chupando° polvo y suciedad.

     ¿Y si uno se aburre en la casa, sin tener nada que hacer? La técnica tendrá solución para todo: se irá a una tienda y se comprará una

60 computadora—que las venden ya—capaz de ser programada para mantener una conversación, simple, pero entretenida, para el hombre desocupado.

—*Cambio 16,* España (Adaptado)

percances *mishaps*

tecla *key (on a keyboard)*

millares miles de personas / **manejo** uso

clave *code word*

guiso sopa

chupando absorbiendo

¿Sabía Ud. que...?

❋ **El santo del día** tiene mucha importancia en el mundo católico hispánico. La iglesia ha dedicado un día del año para cada santo. Pueblos, ciudades y naciones tienen como patrono un santo. Santiago es el patrono de España; San Juan de Puerto Rico lleva el nombre de su santo patrono. En la vida familiar, todo recién nacido debe ser bautizado con el nombre de un santo y durante toda su vida celebra no sólo el cumpleaños sino también el día del santo. En los últimos años esta costumbre viene desapareciendo.

Cuestionario

1. Describa Ud. la computadora personal. ¿Qué servicios nos puede prestar?
2. ¿Qué le pasó a un oficial del gobierno cuando estaba escribiendo sus memorias? ¿Qué demuestra ese incidente?
3. ¿Cómo funciona la computadora que garantiza la seguridad de un hogar? ¿y la que ahorra consumo de energía?
4. ¿Por qué todavía no se han hecho populares las computadoras para limpiar la casa?
5. ¿Qué nos ofrecerá el mundo de las computadoras en un mundo no muy lejano?

Práctica de vocabulario

Estudie Ud. en la lectura anterior el significado de las palabras de la columna A, y después empareje el sustantivo con la acción asociada en la columna B.

A	B
_____ 1. la aspiradora (l. 54)	a. ahorrar dinero
_____ 2. la cuenta de ahorros (ll. 17–18)	b. preparar la comida
_____ 3. el grado (l. 51)	c. medir la temperatura
_____ 4. el horno (l. 49)	d. limpiar la casa
_____ 5. el cajón (l. 16)	e. llevar la comida
_____ 6. la bandeja (l. 3)	f. calentar la casa
_____ 7. la calefacción (l. 50)	g. escribir talones
_____ 8. la vivienda (l. 57)	h. sentarse, dormir, etc.
_____ 9. los muebles (l. 56)	i. guardar la ropa
_____ 10. la cuenta corriente (ll. 17–18)	j. protegerse del ambiente

Puntos de vista

1. ¿Tiene Ud. una computadora en casa? ¿Le gustaría tener una? ¿Por qué? ¿Para qué usa o usaría Ud. una computadora personal?
2. ¿Cree Ud. que el advenimiento de la computadora es tan importante como se dice? ¿En qué aspectos ya ha cambiado su vida con las computadoras?
3. ¿Cree Ud. que el artículo es demasiado optimista? ¿Podrán las computadoras resolver todos nuestros problemas, aun la soledad? ¿Hasta qué punto nos pueden servir las máquinas?

Creación

Por equivocación Ud. ha entrado en una milagrosa máquina del tiempo y ha sido transportado al año 2025. Describa un día típico en su vida futura. No se olvide de describir los siguientes aspectos de la vida diaria: el trabajo en y fuera del hogar, el transporte, los medios de comunicación, la política mundial y la última moda.

Vocabulario activo

Estudie las siguientes palabras y expresiones que aparecen en la lectura *Las "superplantas" del futuro*.

Sustantivos

el acontecimiento evento
la espinaca *spinach*
el folleto *brochure*
la fuente source
la habichuela *string bean*
los ingresos *earnings*
el rendimiento *yield*
la semilla *seed*
el trigo *wheat*

Verbos

agotarse acabarse
compartir *to share*
diseñar *to design*
perdurar durar mucho tiempo

Adjetivos

comestible *edible*
dotado de *endowed with*
enano *dwarf*

LAS «SUPERPLANTAS» DEL FUTURO

Winthrop P. Carty

En el horizonte de la América Latina se asoma° una nueva Revolución Verde que promete sobrepasar a la anterior, aunque a la vez será fuente de controversia ideológica, económica y social.

se asoma aparece

En los laboratorios hay actualmente gran actividad para crear
5 «superplantas» a base de ingeniería genética. Si el empeño° científico tiene éxito el hombre podrá «producir» plantas que se fertilicen a sí mismas, resistan las plagas, repelan los insectos y sean muy nutritivas y de alto rendimiento.

empeño perseverancia

Los hombres de ciencia ya están bautizando las plantas que proyectan producir con nombres tales como «habichuela-girasol», cruce de la habichuela
10 y el girasol°, y «papa-tomate», que produce papas bajo tierra y tomates arriba. El folleto de una firma estadounidense de investigación especula que los científicos del futuro diseñarán una planta que tendrá tubérculos nutritivos como la papa, hojas comestibles como la espinaca, semillas como los frijoles,

girasol *sunflower*

tallos° que puedan convertirse en fibras y raíces que fijen el nitrógeno. Al
15 anunciar que los científicos habían producido la «habichuela-girasol»
introduciendo el gene de la proteína de la habichuela en un girasol, se
proclamó que el mundo estaba entrando en una era completamente nueva de
genética vegetal.

    Sin embargo, la primera Revolución Verde demostró espectacularmente
20 que los dirigentes no deben dejarse sorprender por acontecimientos
tecnológicos de gran magnitud. Las innovaciones agrícolas perfeccionadas a
principios de la década de 1960 provocaron una tempestad social, económica
y política que aún perdura.

    El momento decisivo de la primera Revolución Verde se produjo en
25 México a principios de la década de 1940. Los investigadores estadounidenses
y mexicanos experimentaron con nuevas variedades de trigo, maíz y otros
cereales de alto rendimiento resistentes a las enfermedades locales. Las
variedades de alto rendimiento que se desarrollaron eran plantas enanas y
semienanas que podían sostener, sin romperse ni ceder al embate° del viento,
30 espigas de granos° más pesados. Estas variedades de alto rendimiento se
difundieron pronto, pero exigían mayores cantidades de fertilizantes, mejor
manejo del agua y una mayor inversión de capital de la que solían hacer los
agricultores mexicanos.

    Hay que señalar que la tecnología mexicana no era nueva. Pero la
35 cuidadosa selección de variedades y la aplicación de fertilizantes tuvieron
tanto éxito, especialmente en una nación tan susceptible al cambio como
México, que se propagó como el fuego por todo el mundo en el decenio° de
1960. Se establecieron programas semejantes de investigación de agricultura
tropical en Colombia; de papas, en Perú; de arroz, en las Filipinas, y de otros
40 alimentos de primera necesidad en el mundo entero.

    Se alega que la primera Revolución Verde concentró la producción
agrícola en manos de las clases altas dejando sin empleo al pequeño agricultor
tradicional haciendo forzosa, por consiguiente, su migración a las ciudades. La
nueva tecnología ha recibido el nombre de «contrarrevolución»,
45 «modernización del hambre» y otros apelativos° denigrantes. Desde el punto
de vista político, la costosa agricultura de alta tecnología puso en peligro el
plan de la colectivización de los obreros agrarios.

    Sin duda, en el momento en que la primera Revolución Verde se
iniciaba en México, la América Latina era predominantemente rural. Hoy día,
50 más del 67 por ciento de la población de la región es urbana y se calcula que,
a fines de este siglo, tres cuartas partes de los habitantes residirán en centros
urbanos. Pero esta tendencia se manifiesta mundialmente, en todas las
naciones que permiten el libre movimiento de sus ciudadanos. La migración
interna de gran magnitud y las nuevas técnicas agrícolas representaron sin
55 duda un difícil problema de adaptación para millones de latinoamericanos.

    La segunda Revolución Verde presentará obstáculos aun más grandes.
Se plantearán cuestiones de equidad entre las naciones que poseen una
tecnología avanzada y los países en desarrollo. Por ejemplo, la Corte Suprema

tallos *stalks*

embate ataque
espigas de granos
ears of grain

decenio década

apelativos nombres

de los Estados Unidos dictaminó° en 1980 que los científicos pueden patentar
60 formas de vida producidas por la ingeniería genética. ¿Sobre qué base
tendrán acceso a las semillas y la tecnología las naciones pobres? Las plantas
que se desarrollen, ¿entrarán en competencia con la agricultura tropical?
Podría ocurrir que una «superremolacha»° sustituyera a la tropical caña de
azúcar como fuente principal de azúcar. Tales planteamientos son hipotéticos
65 por el momento, pero dentro de los próximos diez años se tendrán que
encontrar respuestas precisas.

A pesar de todo, la segunda Revolución Verde lleva consigo muchos más
beneficios que problemas. Para el año 2000, la América Latina tendrá que
alimentar a una población de seiscientos millones de personas, que en su
70 mayoría residirán en centros urbanos. La primera Revolución Verde se está
agotando y la región tiene que hallar nuevas maneras de aumentar la
producción agrícola.

La América Latina, que es muy susceptible a la innovación, está
relativamente bien dotada de personal capacitado y capital necesario para
75 adoptar grandes cambios tecnológicos. Además, el mejoramiento de la
agricultura sigue un proceso históricamente ineludible.

—*Américas,* Washington D.C. (Adaptado)

dictaminó opinó

superremolacha
superbeet

Cuestionario

1. Si los científicos logran crear «superplantas» a base de ingeniería
   genética, ¿qué tipo de plantas se producirán en el futuro?
2. ¿Dónde y en qué año se produjo el momento decisivo de la
   Revolución Verde? ¿Con qué productos agrícolas se experimentó?
   ¿Cómo eran las nuevas variedades de plantas?
3. ¿Por qué la nueva tecnología a base de ingeniería genética ha
   recibido el nombre de «modernización del hambre»?
4. ¿Cuáles son algunos planteamientos hipotéticos del momento sobre
   una segunda Revolución Verde?
5. ¿Por qué para el año 2000 la América Latina tiene que encontrar
   nuevas maneras de aumentar la producción agrícola?

Puntos de vista

1. En su opinión, ¿cuáles serían algunas de las ventajas o desventajas de
   la producción de «superplantas»?
2. Si a base de la ingeniería genética Ud. pudiera lograr el cruce de dos
   plantas, ¿cuáles escogería? ¿Por qué?
3. ¿Piensa Ud. que es necesario patentar las formas de vida producidas
   por la ingeniería genética? Explique su respuesta.
4. ¿Qué cree Ud. que sucedería si la «superremolacha» sustituyera a la
   caña de azúcar? ¿Qué países se verían afectados?

Improvisación

Imagínese que Ud. y sus compañeros de clase son científicos de un laboratorio que está creando «superplantas» a base de ingeniería genética. Como Ud. acaba de lograr un cruce de plantas muy interesante, en una reunión se debaten las virtudes de su planta «ideal». ¡Defienda con calor y entusiasmo su nueva producción!

Humor

Oficina año 2000

Gerente, al teléfono:
—¿Policía? ¡Vengan inmediatamente! El cerebro electrónico ha huido con todo el dinero de la caja . . .

¡Charlemos!

¿Bajo qué circunstancias podría realizarse el escenario de este chiste? ¿Cuáles son los peligros que presentan las computadoras en un mundo electrónico?

Vocabulario activo

Estudie las siguientes palabras y expresiones que aparecen en la lectura *La clave del problema energético en el siglo XXI*.

Sustantivos

el ala (f.) *wing*
la altura *height*
el aprovechamiento *utilization*
la central *power plant*
el espejo *mirror*

el grado *degree*
la inversión *investment*
la mariposa *butterfly*
la torre *tower*
el vapor *steam*

Verbo

captar *to catch, to capture*

Adjetivo

disponible *available*

Expresiones

a corto plazo *en poco tiempo*
cada vez más *increasingly*
en pleno *in the middle of*

*Se espera que los pozos petroleros descubiertos en México
ayuden a resolver los problemas económicos de Hispanoamérica.*

LA CLAVE° DEL PROBLEMA ENERGÉTICO EN EL SIGLO XXI   clave *key*

La mayor central de energía solar del mundo está situada en pleno
desierto, al sur de California. Su principio de funcionamiento depende de
espejos: los rayos solares captados por 1,800 espejos gigantes son reflejados

sobre un depósito de agua, que produce vapor a 480 grados Celsius. Ese
5   vapor acciona la turbina generadora de energía.

Los espejos están dispuestos en círculos concéntricos alrededor de una
torre de 100 metros de altura, en la cual queda el depósito de agua. Instalados
en 40 hectáreas de arena, los espejos captores tienen la forma aproximada de
una mariposa, con alas de seis metros de altura, guiadas por una computadora
10 para acompañar la marcha del sol de modo que reciban permanentemente la
intensidad máxima de sus rayos.

La energía eléctrica producida por esta central solar será muy cara,
mucho más cara que la de las centrales clásicas, como las hidroeléctricas o
termoelétricas. Pero el precio, relativamente a corto plazo, se convertirá en
15 barato, con el desarrollo de las centrales de energía solar y la rápida
amortización° de las inversiones. En efecto, la mantención y el funcionamiento   **amortización** *pay-*
de una central solar de este tipo vendrá a ser menos costoso que las centrales   *ing off*
eléctricas convencionales.

Lo que parece estar probado es que las centrales de energía solar son la
20 solución para las ciudades situadas cerca de desiertos y para los países del
Tercer Mundo, donde el sol es abundante y todavía existen enormes áreas
disponibles.

En el mundo entero se vienen realizando muchos estudios sobre el
aprovechamiento de la energía solar. El sol envía a la tierra diariamente dos
25 trillones de caballos-vapor.° Eso corresponde a 1,700 veces más que el   **caballos-vapor**
consumo total de energía en el mundo. Ahora, con la crisis del petróleo, son   *horsepower*
millares° los científicos de todos los países que trabajan sobre el problema de   **millares** miles
la energía solar.

Con esos estudios, los científicos se convencen cada vez más que la
30 solución para el problema energético en el mundo—o por lo menos gran
parte—está en el sol. Ya se piensa en satélites en órbita estacionaria para el
aprovechamiento de la energía solar, a ser convertida en electridad en la
tierra. Gigantes inversiones y tecnología avanzadísima están volcadas° para la   **volcadas** destinadas
energía solar, como la clave del problema energético en el siglo XXI.
—Los Tiempos, Bolivia (Adaptado)

Cuestionario

1. ¿Dónde está la mayor central de energía solar del mundo?
2. ¿Cuál es su principio de funcionamiento?
3. ¿Cómo están dispuestos los espejos?
4. En comparación con las centrales eléctricas tradicionales, ¿es cara la
   energía producida por la central solar?
5. ¿Cuál es la solución del problema de energía para los países del
   Tercer Mundo? ¿Por qué?
6. ¿Qué se considera la clave del problema energético en el siglo XXI?

Puntos de vista

1. ¿Cuáles son las ventajas y desventajas de las varias fuentes de energía: el sol, el poder nuclear, el petróleo, el carbón, el agua convertida en electridad, el vapor y el viento?
2. ¿Cuáles son los países del Tercer Mundo? ¿Cree Ud. que esos países pueden beneficiarse tanto con nuestros avances como con nuestros errores tecnológicos?

Adivinanzas

¿Por qué se ríe la luna del sol?

Respuesta: Porque siendo el sol mayor, no lo dejan salir de noche.

Vocabulario activo

Estudie las siguientes palabras y expresiones que aparecen en la lectura *Nosotros, no.*

Sustantivos

la certeza seguridad	**el hueso** *bone*
el cohete *rocket*	**el milagro** *miracle*
el conejo *rabbit*	**el pañuelo** *handkerchief*
el desprecio *scorn*	**el reparto** *delivery*
la envidia *envy*	**la semilla** *seed*
la gana deseo	**el verdugo** *executioner*

Verbos

aprestarse prepararse	**repartir** comunicar, entregar
destacar señalar, indicar	**sobrevivir** *to survive*
predecir *to predict*	

Adverbio

súbitamente de repente

Expresiones

el más allá *the other world, the beyond*
de hecho *in fact*
de pronto de repente
derramar lágrimas llorar
rumbo a en dirección a, hacia
surtir efecto tener efecto, dar resultado
tal como *just as*

NOSOTROS, NO

José Bernardo Adolph *(Perú, n. 1933)*

Aquella tarde, cuando tintinearon las campanillas° de los teletipos y fue repartida la noticia como un milagro, los hombres de todas las latitudes se confundieron en un solo grito de triunfo. Tal como había sido predicho doscientos años antes, finalmente el hombre había conquistado la inmortalidad en 2168.

5   Todos los altavoces° del mundo, todos los trasmisores de imágenes, todos los boletines destacaron esta gran revolución biológica. También yo me alegré, naturalmente, en un primer instante.

¡Cuánto habíamos esperado este día!

Una sola inyección, de cien centímetros cúbicos, era todo lo que hacía
10 falta para no morir jamás. Una sola inyección, aplicada cada cien años, garantizaba que ningún cuerpo humano se descompondría nunca. Desde ese día, sólo un accidente podría acabar con una vida humana. Adiós a la enfermedad, a la senectud,° a la muerte por desfallecimiento° orgánico.

Una sola inyección, cada cien años.

15   Hasta que vino la segunda noticia, complementaria de la primera. La inyección sólo surtiría efecto entre los menores de veinte años. Ningún ser humano que hubiera traspasado° la edad del crecimiento podría detener su descomposición interna a tiempo. Sólo los jóvenes serían inmortales. El gobierno federal mundial se aprestaba ya a organizar el envío,° reparto y
20 aplicación de las dosis° a todos los niños y adolescentes de la tierra. Los compartimentos de medicina de los cohetes llevarían las ampolletas° a las más lejanas colonias terrestres del espacio.

Todos serían inmortales.

Menos nosotros, los mayores, los adultos, los formados, en cuyo
25 organismo la semilla de la muerte estaba ya definitivamente implantada.

Todos los muchachos sobrevivirían para siempre. Serían inmortales y de hecho animales de otra especie. Ya no seres humanos: su psicología, su visión, su perspectiva, eran radicalmente diferentes a las nuestras. Todos serían inmortales. Dueños del universo para siempre. Libres. Fecundos. Dioses.

30   Nosotros, no. Nosotros, los hombres y mujeres de más de veinte años, éramos la última generación mortal. Éramos la despedida, el adiós, el pañuelo de huesos y sangre que ondeaba,° por última vez, sobre la faz° de la tierra.

Nosotros, no. Marginados de pronto,° como los últimos abuelos, de pronto nos habíamos convertido en habitantes de un asilo° para ancianos,
35 confusos conejos asustados entre una raza de titanes.° Estos jóvenes, súbitamente, comenzaban a ser nuestros verdugos sin proponérselo. Ya no éramos sus padres. Desde ese día, éramos otra cosa; una cosa repulsiva y enferma, ilógica y monstruosa. Éramos Los Que Morirían. Aquellos Que Esperaban la Muerte. Ellos derramarían lágrimas, ocultando su desprecio,
40 mezclándolo con su alegría. Con esa alegría ingenua con la cual expresaban su certeza de que ahora, ahora sí, todo tendría que ir bien.

Glossary (right margin):

tintinearon . . . campanillas *the bells rang*

altavoces *loud speakers*

senectud *old age* /desfallecimiento *debilidad*

traspasado *pasado*

envío *shipping*
dosis *doses*
ampolletas *vials*

el pañuelo . . . que ondeaba *the handkerchief . . . that waved* /faz *surface, face* /marginados de pronto *suddenly excluded* /asilo *asylum* /titanes *gigantes*

Nosotros sólo esperábamos. Los veríamos crecer, hacerse hermosos, continuar jóvenes y prepararse para la segunda inyección, una ceremonia—que nosotros ya no veíamos—cuyo carácter religioso se haría evidente. Ellos no se encontrarían jamás con Dios. El último cargamento° de almas rumbo al más allá, era el nuestro.

45

¡Ahora cuánto nos costaría dejar la tierra! ¡Cómo nos iría carcomiendo° una dolorosa envidia! ¡Cuántas ganas de asesinar nos llenarían el alma, desde hoy y hasta el día de nuestra muerte!

50

Hasta ayer. Cuando el primer chico de quince años, con su inyección en el organismo, decidió suicidarse. Cuando llegó esa noticia, nosotros, los mortales, comenzamos recién a amar y a comprender a los inmortales.

Porque ellos son unos pobres renacuajos° condenados a prisión perpetua en el verdoso estanque° de la vida. Perpetua. Eterna. Y empezamos a sospechar que dentro de 99 años, el día de la segunda inyección, la policía saldrá a buscar a miles de inmortales para imponérsela.

55

Y la tercera inyección, y la cuarta, y el quinto siglo, y el sexto; cada vez menos voluntarios, cada vez más niños eternos que imploran la evasión, el final, el rescate.° Será horrenda la cacería.° Serán perpetuos miserables.

60

Nosotros, no.

cargamento shipment

carcomiendo consumiendo

renacuajos tadpoles
verdoso estanque greenish pond

rescate redemption /**cacería** el número de muertos

Cuestionario

1. ¿Qué gran acontecimiento marca el dramatismo del primer párrafo?
2. ¿Qué se debía hacer para no morir?
3. ¿Cuál fue la noticia complementaria?
4. ¿A qué se aprestaba el gobierno federal mundial?
5. Describa Ud. la actitud inicial de los mortales hacia los inmortales. ¿Qué significado metafórico tiene la frase «Éramos la despedida, el adiós, el pañuelo de huesos y sangre que ondeaba, por última vez, sobre la faz de la tierra»? (ll.31–32) ¿Qué efecto produce el comparar a un hombre con un pañuelo?
6. ¿Qué acontecimiento hizo que los mortales comenzaran a amar y a comprender a los inmortales? ¿Por qué?
7. ¿Qué empezó la gente mayor a sospechar que sucedería dentro de 99 años?

Práctica de vocabulario

Estudie Ud. en la lectura anterior el significado de las palabras y expresiones de la lista, y después complete las oraciones con la palabra o expresión apropiada.

tal como (l. 3)   se aprestaba a (l. 19)
el cohete (l. 21)   de pronto (ll. 33–34)
destaca (l. 6)   derramó lágrimas (l. 39)
surtieron efecto (l. 16) rumbo a (l. 45)

1. Los científicos lanzaron _____ para explorar el espacio.
2. Seguí las instrucciones _____ indicaba el libro.
3. El próximo mes el astronauta saldrá _____ la luna.
4. ¡_____ la tierra empezó a abrirse! Se trataba de un terremoto.
5. Cuando murió el niño toda la familia _____ .
6. El periódico de hoy _____ esta gran noticia.
7. Sus palabras de anoche _____ en el público.
8. Cuando el astronauta _____ alunar, oyó un ruido extraño en los motores.

Temas de reflexión

1. ¿Cree Ud. que este cuento justifica la muerte? Explique su respuesta.
2. ¿Le gustaría ser inmortal? ¿La lectura del cuento influyó en su respuesta?
3. ¿Le gusta la ciencia ficción? ¿Ha leído Ud. muchos libros o ha visto muchas películas de este tipo? ¿Qué valor tienen? ¿Cree Ud. que contribuyen a comprendernos mejor o a prepararnos para el futuro?

Creación

Cuente otra vez el descubrimiento de la inyección de la inmortalidad desde el punto de vista de uno de los jóvenes de menos de veinte años, quizá el chico de quince años que decidió suicidarse. ¿Cómo reaccionaría? ¿Cuál sería su actitud hacia los viejos mortales? ¿Cambiaría su deseo de ser inmortal? ¿Cuándo y por qué? ¿Comprendió bien este punto de vista el narrador de *Nosotros, no?*

Humor MAFALDA

noticioso noticiero

Ginebra *Geneva*

tiroteo *skirmish*

Puntos de vista

1. ¿Por qué dice Mafalda que «lo sorprendente es que haya vida en este planeta»? ¿Cuáles son las amenazas más grandes a nuestra vida o a nuestro futuro? ¿las armas nucleares? ¿la sobrepoblación? ¿la malnutrición? ¿la contaminación? Explique su respuesta.

2. ¿Cómo podríamos conseguir la paz mundial? ¿A qué regiones del mundo tendríamos que concentrar nuestros esfuerzos? ¿Qué concesiones tendríamos que hacer y a quiénes? ¿Cree Ud. que el desarme nuclear garantizaría la paz? ¿Por qué?

Vocabulario activo

Estudie las siguientes palabras y expresiones que aparecen en el poema *El gran viaje.*

Sustantivos

el barro *clay*
la cosecha *harvest*
el ensueño *daydream*

Verbo

lograr *to succeed in*

Adjetivo

lejano distante

EL GRAN VIAJE

Amado Nervo   (México, 1870–1919)

¿Quién será, en un futuro no lejano,
el Cristóbal Colón de algún planeta?
¿Quién logrará, con máquina potente,
sondar el océano
5 del éter° y llevarnos de la mano   éter cielo
allí donde llegaran solamente
los osados° ensueños del poeta?   osados *bold*

¿Quién será, en un futuro no lejano,
el Cristóbal Colón de algún planeta?

10   ¿Y qué sabremos tras el viaje augusto?
      ¿Qué nos enseñaréis, humanidades
      de otros orbes, que giran
      en la divina noche silenciosa,
      y que acaso, hace siglos que nos miran?

15   Espíritus a quienes las edades,
      en su fluir° robusto   fluir *flow*
      mostraron ya la clave° portentosa   clave *key*
      de lo Bello y lo Justo,
      ¿cuál será la cosecha de verdades
20   que deis al hombre, tras el viaje augusto?

      ¿Con qué luz nueva escrutará° el arcano°?   escrutará examinará
      ¡Oh, la esencial revelación completa   arcano conoci-
      que fije nuevo molde al barro humano!   mientos secretos

      ¿Quién será, en un futuro no lejano,
25   el Cristóbal Colón de algún planeta?

Cuestionario

1. ¿Cuál es la pregunta incesante que se hace el poeta? ¿Qué entiende Ud. por «el Cristóbal Colón de algún planeta»?
2. ¿Cómo interpreta Ud. «el océano del éter» (v.4–5)? ¿Por qué dice Amado Nervo que los ensueños del poeta han llegado tan lejos?
3. ¿Cuál es «el viaje augusto» (v.10)? ¿Podría ser la vida misma? ¿la muerte?
4. ¿Qué podrían enseñarnos las «humanidades de otros orbes»? ¿Cómo imagina el poeta a los habitantes de estos orbes?

Temas de reflexión

1. ¿Qué efecto produce la constante repetición del verso «¿Quién será . . . ?» en el poema?
2. ¿Cómo contestaría Ud. la pregunta del poeta? El que nos lleve a «sondar el océano del éter», ¿será un poeta, un científico, un filósofo, o Dios mismo? Para Ud., ¿es éste un poema de ciencia ficción, o más bien, un poema religioso?
3. ¿Cómo imagina Ud. el mundo después del «viaje augusto»? ¿Cambiaremos tan pronto como poseamos «la clave portentosa de lo Bello y lo Justo» (v.17–18)? ¿En qué consiste esta «clave»?

Lección 4

La oferta y la demanda

Cristóbal Colón propuso a los Reyes Católicos de España la atrevida empresa de llegar a los codiciados (coveted) productos del Oriente por el camino del Occidente. Gracias al enorme interés que despertaban en el mercado de la oferta y la demanda las especias (spices) de las Indias, fue posible este primer viaje de Colón que dio lugar al descubrimiento de América el 12 de octubre de 1492.

Los exploradores españoles no tardaron en oír las leyendas que circulaban sobre las enormes riquezas minerales, y su interés por el oro y la plata del Nuevo Mundo los llevó, años más tarde, a la conquista de los imperios azteca e inca. Pero no era sólo oro y plata lo que los conquistadores llevaban al volver a España. Como Ud. podrá apreciar en la selección El cacao vino de América, desde el primer viaje los españoles se interesaron por las extrañas plantas que los indígenas cultivaban en grandes terrazas y que podrían tener gran demanda en Europa. Así, el cacao, el maíz, la papa y el tomate fueron introducidos en Europa. Los españoles, a su vez, trajeron a América las plantas del azúcar, el café y muchos frutos como naranjas, limones, uvas y aceitunas (olives).

Poco a poco Hispanoamérica se fue incorporando al mercado mundial, y hoy en día Cuba exporta azúcar, Colombia café, Centroamérica plátanos. Argentina es el productor más grande de carne en el mundo y el petróleo es la esperanza de los países hispánicos en desarrollo. Venezuela y Ecuador se cuentan ya entre los países que no sólo pueden proveer sus propias demandas de petróleo, sino que están en condiciones de exportarlo a los otros países. La nueva riqueza petrolera de México ha despertado el interés mundial, y la gran interrogante es cómo va a utilizar sus recursos petroleros. La necesidad de grandes capitales para la explotación del petróleo ha dado lugar a la formación de consorcios de compañías nacionales y extranjeras que tienen por objeto el estudio y el desarrollo de la industria. En su cuento Las buenas inversiones Julio Cortázar recrea en forma divertida la fiebre que despierta la búsqueda del oro negro.

La explotación de los recursos naturales no siempre trae el bienestar económico que se desea. En muchos casos sólo ha servido para crear más distancia entre ricos y pobres, y la vida en las pequeñas poblaciones no mejora. Todavía en muchos pueblos hispánicos por calles, mercados y ferias se ven vendedores ambulantes, niños y adultos, que van ofreciendo verduras y frutas frescas o productos de su propia confección, esperando que un ama de casa o un turista se decida a comprarlos. Para ellos, «vender es el arte diario de vivir».

Los grandes almacenes y supermercados son poco populares en los países hispánicos. Por lo general la gente prefiere comprar en pequeños negocios especializados en un solo producto. Carpinteros, zapateros, sastres (tailors) y costureras (dressmakers) se sienten orgullosos de su manufactura y prefieren ganar menos dinero a trabajar en las fábricas. En los pequeños negocios, sin embargo, los precios de los productos no siempre se rigen por la oferta y la demanda. En el relato Un zapatero y su competidor, de Vicente Riva Palacio, vemos que es la astucia y el temor de los competidores, y no el mercado, lo que establece el precio de los zapatos.

Vocabulario activo

Estudie las siguientes palabras y expresiones que aparecen en la lectura *El cacao vino de América*.

Sustantivos

la harina *flour, corn meal*
el jarro *pitcher, jug*
la miel *honey*
la moneda *coin*

el obispo *bishop*
el rezo *prayer*
la semilla *seed, bean*

Verbos

cocer (o>ue) *to cook*
comprobar (o>ue) *to prove*
lograr *to manage, to succeed in, to achieve*

obsequiar *regalar*
vencer *to win over, to conquer*

Expresiones

debido a *due to*
dejar paso a *to give way to*

en vista de que *dado que*
muy de mañana *temprano por la mañana*

EL CACAO VINO DE AMÉRICA

Guillermo Soreda Molina

La historia nos dice que Hernán Cortés* y los suyos se encontraron en México con el chocolate. Pero si bien es verdad que fueron ellos los primeros europeos en tomar el cacao preparado y mezclado con otras muchas cosas, las semillas del cacaotero° fueron ya conocidas por la gente de Colón° en su
5 cuarto viaje. Incluso algunos historiadores afirman que el Almirante° trajo a España varias de esas semillas y las ofreció a los Reyes Católicos.*

Es posible que la primera vez que Cortés y sus soldados vieran el chocolate fuera en Quiahuixtlán.* Allí, un cacique° llamado Gordo recibía a los recaudadores° de Moctezuma* y les obsequiaba con ricos platos y jarras
10 de chocolate. Por otra parte, las semillas del cacaotero eran utilizadas por los indios mexicanos como moneda. En la segunda de sus *Cartas de relación*,* que Cortés dirigió a Carlos I,* dice lo siguiente: «Es una fruta como almendras,° que ellos venden molida,° y tiénenla . . . por° moneda en toda la tierra, y con ella se compran todas las cosas necesarias en los mercados y otras
15 partes.»

El chocolate que bebía Moctezuma se lograba mezclando granos° de cacao molidos y cocidos con agua, miel, harina de maíz, especias muy diversas

cacaotero árbol de cacao / **Colón** *Christopher Columbus* / **Almirante** *Admiral* (Colón)

cacique jefe indio

recaudadores cobradores

almendras *almonds* / **molida** *ground* / **tiénenla . . . por** la tienen como

granos *grains*

y otras sustancias excitantes. Es decir, aquel chocolate tenía poco o nada que ver con el que generalmente se toma en la actualidad en el mundo entero.

20 Etimológicamente, la palabra chocolate tiene, según unos, origen azteca:* «tchoco», que significa *ruido,* y «latte», que quiere decir *bebida.* Según otros, viene del vocablo° maya* «xocoalt».

    El chocolate tenía fama de ser una bebida afrodisíaca considerable. Bernal Díaz del Castillo,* que siguió a Cortés en sus conquistas, escribe lo 25 siguiente: «Traían en unas como a maneras de° copas de oro fino cierta bebida hecha del mismo cacao: decían que era para tener acceso a las mujeres . . .» Tal vez fue ésta la mejor publicidad que entre los españoles pudiera tener el chocolate.

    Debido precisamente al azúcar que los españoles llevaron de Canarias* a 30 México, el chocolate fue todavía más popular y su consumo se extendió rápidamente en todo el imperio español americano. Las mujeres lo llegaron a tomar a todas horas, incluso dentro de las iglesias durante los rezos. Fue tanto el abuso que se hizo de esa bebida en el interior de los templos, que un obispo mexicano, en vista de que no lograba desterrar° esa costumbre 35 mediante ruegos, decretó° la excomunión para aquellas mujeres que tomaran chocolate durante los rezos. No sólo no obedecieron a su obispo, sino que lo envenenaron° con una pócima° introducida en una jícara° de chocolate. De ahí la frase «dar un jicarazo».°

    Parece ser que el chocolate llegó a España un año después de la 40 conquista de México por Cortés, es decir, en 1520. Hacia 1650 el chocolate ya es una bebida popular y corriente en casi toda Europa. Deleito Piñuela, en su libro *La mujer, la casa y la moda (En la España del Rey poeta),* dice lo siguiente: «El chocolate, que se empezó a generalizar desde el descubrimiento de América . . . fue objeto en el siglo XVII de una verdadera pasión . . . Se 45 tomaba chocolate no sólo para desayunar, sino a cada paso durante el día y en gran cantidad . . . Sólo por la mañana consumíanse cinco o seis onzas de chocolate para desayunar.»

    Durante todo el siglo XIX se sigue tomando chocolate en España. Un historiador dice que «el chocolate es para el español lo que es el té para el 50 inglés y el café para el francés».

    El chocolate empieza su decadencia en España a partir de la primera Guerra Mundial. Las muy famosas chocolaterías van dejando paso a unos nuevos locales llamados cafés, y el clásico «chocolate con churros»°—que todavía se toma—se va sustituyendo lentamente por el café con leche con 55 media tostada. Ahora mismo es muy posible que no llegue al dos por mil el número de personas que en España desayunan chocolate. El café con leche, el simple café o el mismo té, lo han vencido. Nos quedan, en cambio, la tableta° de chocolate, el chocolate duro, el bombón de chocolate. Dios nos los conserve durante muchos años.

—*Mundo Hispánico,* España (Adaptado)

vocablo *palabra*

unas . . . de *algo así como*

desterrar *banish*
decretó *declaró*

envenenaron *poisoned* /**pócima** *potion* /**jícara** *taza* /**dar un jicarazo** *envenenar a una persona*

churro *tipo de doughnut*

tableta *bar*

❋ **Hernán Cortés** (1485–1547) fue el conquistador de México. En 1519 desembarcó en Cozumel y fundó el puerto de Veracruz. Algunos de sus compañeros querían volver a Cuba pero Cortés quemó sus barcos para evitar el regreso.

❋ **Los Reyes Católicos** fueron Isabel I, reina de Castilla, y Fernando V, rey de Aragón. Con su matrimonio unificaron los dos reinos españoles y fueron los que le dieron a Colón el dinero para el descubrimiento de América.

❋ **Quiahuixtlán** era una región de México antiguo, habitada por indios totouaques. En ella Hernán Cortés hizo prender a los cobradores de tributos mexicanos y declaró que en el futuro los totouaques no pagarían impuestos a los aztecas.

❋ **Moctezuma** (II) (1466–1520) fue el noveno monarca de los aztecas. La fuerza del imperio azteca alcanzó su máximo poder con él. Su territorio se extendía desde la costa del Pacífico hasta el Atlántico. Se dice que le preocupaba la predicción que su imperio acabaría con la llegada de hombres blancos y barbudos.

❋ Las **Cartas de relación** fueron escritas por Cortés al rey de España. Contaban la grandeza de la civilización azteca.

❋ **Carlos I** (1500–1558): En la historia fue conocido como Carlos V y fue Rey de España y emperador de Alemania.

❋ **Los aztecas** fueron los indios que en los siglos XV y XVI habitaron en lo que es ahora el centro y el sur de México. Su capital, Tenochtitlán, fue conquistada por los españoles bajo Cortés.

❋ **Los mayas** eran los indios que ocuparon territorio en el norte de lo que es ahora Centroamérica. Tenían una de las civilizaciones más grandes del hemisferio occidental antes de la conquista. Su escritura no ha sido descifrada todavía. Desaparecieron a mediados del siglo XV.

❋ **Bernal Díaz del Castillo** (1495–1584) fue un conquistador español, compañero de Cortés y autor de la *Historia verdadera de la conquista de la Nueva España,* la más completa de las crónicas de México.

❋ **Las Islas Canarias** son un conjunto de islas cerca de la costa noroeste de África, que forman dos provincias de España.

Ejercicio de comprensión

*Indique la oración que **no** corresponde a la lectura anterior.*

1. La historia del chocolate en Europa empieza con
    a. Colón, que ya conocía las semillas del cacaotero en su cuarto viaje.
    b. Cortés y sus soldados, que vieron al cacique Gordo obsequiar a los recaudadores de Moctezuma con jarras de chocolate.
    c. los indios mexicanos que usaban las semillas de cacao como moneda.

2. La historia del chocolate en América nos dice
    a. que Moctezuma bebía una mezcla de granos de cacao con miel y
       harina de maíz.
    b. que lo que tomaba Moctezuma era muy parecido al chocolate que
       se toma hoy.
    c. que la palabra *chocolate* tiene origen o azteca o maya.
3. La popularidad del chocolate en México y en todo el imperio español
   americano
    a. se debe a su fama de ser una bebida afrodisíaca.
    b. creció con la introducción del azúcar en México.
    c. se veía en el abuso de la bebida por las mujeres que lo tomaban en
       las iglesias.
    d. disminuyó con el envenenamiento del obispo de Chiapas.
4. El chocolate empezó su decadencia
    a. después de la primera Guerra Mundial.
    b. cuando el chocolate con churros se fue sustituyendo por el café con
       leche con media tostada.
    c. cuando desaparecieron la tableta de chocolate, el chocolate duro y
       el bombón de chocolate.

En La Paz, Bolivia, una vendedora típica ofrece en venta papas, productos de su cosecha.

Práctica de vocabulario

Estudie Ud. en la lectura anterior el significado de las palabras o expresiones de la lista, y después complete las oraciones con la palabra o expresión apropiada.

dejando paso a (l. 52)   la harina (l. 17)
debido al (l. 29)   lograron (l. 16)
las semillas (l. 4)

1. _____ alto costo del petróleo, hemos visto una drástica reducción en el consumo de gasolina.
2. Las tiendas pequeñas han desaparecido, _____ los grandes super-mercados y almacenes.
3. El ingrediente más importante para hacer el pan es _____.
4. Después de dos horas de discusión, ellos _____ convencer al jefe de que había que renovar los medios de producción.
5. Sembraron _____ la semana pasada y hoy aparecieron las primeras plantas en el jardín.

Creación

¿Sabe Ud. qué otras plantas tuvieron su origen en América? Prepare un breve informe sobre:

1. El maíz
   a. Origen de la palabra
   b. Su importancia en los imperios maya y azteca
   c. Su aspecto sagrado
   d. La importancia del cultivo y el desarrollo
   e. La influencia en la vida de las tribus

2. La yerba mate
   a. Origen de la palabra *mate*
   b. Su importancia en la Argentina, el Paraguay y el Brasil
   c. Cómo se prepara y se sirve
   d. El mate en la vida del gaucho

3. La coca
   a. Su importancia en las regiones de los Andes
   b. Efecto en la vida de los indios
   c. Las leyendas de la coca en el imperio incaico
   d. El uso actual de la coca por los indios, la medicina, los traficantes de cocaína, etc.

4. Otras plantas
   a. El tomate
   b. El tabaco
   c. La calabaza
   d. La patata (la papa)

Humor oficinesco

Un oficinista ansioso de iniciar una conversación con el gerente le dice:
—Parece que hoy vamos a tener buen tiempo, Sr. Mandón.
El gerente mide a su empleado de arriba a abajo y con voz de trueno pregunta:
—¿VAMOS a tener? ¿Y desde cuándo es usted socio de esta empresa?

—¿No cree usted que se podria distribuir algo mejor el trabajo?

(«S. E. Post»)

—Puede ahorrarse de buscar esa carta, señorita. Ahora me acuerdo que no la he escrito.

(«Punch»)

Puntos de vista

1. ¿Qué estereotipos del mundo de los negocios presentan estos tres ejemplos de «humor oficinesco»?
   a. ¿Cuál es la relación entre el oficinista y el gerente en el pequeño diálogo? ¿En qué consiste el humor de la conversación?
   b. En el primer dibujo, explique Ud. el contraste entre los dos hombres en sus escritorios. ¿Le parece que ésta es una oficina muy eficiente?
   c. En el segundo dibujo, ¿podría Ud. imaginarse y contarnos lo que pasó en esa oficina antes de la aparición del jefe? Describa Ud. los pensamientos de la secretaria al oír las palabras de su jefe.
2. ¿Cree Ud. que hay alguna relación entre estos estereotipos y las oficinas típicas del mundo de los negocios? ¿Le gustaría trabajar en una de ellas? Explique su respuesta.

Improvisación

Lugar: una oficina de una gran empresa española que exporta aceite de oliva.

Personajes: una secretaria que acaba de recibir una promoción y un aumento de salario; un secretario que cree que él merece lo mismo; su jefe, o jefa (según su preferencia).

Acción: una discusión acalorada (*heated*)

Vocabulario activo

Estudie las siguientes palabras y expresiones que aparecen en la lectura
México: La nueva dimensión.

Sustantivo

la riqueza *richness, abundance*

Verbo

sostener mantener

Adjetivos

agudo *acute, sharp*
ajeno de otro
súbito *sudden*

MÉXICO: LA NUEVA DIMENSIÓN

Ramón Escovar Salom

La forma cómo México va a utilizar los nuevos recursos petroleros* es una de
las más extendidas interrogantes de hoy. El renacimiento petrolero de México
es un agente de expectativas y de incertidumbres. El petróleo es un factor de
estabilidad política, ya sea para dictaduras o para democracias puesto que ha
5 servido para sostener las más diversas situaciones.

    Hace algún tiempo pude observar personalmente en México varios
hechos contradictorios en relación con la nueva riqueza petrolera. Podrían
resumirse en la siguiente forma: (1) la actitud de los optimistas que ven así una
nueva oportunidad de remediar estancamientos° y resolver problemas; (2) la

estancamientos
stagnation

10 de los que lógicamente ven en la afluencia una oportunidad para ganar más
dinero; (3) la de los que presionan desde abajo para resolver prioridades de
indigencia y pobreza secular; (4) la de los que desconfían de todo lo anterior y
piensan que el petróleo en exceso llevará a México más calamidades que
beneficios y que será un factor de inestabilidad, de confusión, desorden y
15 corrupción.

    Se habla mucho en México de evitar lo que pasó en Venezuela. Pero
desgraciadamente la experiencia ajena no es tan útil como pretenden los
buenos consejos. En el Ecuador, por ejemplo, ya se están observando los
mismos efectos que la prosperidad comenzó a producir en Venezuela cerca de
20 cuarenta años atrás. Aunque parezca sorprendente, la riqueza es también un
problema, especialmente cuando no es producida directamente por la
sociedad sino por magia súbita. Hay una disciplina de la pobreza pero una
indisciplina de la riqueza.

    A un observador lejano podría parecer que el conflicto más agudo de la
25 nación mexicana en este momento es la oposición entre conservación y

producción. Para una y para otra política hay argumentos, especialmente para la primera. Pero en un mundo hambriento de energía resulta difícil evitar los aumentos de producción petrolera especialmente cuando al mismo tiempo los planes de desarrollo son cada vez más costosos.

30 México ha sido un país peculiar por su original experimento político y por su estilo internacional. No sería sorprendente que también lo fuera en su comportamiento petrolero.

—Opiniones, Estados Unidos (Adaptado)

¿Sabía Ud. que...?

❋ México es hoy en día el quinto productor mundial de petróleo, y sus reservas podrían estar entre las más grandes del mundo. A pesar de este hecho, la economía mexicana ha sufrido una gran inflación. Las subidas de precio han afectado a los productos básicos de mayor consumo popular. Quizás la información que mejor explica esta situación es ésta: «Un litro de leche vale más del doble de un litro de gasolina.» La aspiración de la política económica mexicana quedó resumida por el ex-presidente López Portillo: «Crecer sin distribuir es el regreso; distribuir sin crecer es la miseria; crecer y distribuir es el progreso.»

Cuestionario

1. ¿Qué posición ocupa México hoy en la producción de petróleo? ¿Cuál es la gran interrogante en este país?
2. Describa Ud. los diferentes pensamientos sobre la nueva riqueza petrolera de México.
3. ¿Cuál es la actitud en México hacia la experiencia petrolera en Venezuela?
4. ¿Por qué es difícil evitar los aumentos de producción petrolera?

Puntos de vista

1. ¿Qué sabe Ud. del descubrimiento y de la utilización de los recursos petroleros en Venezuela? ¿en el Ecuador? ¿en los países árabes? ¿Qué problemas especiales plantea la producción de petróleo en los países menos desarrollados?
2. ¿Por qué dice el autor del artículo: «Hay una disciplina de la pobreza pero una indisciplina de la riqueza»? (ll.22–23) ¿Cómo interpreta Ud. estas palabras? ¿Qué efecto puede tener una riqueza producida no «por la sociedad sino por magia súbita»? (ll.21–22)
3. ¿Con qué fuentes de energía podemos contar cuando se acaben el petróleo y el carbón? ¿con el sol? ¿con el poder nuclear? ¿el agua? ¿el viento? ¿Qué debemos hacer ahora para evitar un mundo sin la energía suficiente para proveer las necesidades de nuestros hijos o nietos?

Vocabulario activo

Estudie las siguientes palabras y expresiones que aparecen en la lectura *Las buenas inversiones.*

Sustantivos

el atardecer *evening*
la cifra *figure, number*
la colina *small hill*
el diario *periódico*
la gallina *hen*
el humo *smoke, fumes*
el impuesto *tax*

la inversión *investment*
la lágrima *tear (drop)*
el pozo *well*
el rascacielos *edificio muy alto*
la risa *laughter*
la superficie *surface*
el terreno *tierra*

Verbos

alquilar *to rent*
animarse (a) *to feel encouraged (to)*
arruinar *to ruin*
asomarse *acercarse, aparecer*
desanimarse *to become discouraged*
distraer *to distract*

extrañar *sorprender*
hervir (e > ie > i) *to boil*
plantear *ocasionar, causar*
recorrer *pasar por*
trasladarse *to move*

Adjetivo

cuadrado *square*

Expresiones

al cabo de *después de, al final de*
a razón de *at the rate of*
de cuando en cuando *from time to time*

LAS BUENAS INVERSIONES

Julio Cortázar   (Argentina, 1914–1984)

Gómez es un hombre modesto y borroso,° que sólo le pide a la vida un pedacito bajo el sol, el diario con noticias exaltantes y un choclo* hervido con poca sal pero eso sí con bastante manteca. A nadie le puede extrañar entonces que apenas haya reunido la edad y el dinero suficientes, este sujeto
5 se traslade al campo, busque una región de colinas agradables y pueblecitos inocentes, y se compre un metro cuadrado de tierra para estar lo que se dice en su casa.

Esto del metro cuadrado puede parecer raro y lo sería en circunstancias ordinarias, es decir sin Gómez y sin Literio.° Como a Gómez no le interesa
10 más que un pedacito de tierra donde instalar su reposera° verde y sentarse a

borroso *poco interesante*

Literio *el hombre que vende a Gómez el metro cuadrado* /reposera *asiento para descansar*

leer el diario y a hervir su choclo con ayuda de un calentador primus,° sería
difícil que alguien le vendiera un metro cuadrado porque en realidad nadie
tiene un metro cuadrado sino muchísimos metros cuadrados, y vender un
metro cuadrado en mitad o al extremo de los otros metros cuadrados plantea
15 problemas de catastro,° de convivencia,° de impuestos y además es ridículo y
no se hace, qué tanto.° Y cuando Gómez, llevando la reposera con el primus
y los choclos empieza a desanimarse después de haber recorrido gran parte
de los valles y las colinas, se descubre que Literio tiene entre dos terrenos un
rincón que mide justamente un metro cuadrado y que por hallarse sito° entre
20 dos solares° comprados en épocas diferentes posee una especie de
personalidad propia aunque en apariencia no sea más que un montón de
pastos° con un cardo° apuntando hacia el norte. El notario y Literio se mueren
de risa durante la firma de la escritura,° pero dos días después Gómez ya está
instalado en su terreno en el que pasa todo el día leyendo y comiendo, hasta
25 que al atardecer regresa al hotel del pueblo donde tiene alquilada una buena
habitación porque Gómez será loco pero nada idiota y eso hasta Literio y el
notario están prontos a reconocerlo.

　　　Con lo cual el verano en los valles va pasando agradablemente, aunque
de cuando en cuando hay turistas que han oído hablar del asunto y se asoman
30 para mirar a Gómez leyendo en su reposera. Una noche un turista venezolano
se anima a preguntarle a Gómez por qué ha comprado solamente un metro
cuadrado de tierra y para qué puede servir esa tierra aparte de poner la
reposera, y tanto el turista venezolano como los otros estupefactos contertulios°
escuchan esta respuesta: «Usted parece ignorar que la propiedad de un
35 terreno se extiende desde la superficie hasta el centro de la tierra. Calcule,
entonces.» Nadie calcula, pero todos tienen como la visión de un pozo
cuadrado que baja y baja y baja hasta no se sabe dónde, y de alguna manera
eso parece más importante que cuando se tienen tres hectáreas y hay que
imaginar un agujero de semejante° superficie que baje y baje y baje. Por eso
40 cuando los ingenieros llegan tres semanas después, todo el mundo se da
cuenta de que el venezolano no se ha tragado la píldora° y ha sospechado el
secreto de Gómez, o sea que en esa zona debe haber petróleo. Literio es el
primero en permitir que le arruinen sus campos de alfalfa y girasol° con
insensatas° perforaciones que llenan la atmósfera de malsanos° humos; los
45 demás propietarios perforan noche y día en todas partes, y hasta se da el caso
de una pobre señora que entre grandes lágrimas tiene que correr° la cama de
tres generaciones de honestos labriegos° porque los ingenieros han localizado
una zona neurálgica en el mismo medio del dormitorio. Gómez observa de
lejos las operaciones sin preocuparse gran cosa, aunque el ruido de las
50 máquinas lo distrae de las noticias del diario; por supuesto nadie le ha dicho
nada sobre su terreno, y él no es hombre curioso y sólo contesta cuando le
hablan. Por eso contesta que no cuando el emisario del consorcio° petrolero
venezolano se confiesa vencido y va a verlo para que le venda el metro
cuadrado. El emisario tiene órdenes de comprar a cualquier precio y empieza
55 a mencionar cifras que suben a razón de cinco mil dólares por minuto, con lo

calentador primus
portable furnace

catastro *census*
/convivencia *vida
en común* /qué
tanto *how silly*

hallarse sito *encon-
trarse situado*
/solares *plots of
land* /montón de
pastos *pile of grass*
/cardo *thistle*
/escritura *deed of
sale*

estupefactos conter-
tulios *sorprendidos
compañeros*

un . . . semejante *a
hole of such a*

no . . . píldora *he
wasn't taken in*

girasol *sunflower*
insensatas *sin sen-
tido* /malsanos
malo para la salud
correr *retirar*
labriegos *campesi-
nos*

consorcio *com-
pañía*

cual al cabo de tres horas Gómez pliega° la reposera, guarda el primus y el choclo en la valijita,° y firma un papel que lo convierte en el hombre más rico del país siempre y cuando se encuentre petróleo en su terreno, cosa que ocurre exactamente una semana más tarde bajo la forma de un chorro° que
60 deja empapada° a la familia de Literio y a todas las gallinas de la zona.

    Gómez, que está muy sorprendido, se vuelve a la ciudad donde empezó su existencia y se compra un departamento en el piso más alto de un rascacielos, pues ahí hay una terraza, a pleno sol para leer el diario y hervir el choclo sin que vengan a distraerlo venezolanos aviesos° y gallinas teñidas° de
65 negro que corren de un lado a otro con la indignación que siempre manifiestan estos animales cuando se los rocía° con petróleo bruto.

pliega *folds up*

valijita *maleta pequeña*

chorro *spurt*

empapada *mojada*

aviesos *mischievous* / **teñidas** *dyed*

rocía *spray*

¿Sabía Ud. que...?

✳   **El choclo** es el nombre que se da en algunos países sudamericanos al maíz fresco y tierno. En México se lo conoce por *elote*. El maíz es un producto de América. Al regresar de una exploración a Cuba, los mensajeros de Colón declararon haber visto «una clase de grano, que llaman maíz, de buen sabor cocinado, seco y en harina». El escritor guatemalteco Miguel Angel Asturias en su famoso libro *Hombres de maíz* (1949), nos ofrece relatos de la lucha entre los indígenas guatemaltecos que quieren que se siembre el maíz sólo para alimentarse y no para negocio.

Cuestionario

1. ¿Quién es el protagonista del cuento? ¿Cómo lo describe Cortázar?
2. ¿Cuál es el sueño modesto de Gómez? ¿Qué le interesa comprar y para qué?
3. ¿Por qué su deseo de comprar un metro cuadrado de terreno es tan difícil de realizar? ¿Por qué cree Ud. que se mueren de risa el notario y Literio durante la firma de la escritura?
4. ¿Para qué le sirve a Gómez su pedacito de tierra? ¿Cómo le explica al turista venezolano su compra de un metro cuadrado?
5. ¿En busca de qué llegan los ingenieros tres semanas más tarde? ¿Cuál parece ser la actitud de Gómez hacia toda la actividad que lo rodea?
6. Describa Ud. la escena entre el emisario del consorcio petrolero y Gómez. ¿Son los términos de la venta favorables para Gómez?
7. ¿Sabía Gómez que había petróleo en su pedacito de tierra? ¿Cómo lo sabemos?
8. ¿Logra Gómez finalmente vivir como desea?
9. ¿En qué consiste el humor del cuento? ¿De qué medios se vale Cortázar para hacer resaltar la ironía de la situación?

Práctica de vocabulario

Estudie Ud. en la lectura anterior el significado de las palabras o expresiones de la columna B. Reemplace cada palabra o expresión en letra bastardilla en la columna A por el sinónimo de la columna B.

A

_____ 1. A Gómez no le *sorprende* que le paguen muchísimo por su metro cuadrado.

_____ 2. Me senté a leer el *periódico* mientras desayunaba.

_____ 3. Los turistas *se acercaban* para mirar a Gómez que leía tranquilamente.

_____ 4. *Después de* dos horas Gómez acepta la oferta del emisario.

_____ 5. Vender un metro cuadrado de tierra *ocasiona* problemas con los impuestos.

_____ 6. Gómez vive en paz aunque *de vez en cuando* hay turistas que vienen a verlo.

B

a. de cuando en cuando (l.29)
b. extraña (l.3)
c. se asomaban (l.29)
d. al cabo de (l.56)
e. diario (l.11)
f. plantea (l.14)

Improvisación

Recree Ud. con sus compañeros de clase la escena climática donde el emisario del petrolero venezolano, bajo órdenes de comprar el metro cuadrado de Gómez a cualquier precio, menciona cifras que suben a razón de cinco mil dólares por minuto. ¿Cómo se comportará Gómez? ¿Cuáles serán sus reacciones? ¿y el emisario? ¿Se mostrará frustrado? ¿enojado? ¿nervioso? ¿insistente? ¿Qué nos revelará esta escena sobre la personalidad de Gómez?

Humor

¡Charlemos!

¿En qué reside el humor de este dibujo? ¿Se podría decir que hay un juego de palabras? Explíquese.

Ahora, ¡use su imaginación! ¿Cómo sería un año de segunda mano? ¿Veríamos sólo programas repetidos en la televisión? ¿Comeríamos nada más que sobras (*leftovers*)? ¡Invente sus propios chistes!

Vocabulario activo

Estudie las siguientes palabras y expresiones que aparecen en la lectura *El zapatero y su competidor*.

Sustantivos

el cuero *leather*
el milagro *miracle*

Verbos

arruinar *to ruin*
extrañar *sorprender*
tropezarse *to stumble (over one another)*

Expresiones

con razón *no wonder*
de la noche a la mañana *from one day to the next, overnight*
en confianza *between the two of us*
estar conforme *to agree*
estar por *estar listo para* ~~estar a punto de~~

EL ZAPATERO Y SU COMPETIDOR

Vicente Riva Palacio *(México, 1832–1896)*

Va de cuento:

Había en una calle un zapatero que vendía en su tienda tanto, que era gusto ver cómo la gente hasta se tropezaba para ir a comprarle.

Aquel zapatero vivía allí muy contento y feliz, cuando de la noche a la
5 mañana, ¡zás! otra zapatería en frente.

¡Aquí fue Troya!° El zapatero primitivo° daba las botas a cinco pesos, el advenedizo° a cuatro y medio.

—No, pues no, dijo el antiguo; ese recién venido no me desbanca;° yo lo arruinaré.

10 Y al otro día puso: «Botas a cuatro pesos.»

El otro quién sabe qué diría; pero fijó en su rótulo:° «Botas a tres pesos y medio.»

Margin notes:

fue Troya hubo problema /**primitivo** primero /**advenedizo** extranjero /**desbanca** *beat*

rótulo anuncio, letrero

—A tres pesos, anunció el antiguo.

—A dos con cuatro, el antagonista.

15 —A dos, el uno.

—A doce reales,° el otro. **reales** monedas

—A peso, el primero.

—A cuatro reales, el segundo.

Aquello era para volverse loco; el primer zapatero estaba por darse un **darse un tiro** ma-
20 tiro,° se arruinaba, y sin embargo, el otro tenía en su casa a todos los tarse
marchantes.° **marchantes**
comerciantes

El hombre se puso triste, pálido, sombrío, hasta que una noche dijo:

—Ea, pelillos a la mar;° es preciso tomar una resolución extrema. **pelillos . . . mar** se
acabaron los dis-
Y tomó su sombrero (que sin duda llamaría al sombrero resolución gustos
25 extrema) y se dirigió a la casa de su adversario.

—Buenas noches, vecino, dijo.

—Dios se las dé mejores,° contestó el otro. ¿Qué milagro es verle por **Dios . . . mejores**
esta suya°?* ¡Que Dios le dé
mejores noches a
—Extrañará usted mi visita; pero vengo a que nos arreglemos.° Ud.! /**suya** la casa
del adversario
30 —Como usted quiera, vecinito; tome asiento. /**arreglemos** com-
prendamos, enten-
—Gracias; pues es el caso que vengo para hablarle con toda claridad. damos /**perjudi-**
carnos dañarnos
—¿Vamos a formar compañía para no perjudicarnos?°

—Muy bien; estoy conforme.

—Bueno; pero antes explíqueme, por vida de su madre, cómo le puede **cómo . . . cuenta**
35 tener cuenta° vender botas a cuatro reales; yo tengo máquinas, no pago cómo puede ser
operarios, sé trabajar, y en confianza se lo digo, me robo los cueros y las negocio para Ud.
suelas,° y así pierdo:° ¿pues usted? **suelas** soles /**así**
pierdo todavía
—Vaya, vecino, ¡qué tonto es usted! pues si yo me robo las botas. pierdo dinero

—¡Ah! con razón.

¿Sabía Ud. que...?

✳ **Ésta es su casa, Está (usted) en su casa** y **Aquí tiene su casa** son expresiones que usan los
hispánicos cuando los invitados vienen a la casa. El propósito es que ellos disfruten de todo
y que se sientan como en familia.

Cuestionario

1. ¿Cuándo y por qué comenzaron los problemas de aquel zapatero que
vivía tan contento?
2. ¿Cómo fueron los dos zapateros rebajando el precio de las botas?
3. ¿Qué resolución extrema tuvo que tomar el zapatero antiguo?
4. ¿Qué se confiesan los zapateros?
5. ¿Perdió dinero el zapatero advenedizo? ¿Por qué no?

Puntos de vista

1. ¿Cree Ud. que la competencia en el mercado es buena o mala para el consumidor? ¿para el vendedor? ¿Por qué?
2. ¿Le gusta salir de compras en épocas de rebajas, ventas, liquidaciones, o prefiere seleccionar lo mejor al precio original?
3. Se dice que en el comercio de ropa se puede rebajar hasta un 50% y todavía los fabricantes y los vendedores pueden ganar bastante dinero. ¿Le parecen exagerados estos márgenes de ganancia o piensa, como muchos, que la moda cambia rápidamente de una estación a otra y hay el peligro de no venderla?
4. Se dice que el tipo de zapato que lleva una persona tiene mucho que ver con su personalidad y su ocupación. ¿Está Ud. de acuerdo con esta idea? Si éste es el caso, ¿qué tipo de personalidad indicarían las sandalias? ¿los zapatos de tacón alto? ¿los mocasines? ¿las botas? ¿Qué tipo de calzados le gusta llevar a Ud.?

❋ Aunque parezca una contradicción, en España y en los países hispánicos los juegos de azar en general están prohibidos, pero **la lotería** es una institución nacional. El juego de la lotería, que existe desde la época de los romanos, tomó su forma moderna en Italia durante la Edad Media y en el siglo XVIII pasó a casi todos los países de Europa. En México se la inauguró en 1769. En muchos países la llamada Lotería Nacional constituye un monopolio del Estado y se ha convertido en una de las fuentes de ingresos de mayor importancia.

En el juego de la lotería hay un premio mayor que se llama «el gordo de la lotería» y muchísimos premios secundarios. El poseedor del premio gordo se vuelve rico de la noche a la mañana.

Para que todos tengan la oportunidad de probar la suerte, cada entero o billete se divide, según el sorteo, en cinco, diez o veinte partes. La persona que sólo puede adquirir un vigésimo ($\frac{1}{20}$) de la lotería, en caso de ser su número el premiado, recibirá la vigésima parte del premio gordo. Los sorteos son de dos clases: los ordinarios, que tienen lugar regularmente, una o dos veces por mes; y los extraordinarios, que se sortean en los días de fiestas nacionales y religiosas con grandes premios.

El elefante en el anuncio es símbolo de la buena suerte y advierte al público de la fecha del próximo sorteo.

Vocabulario activo

Estudie las siguientes palabras y expresiones que aparecen en el poema *Vendedores*.

Sustantivos

el afán energía
el cántaro jarro
la flauta *flute*
el hilo *thread*
el juguete *toy*
el paladar *palate*
el tejido *woven goods*

Verbos

adivinar *to guess*
ambicionar desear, querer
sembrar (e > ie) *to sow*

VENDEDORES

Dime qué vendes y te diré quién eres.
Dime qué vendes y te adivinaré qué ambicionas.
Dime qué vendes y te diré dónde vives.
Vender es el arte diario de vivir dándole al otro lo que desea y necesita.

5 Vender flores es un halago.° halago elogio, alabanza /trinos canto de los pájaros /cazuela earthen crock

Vender pájaros es una ilusión con trinos.°
Vender cerámica es poner la tierra misma hecha cántaro, cazuela,° flauta o flor, en las manos del otro.
Vender frutos es dar un algo de quien se ha cuidado por años con amoroso

10 afán.

Vender dulces es dar felicidad al paladar del lugareño° y sonrisas glotonas° a la chiquillería.° lugareño vecino de un pueblo /glotonas llenas /chiquillería multitud de niños

Vender tejidos es dejar en el cuerpo de otros aventuras con hilos de colores; vender juguetes es sembrar sonrisas infantiles.

15 Vender escapularios° o rosarios es dar a alguien un hilo que lo guíe hacia Dios. escapularios objetos religiosos

¡Vender . . . vender ilusiones, objetos, o ese algo que pensamos necesitar al conjuro del pregón,° el sonido amable o el ruego!, ese algo que el humano aprendió a hacer cuando pudo duplicar los bellos objetos útiles o decorativos conjuro del pregón ruego, llamado en voz alta

20 de su vida diaria.

—*Artes de México*, México

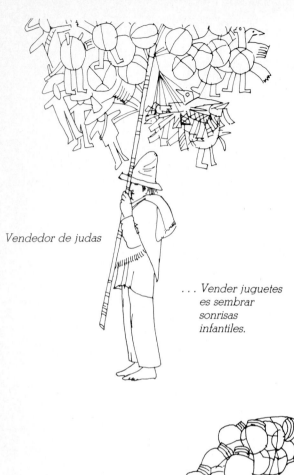

Vendedor de judas

. . . Vender juguetes
es sembrar
sonrisas
infantiles.

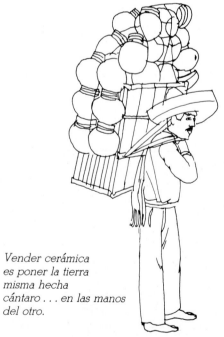

Vender cerámica
es poner la tierra
misma hecha
cántaro . . . en las manos
del otro.

Vender frutos es
dar un algo de quien
se ha cuidado por años
con amoroso afán.

¿Sabía Ud. que...?

* **Los judas** son figuras de papel maché que se venden en las festividades religiosas de la Semana Santa. Después de la muerte de Cristo el día Viernes Santo, el pueblo, y sobre todo los niños, salen a quemar simbólicamente al que entregó a Cristo (Judas Iscariote) y motivó toda la pasión. Esta tradición mexicana que se conoce con el nombre de «La Quema de Judas» se ha ido ampliando, y los muñecos que se venden tienen actualmente formas de las personas de la vida moderna (artistas, políticos, etc.) a quienes se desea castigar.

Cuestionario

1. Este poema se basa en el proverbio popular: Dime con quién andas y te diré quien eres. ¿Qué transformaciones opera el poema en el proverbio? ¿Está Ud. de acuerdo que se puede conocer a una persona por lo que vende?
2. Comente el verso: «Vender es el arte diario de vivir dándole al otro lo que desea y necesita.» (v. 4) ¿Es una descripción justa del sistema económico actual? ¿Cree Ud. que es algo idealista?

Creación

¿Cómo interpreta Ud. el poema? ¿Cree Ud. que nos hace reconsiderar los aspectos positivos del acto de vender? Ahora le toca a Ud. ser poeta. Escriba su propio poema explicando el valor de otras acciones: por ejemplo, el regalar, el sembrar, el cocinar, o cualquier otra actividad que se le ocurra.

Dime qué vendes y te diré quién eres.

Del saber popular

Sin duda le interesará leer y estudiar las tradiciones folklóricas del mundo hispánico. El nombre de saber popular es una traducción exacta de la palabra inglesa folklore y designa los bailes, ceremonias, fiestas, juegos infantiles y otras actividades culturales que se conservan a través de los años. Desde el punto de vista literario el saber popular incluye toda la tradición oral que ha ido pasando de generación en generación.

Las fiestas tradicionales del mundo hispánico llaman la atención por el despliegue (display) de colorido y entusiasmo. Quizás las festividades que mejor muestran la forma de vivir de los hispánicos son las que corresponden al santo patrón, protector de su población. Octavio Paz en su libro El laberinto de la soledad al referirse a estas fiestas en México escribe: «Pero no bastan las fiestas que ofrecen a todo el país la Iglesia y la República. La vida de cada ciudad y de cada pueblo está regida por un santo, al que se festeja con devoción y regularidad. Los barrios y los gremios (sindicatos) tienen también sus fiestas anuales, sus ceremonias y ferias. Y, en fin, cada uno de nosotros—ateos, católicos o indiferentes—poseemos nuestro Santo al que cada año honramos.»

Al leer El chupinazo Ud. se verá transportado a la fiesta de San Fermín que se celebra el día 7 de julio en la ciudad de Pamplona, en el norte de España. Música, gente, toros y vino duran siete días en estas festividades internacionalmente conocidas. El 24 de junio, día de San Juan Bautista, es Puerto Rico que se engalana (se adorna) para celebrar sus fiestas patronales con ferias, bailes, desfiles, un maratón y ceremonias de agua que tienen reminiscencias bíblicas y paganas.

El 2 de noviembre se celebra en todo el mundo hispánico el Día de los Difuntos. En México esta festividad se la conoce con el nombre del Día de los Muertos y ofrece características muy especiales en las que el fervor religioso y el pagano se mezclan alrededor de la muerte.

Forman también parte de la tradición las fiestas de Año Nuevo. Al toque de las doce campanadas a la medianoche del día 31 de diciembre España e Hispanoamérica se unen al júbilo del mundo en espera de paz y felicidad. El Día de la Independencia, el Carnaval, el Día de la Raza y muchas otras fiestas son también ocasiones para celebrar con música, bailes y disfraces la alegría de vivir.

De la tradición oral le invitamos a leer una de las conocidas fábulas del español Tomás de Iriarte, y de Antonio Paredes Candia, la leyenda de Mallku Kapac y Mama Okllu que explica el origen de la civilización de los Incas en la cordillera de los Andes. El poema Los dos príncipes de José Martí es un ejemplo de la rica tradición hispánica de obras literarias basadas en el folklore.

Vocabulario activo

Estudie las siguientes palabras y expresiones que aparecen en la lectura *El chupinazo.*

Sustantivos

la **corrida** *bullfight*

la **feria** *fair*

la **garganta** *throat*

el **intento** *effort*

el **palo** *stick*

el **peligro** *danger*

el **relámpago** *lightning*

el **rincón** *corner* (región)

el **ruido** *noise*

Verbos

arder *to burn, to glow*

encender (e>ie) *to light*

espantar dar miedo

estallar *to explode, to break out*

madrugar levantarse temprano

reprobar (o>ue) *to disapprove*

trasladar llevar

vigilar *to watch over*

Expresiones

a continuación después

dar comienzo a comenzar

de común *collectively*

de sobra *extra*

tardar en *to delay, to take time*

En Pamplona, España, «durante los siete días que duran los sanfermines, nadie será extranjero en Pamplona».

EL CHUPINAZO

Carlos Carnicero

Seis de julio a las doce en punto del mediodía. Pamplona* arde en
fiestas. Por primera vez una mujer enciende el cohete° que dará comienzo a
las fiestas de San Fermín.* La pólvora° comienza a arder y en fracciones de
segundo, con el seco ruido del chupinazo* nace un grito en miles de
5   gargantas: «Viva San Fermín». La fiesta «estalla» como escribía Ernesto
Hemingway.* No hay otro modo de expresar lo que sucede a continuación y
que se extiende como un relámpago hasta los últimos rincones de la vieja
Iruña.*

     Durante los siete días que duran los sanfermines nadie será extranjero en
10 Pamplona. Todos se convertirán en protagonistas de una de la últimas grandes
fiestas que quedan en el mundo. Desde el chupinazo hasta que al final se
cante el «Pobre de mí . . . así se acaba la fiesta de San Fermín», el pueblo en la
calle ejerce de autoridad y se divierte con todas las ganas° hasta quedar
exhausto.

15   Los sanfermines* son encierros° y corridas, rituales y diversiones que no
tienen mucho tiempo aunque la feria en sí tenga más de cinco siglos de
antigüedad.

     El encierro* comenzó siendo una simple maniobra° casi obligatoria y no
una fiesta. Era la única forma de trasladar los toros desde la dehesa° al lugar
20 de la corrida que, en Pamplona, era la Plaza del Castillo.

     Los días de corrida, un regidor° a caballo guiaba la manada° de reses°
bravas ayudado por otras personas que iban a pie azuzándolas° para que se
dieran prisa y no se espantaran. Los vecinos, con palos en la mano, tenían la
tarea de vigilar las esquinas de las calles para evitar que los toros se
25 desviaran° de su recorrido.°

     Hace algo más de un siglo desapareció el regidor a caballo y el pueblo
comenzó a tener mayor participación en la tarea. No tardaría en encontrársele
el aspecto festivo y deportivo que escandalizó a algunas autoridades. Los
jóvenes comenzaron a correr delante de los toros tratando de ser los primeros
30 en llegar a la plaza. Hubo intentos de prohibir la corrida durante el siglo
pasado. En 1861 las autoridades advirtieron° que la toleraban «aunque la
razón pública, la moral y hasta la humanidad reprueban de común esa
costumbre. . .» Seis años más tarde se realizó el primer encierro similar al
actual en su recorrido completo, prohibiendo la presencia de niños, mujeres y
35 ancianos. Los corredores,° que eran muy pocos a comienzos de siglo, hoy son
excesivos, y constituyen un gran peligro. Porque peligro hay, y de sobra, en
las corridas.

     Doce personas han pagado con su vida el entusiasmo por correr delante
de los toros en San Fermín desde el año 1924 y un número incontable de
40 valientes jóvenes han tenido la suerte de salir de los encierros con unas
cuantas magulladuras.° Sin embargo, los accidentados son relativamente pocos

cohete *fireworks*

pólvora *gunpowder*

con . . . ganas con
mucho entusiasmo

encierros *driving
the bulls into the
penfold*

maniobra opera-
ción
dehesa *pasture*

regidor administra-
dor /**manada** *herd*
/**reses** *cattle* /**azu-
zándolas** incitán-
dolas

se desviaran *wan-
der off* /**recorrido**
run

advirtieron anun-
ciaron

corredores *runners*

magulladuras
bruises

si se toma en cuenta que miles de personas corren cada año. Un San Fermín sin encierro ni corridas sería inconcebible.

En Pamplona estalla la fiesta y no hay quien la controle. Se la celebra
45 por calles y plazas, con una dinámica que consigue que vecinos y forasteros madruguen para divertirse, pasando emoción y miedo con el espectáculo del encierro. En Pamplona siempre hay sitio para más gente.

—Cambio 16, España (Adaptado)

CANCIÓN TRADICIONAL DE LOS SANFERMINES

Uno de enero, dos de febrero, tres de marzo, cuatro de abril
Cinco de mayo, seis de junio, siete de julio, ¡San Fermín!

A Pamplona hemos de ir, con una boina, con una boina,
A Pamplona hemos de ir, con una boina, y un calcetín.

Tenemos un defecto, tenemos un defecto, tenemos un defecto,
que nos gusta el chacolí.*

¿Sabía Ud. que...?

---

* **Pamplona** es una ciudad que está situada en el norte de España y es capital de la provincia Navarra.

* **Las fiestas de San Fermín** comienzan el 6 de julio y duran una semana. Todos los festejos son en honor de San Fermín, patrono de la ciudad de Pamplona.

* **El chupinazo** es el primer cohete que se enciende para dar comienzo a las fiestas.

* **Ernest Hemingway** (1899–1961) fue un novelista norteamericano que ganó el Premio Nobel de Literatura en 1954. Como periodista tuvo una vida de muchas aventuras y participó en varios conflictos, entre ellos las contiendas civiles en España y la Segunda Guerra Mundial. Su vida de aventuras en España está reflejada en sus narraciones *The Sun Also Rises* (1926) y *Por quién doblan las campanas* (1940).

* **Iruña** es el nombre vasco de la ciudad de Pamplona.

* **Los sanfermines** son servicios religiosos, fiestas, corridas y encierros para celebrar a San Fermín, patrono de Pamplona.

* **El encierro** es el traslado de los toros del corral al lugar de la corrida. Los toros atraviesan las calles y plazas de Pamplona acompañados por los ciudadanos y los turistas que participan en este gran acontecimiento.

* **El chacolí** es un vino vasco con un altísimo grado de alcohol que contribuye bastante al alboroto de los sanfermines.

Cuestionario

1. ¿En qué país y en qué ciudad se celebran las famosas fiestas de San Fermín? ¿Qué día comienzan las fiestas?
2. ¿Quién es San Fermín? ¿Qué son los sanfermines?
3. ¿Qué sucede en Pamplona cuando se oye el ruido del primer chupinazo? ¿Cuántos días duran los festejos?
4. ¿Qué es el encierro y cómo comenzó?
5. ¿Qué aspecto deportivo y festivo del encierro dio lugar a que se escandalizaran algunas autoridades?
6. ¿Cuántas personas han muerto en los encierros desde el año 1926? ¿Le parece un número muy elevado?
7. ¿Cree Ud. que correr por las calles delante de animales tan peligrosos puede llamarse un deporte? Explíquese.

Práctica de vocabulario

Explique la diferencia entre:

1. un cohete y un relámpago
2. arder y encender
3. madrugar, estallar y dar comienzo a
4. la corrida y la feria

Puntos de vista

1. ¿Conoce Ud. otros espectáculos en los que las personas, por deporte o diversión, ponen en peligro sus vidas?
2. Un espectáculo popular, siempre muy concurrido en España, México, Ecuador y muchos otros países hispánicos, es la corrida de toros. ¿Qué aspectos emocionantes de la corrida cree Ud. que pueden atraer al público aficionado?
3. ¿Ha visto Ud. alguna vez una corrida de toros? ¿Cuáles fueron sus impresiones? Descríbala a la clase.

Creación

Prepare un informe oral o escrito sobre algunas fiestas tradicionales que se celebran en los países hispánicos. ¿Ha oído Ud. hablar de las Fallas de Valencia? ¿La Semana Santa en Sevilla? ¿El Día de los Muertos? ¿El Carnaval?

Vocabulario activo

Estudie las siguientes palabras y expresiones que aparecen en la lectura **La fiesta de San Juan Bautista en Puerto Rico.**

Sustantivos

el atardecer *evening*
la almohada *pillow*
las artesanías *crafts*
la carrera *race*

el desfile *parade*
el espejo *mirror*
la feria *fair*
la víspera *eve*

Verbos

alcanzar conseguir
destacar señalar, distinguir
girar *to revolve*

Expresiones

a pesar de *in spite of*
a través de *through*
de espaldas *backwards*
de hecho en realidad

del todo completamente
de toda clase de todo tipo
en medio de *in the middle of*
llevarse a cabo realizar, tener lugar

Andalucía, España, se prepara a celebrar las fiestas de la Virgen de la Cabeza.

LA FIESTA DE SAN JUAN BAUTISTA EN PUERTO RICO

Nelson Orengo

Las fiestas populares asociadas a San Juan Bautista constituyen la proyección de una tradición española en el folklore puertorriqueño. Claro está, en Puerto Rico se les ha dado una fisonomía peculiar a la idiosincrasia y a las costumbres nativas, aunque no se ha perdido del todo la huella° española que se nota

huella *trace, mark*

5 claramente en algunos aspectos de la festividad. A pesar de su nombre católico, lo cierto es que acusa° orígenes paganos que se remontan a tiempos de la Roma de los bacanales y las grandes orgías.

acusa tiene

En Puerto Rico, la festividad se centraliza en la capital, San Juan, y es evidente la razón: ésta lleva el nombre del santo. De hecho, originalmente,
10 sólo se celebraba en San Juan, pero pronto se extendió a toda la isla y más tarde a todo lugar donde se concentrase una población sustancial de puertorriqueños, como en Nueva York y Chicago; con una diferencia, en San Juan se celebra como parte de sus fiestas patronales, mientras que en el resto sólo se celebra el día 24 de junio conocido como «el Día de San Juan». Por
15 supuesto, las fiestas patronales de San Juan siempre incluirán la fecha del 24 de junio.

Algunas de las tradiciones de las fiestas patronales en honor a San Juan Bautista incluyen: misas en las iglesias católicas de San Juan, ferias de artesanías, comidas típicas, bailes en varias partes de la ciudad, desfiles y la
20 presentación del gran personaje que preside la festividad, el Rey Momo, figura de corte carnavalesco. Desde hace varios años, ha formado parte de la festividad la celebración de un maratón, carrera que ya ha alcanzado renombre internacional por la calidad de los atletas mundiales que participan.

La celebración del 24 de junio es el alma de la festividad, y aquí, salvo°

salvo excepto, menos

25 variantes menores, es igual en toda la isla. Entre las muchas tradiciones que giran alrededor de esta fecha, destacamos las siguientes:

• La víspera del 24, es decir, el 23 de junio por la noche, las muchachas toman tres habichuelas:° una pelada,° otra media-pelada, y la tercera sin pelar; luego, las ponen debajo de su almohada, para más tarde meter la mano, y sin

habichuelas *beans* /**pelada** *peeled*

30 mirar, sacar una de ellas. La que saquen les indicará cuál será la situación económica de su futuro marido. La más pelada indica pobreza, y así sucesivamente.

• El día 24 se cortan el pelo porque la tradición dice que les crecerá largo y hermoso.
35 • Por la noche, ponen un espejo cerca de su cama y a la medianoche lo miran porque en él° aparecerá reflejada la cara de su futuro novio o marido.

él el espejo

• Los muchachos se comen un huevo muy salado,° y no pueden beber agua hasta el día siguiente. Cuando estén durmiendo, tendrán un sueño y la muchacha que les lleva agua para tomar será su esposa.

salado con mucha sal

40 Pero la tradición más importante es la que se da generalmente en playas, lagos y ríos. Todo el día 24 es de fiesta y diversión, y la orden del día es

pasarlo en la playa u otros cuerpos de agua apropiados. Grandes preparativos se realizan para esa jornada° de luna y sol puesto que lo ideal es estar desde la noche del día 23 hasta el atardecer del 24. Hay comidas típicas y bebidas
45 de toda clase, en abundancia. A la medianoche llega el momento más esperado, el centro mismo de la tradición; al unísono, todos caminarán de espaldas, en dirección al agua, y de esa misma forma se echarán al agua; esto se repetirá por tres veces. El propósito detrás de esa actividad es la suerte en la vida y en el amor. Es imponente el espectáculo de miles de personas
50 echándose al agua al mismo tiempo en medio de una algazara° tremenda.

jornada día

algazara gritos de alegría

En la ciudad de Nueva York, el día de San Juan culmina todo un mes de actividades dentro de la comunidad puertorriqueña. Muchos se dirigen a las playas, pero la gran celebración se realiza en el Parque Central de esa ciudad, donde miles de puertorriqueños se reúnen a disfrutar de un gigantesco
55 pasadía° en celebración de la festividad. Durante el mes de junio, y coincidiendo con la festividad, aunque no exactamente el mismo día, se lleva a cabo el Desfile Puertorriqueño a través de la Quinta Avenida.

pasadía paseo

Ejercicio de comprensión

*Indique la oración que **no** corresponde a la lectura anterior.*

1. En Puerto Rico las fiestas populares asociadas a San Juan Bautista
   a. han perdido completamente la huella española.
   b. se remontan a tiempos de la Roma antigua.
   c. tienen orígenes paganos a pesar de su nombre cristiano.

2. Las fiestas patronales de San Juan se celebran
   a. el día 24 de junio.
   b. sólo en la capital de Puerto Rico.
   c. también en Nueva York y en Chicago.

3. Las tradiciones de las fiestas
   a. incluyen misas en las iglesias católicas.
   b. comprenden ferias de artesanías, bailes y desfiles.
   c. no incluyen un maratón.

4. La celebración del 24 de junio
   a. varía mucho de pueblo en pueblo en Puerto Rico.
   b. incluye la tradición de las habichuelas.
   c. comprende dos ritos que muestran al futuro novio o novia: el del espejo y el del huevo salado.

5. En la isla la celebración más importante
   a. tiene lugar en la playa o cerca de otros cuerpos de agua.
   b. culmina a la medianoche cuando todos caminan de espaldas hacia el agua.
   c. se lleva a cabo a mediodía.

6. En la ciudad de Nueva York el día de San Juan
   a. culmina un mes de actividades dentro de la comunidad puertorriqueña.

b. se celebra principalmente con un paseo en el Parque Central.

c. no se lo asocia al Desfile Puertorriqueño.

Práctica de expresiones

Estudie en la lectura anterior el significado de las expresiones de la lista, y después complete las oraciones con la más apropiada.

a pesar del (l. 5)   a través de (l. 57)   en medio de (l. 50)
de hecho (l. 9)   del todo (l. 4)   de toda clase (l. 45)

1. _____ nombre católico de la fiesta, tiene sus orígenes en la Roma antigua.
2. No pude oír lo que estabas diciendo _____ esa sala tan ruidosa.
3. Caminaron _____ la ciudad, de norte a sur.
4. En este museo se puede encontrar pinturas y esculturas _____ .
5. Este proyecto no es _____ imposible si me ayudas.
6. Yo pensé que él lo sabía todo; _____ , no sabe nada.

Vocabulario activo

Estudie las siguientes palabras y expresiones que aparecen en la lectura
Cuando suenan las doce campanadas.

Sustantivos

el bosque *forest*
la campanada *ring of a bell*
la rama *bough, branch*

Verbos

besar *to kiss*
brindar *beber a la salud de alguien*
calentarse (e>ie) *to warm oneself*
sonar (o>ue) *to sound, to ring*

CUANDO SUENAN LAS DOCE CAMPANADAS

Manuel Amat

¿Cómo se celebra el Año Nuevo por todo el mundo?

•En España es costumbre comer un grano de uva° al sonar cada una de las campanadas de medianoche.

grano de uva *one grape*

•En Bolivia se suben doce escalones,° símbolo de los meses del año. Esta

escalones *steps*

5 marcha ascendente representa la prosperidad en el futuro.

•En Portugal, en una de sus pequeñas ciudades, el Ayuntamiento° abre un tonel° de vino el día primero de enero. Cada vecino tiene derecho a un vaso lleno de él. «Con esto tiene para calentarse en la entrada del año—dice la tradición—, sin que pierda el equilibrio.»

10 •En toda Francia el ver en ese día a un marino es signo de buena suerte.

•En Bretaña el primer muchacho que vuelve del bosque con una rama de muérdago,° tiene derecho a besar durante todo el día a las chicas que pasen por delante de su puerta.

•En París los artistas besan al bombero de servicio° el primero de enero, gesto
15 que tiene buena suerte.

•En Dinamarca, en el budín° de la cena de fin de año se mete una almendra.° Al que le corresponde al partirlo, se espera que goce de un mes de enero excepcional.

•En Irlanda se brinda por los amigos la noche del 31 de diciembre, bebiendo
20 un «lamb's wool», curioso brebaje° hecho de leche y sidra.°

•En el Japón todos los bancos están abiertos el día 31 hasta medianoche, porque no se puede esperar que le sonría a uno la dicha° si se tiene alguna deuda.

•En China se decora todo de amarillo el día de la entrada del año, porque se
25 considera que éste es el color de la alegría, de la luz y de la paz.

En todos los países en que se da el muérdago, la gente se besa bajo sus ramas siempre que el corazón se sienta alegre.

—*Destino,* España (Adaptado)

Ayuntamiento *City Hall* /**tonel** *cask*

muérdago *mistletoe*

bombero de servicio *fireman on duty*

budín *pudding* /**almendra** *almond*

brebaje *bebida* /**sidra** *cider*

dicha *fortuna*

Ejercicio de comprensión

Indique si la oración es verdadera o falsa según el artículo. Si es falsa, explique por qué.

1. ____ V ____ F En España y en Bolivia el número 12 es importante en la celebración del Año Nuevo: es símbolo de los meses del año.
2. ____ V ____ F En Portugal y en Irlanda se celebra con bebidas especiales.
3. ____ V ____ F Al que le toca la almendra del budín de la cena en Dinamarca tendrá buena suerte durante el primer mes del año.
4. ____ V ____ F En China se decora todo de verde, color de la vida.
5. ____ V ____ F En todos los países donde existe el muérdago, la gente celebra el año nuevo besándose bajo sus ramas.

Creación

¿Cómo se celebra el Año Nuevo en su país? ¿Qué se hace tradicionalmente el 31 de diciembre y el primero de enero? Escriba un ensayo sobre sus costumbres particulares, o si prefiere, un relato de sus actividades en esos días del año.

Vocabulario activo

Estudie las siguientes palabras y expresiones que aparecen en la lectura *La muerte vista por el mexicano de hoy.*

Sustantivos

el afán entusiasmo
la burla *scoffing, mockery*
la calavera *skull;* poema satírico sobre la muerte
el desprecio *scorn, contempt*
el difunto el muerto

el esqueleto *skeleton*
el fusilamiento *execution*
el hueso *bone*
el plano *street map; plan*
el suceso evento

Verbos

acudir ir, llegar
aprovecharse *to take advantage of*
brindar ofrecer, invitar

despreciar *to despise, to scorn*
obsequiar regalar
sobrar tener en exceso

Adjetivo

valeroso valiente

Expresión

hacer pedazos romper

LA MUERTE VISTA POR EL MEXICANO DE HOY

Luis Alberto Vargas G.

¿A dónde irán los muertos?
¡Quién sabe a dónde irán!
—Canción Popular

El mexicano de hoy sigue angustiado ante la perspectiva de morir, como toda la humanidad, pero a diferencia de otros pueblos, no se esconde ante la muerte, sino que vive con ella, la hace objeto de burlas y juegos e intenta olvidarla transformándola en algo familiar. Sin embargo, todo este juego
5 encubre° un respeto absoluto hacia la muerte que determina en gran parte la conducta popular.

    Esta actitud se manifiesta en muy diversas formas actualmente y si bien todo el año le brinda al mexicano oportunidad para temer a la muerte despreciándola, nunca lo hace con tanto afán como el 2 de noviembre,
10 festividad que la Iglesia Católica dedica a los fieles° difuntos y que en México ha perdido nombre tan solemne para transformarse en el Día de los Muertos. En esta fecha, todos los habitantes del país tienen la obligación moral de dirigirse a los cementerios para visitar a «sus» muertos y dejarles un recuerdo sobre la tumba. Se aprovecha la ocasión para «pasar el día» con los
15 desaparecidos y toda la familia acude llevando alimentos y bebidas al cementerio. En muchas ocasiones parte del homenaje° a los muertos se hace

encubre esconde, oculta

fieles *devout Christians*

homenaje *hommage*

en casa, adornando una mesa en forma especial que se ofrece en honor al muerto; en ella se colocan objetos del gusto del difunto: una botella con su bebida favorita, una baraja° si era jugador, etc. Con frecuencia todo esto está
20 delante de la fotografía del desaparecido.

baraja *deck of cards*

El Día de los Muertos resulta en una serie de actitudes festivas en torno a° la muerte. A los niños se les compran juguetes con imágenes de ella, como calaveras de «papier maché» o esqueletos articulados que bailan al jalar un hilo.° Sin embargo la forma generalizada para la celebración de esta fecha es
25 «las calaveras», tradición que consiste en escribir los epitafios humorísticos de familiares o de personajes célebres y que son hechos en el hogar o bien, que circulan en forma impresa° y adornadas con caricaturas con fisionomía de esqueleto. Un ejemplo es el verso dedicado al general Porfirio Díaz* que fue durante muchos años Presidente de México:

en torno a *alrededor de*

al . . . hilo *by pulling a thread*

impresa *printed*

30   Es calavera el inglés,
        calavera el italiano,
        lo mismo Maximiliano;*
        y el Pontífice romano
        y todos los cardenales,
35   reyes, duques, concejales°
        y el jefe de la Nación
        en la tumba son iguales:
        calaveras del montón.°

concejales *advisors*

montón *heap*

La época de oro de este género de poesía y gráfica popular fue la
40 porfirista;° su representante gráfico más destacado fue indudablemente José Guadalupe Posada,* quien dejó imágenes de calaveras que se han hecho clásicas y que tienen un notable mérito artístico.

porfirista *durante la presidencia de Porfirio Díaz*

La comida del Día de los Muertos tiene un significado ritual y es elaborada con anticipación y reverencia, pero el derroche de habilidad° se
45 manifiesta en las famosas calaveras hechas de azúcar que llevan en la frente el nombre del amigo a quien se obsequian. El «pan de muertos» es exclusivo de esta fecha y tiene muy variadas formas, desde la de un cuerpo humano, o huesos, hasta la de una especie de montaña salpicada con ajonjolí,° azúcar y grageas° y adornada con bolas° del mismo pan.

derroche de habilidad *display of talent*

salpicada . . . ajonjolí *dotted with sesame* /grageas *candies* /bolas *little balls*

50   La muerte es también tema frecuente de las canciones mexicanas, particularmente de los corridos*, en los que se relatan catástrofes, fusilamientos, aventuras de hombres valerosos o cualquier otro suceso notable. En boca del general revolucionario Felipe Ángeles, antes de ser fusilado, se ponen las siguientes palabras:

55   Y aquí está mi corazón
        para que lo hagan pedazos
        porque me sobra valor
        para recibir balazos.°

balazos *gunshots*

Igualmente son muy conocidas las frases «la vida no vale nada» y «si me

60 han de matar mañana, que me maten de una vez», que provienen de
canciones mexicanas y que resumen ese aparente desprecio al morir.

    Pero la indiferencia aparente ante la muerte no queda sólo en el plano
de las actividades populares, sino impresa en el plano de la ciudad de México,
ya que éste es uno de los pocos sitios donde se puede vivir en la calzada° del
65 Hueso, trabajar cerca de la Barranca del Muerto° y beber una copa en la
cantina «La Calavera».

calzada avenida

Barranca . . .
Muerto zona de la
ciudad de México

—*Artes de México*, México D. F. (Adaptado)

¿Sabía Ud. que...?

❋ El general **Porfirio Díaz** (1830–1915) fue un político mexicano que se distinguió en la batalla del 5 de Mayo en la que resultaron derrotados los franceses. Fue presidente de la República de 1877 a 1880 y de 1884 a 1911, fecha en que fue depuesto por la revolución triunfante que encabezó Francisco I. Madero.

❋ **Maximiliano de Habsburgo** (1832–1867) fue emperador de México. Nieto del emperador de Austria Francisco I, fue amigo del emperador Napoleón III de Francia, quien, como resultado de la política francesa en México, le ofreció la corona del imperio mexicano recién creado. Maximiliano aceptó el ofrecimiento y llegó a la capital en junio de 1864. Los mexicanos, que no aceptaban la intervención extranjera, lucharon bajo órdenes de Benito Juárez y las tropas francesas tuvieron que retirarse. Maximiliano fue condenado a muerte y el 19 de junio de 1867 fue fusilado.

❋ **José Guadalupe Posada** (1851–1913) fue un grabador extraordinario que captó en imágenes el sentir del pueblo mexicano. Gran enemigo de Porfirio Díaz, sus grabados muestran con orgullo la figura de Francisco I. Madero y con dolor los horrores de la revolución mexicana. La serie más famosa de sus grabados son las *Calaveras*. Expresan las advertencias de las danzas macabras de la Edad Media, pero como característica mexicana, el esqueleto ha ido perdiendo su aspecto trágico y se presenta como un hermano y amigo que quiere darnos una lección.

❋ **El corrido** es un género épico-lírico-narrativo que cuenta sucesos que causan dolor en la gente. Deriva del romance castellano y de las canciones populares. El corrido en México se ha conservado y transmitido de boca en boca y ha salido de sus fronteras. En algunos lugares de los Estados Unidos el corrido se encuentra vivo como manifestación de nuevos tipos de romances que muestran características locales.

Cuestionario

    1. ¿En qué se diferencia el mexicano de las personas de otros pueblos ante la perspectiva de la muerte?
    2. ¿Cómo son las ceremonias del Día de los Muertos en el cementerio? ¿y las ceremonias en la casa?
    3. ¿Qué reciben los niños el Día de los Muertos?
    4. ¿Podría Ud. explicar lo que son «las calaveras»?

5. ¿Quién es José Guadalupe Posada y por qué se hizo famoso?
6. ¿Qué características tienen el «pan de muertos» y las calaveras hechas de azúcar?
7. ¿Qué resumen las canciones mexicanas que hablan de la muerte?
8. ¿Se puede sentir en la ciudad de México la indiferencia aparente ante la muerte? ¿Dónde?

Práctica de vocabulario

Estudie Ud. en la lectura anterior el significado de las palabras o expresiones de la columna B. Reemplace cada palabra en letra bastardilla de la columna A por el sinónimo de la columna B.

A

_____ 1. Se dice que el general es un hombre *valiente*.

_____ 2. A Juanito le *regalaron* una calavera de dulce.

_____ 3. El *muerto* fue enterrado ayer.

_____ 4. Es buen empleado porque hace su trabajo con mucho *entusiasmo*.

_____ 5. *Llegaste* a la cita tarde.

_____ 6. Nos *ofrecieron* su casa para las vacaciones.

_____ 7. El vaso *se rompió* al caer de la mesa.

B

a. obsequiaron (l. 46)
b. valeroso (l. 52)
c. brindaron (l. 8)
d. difunto (l. 10)
e. afán (l. 9)
f. acudiste (l. 15)
g. se hizo pedazos (l. 56)

Puntos de vista

1. ¿Celebra Ud. el Día de Todos Santos? ¿Cuándo? ¿Qué diferencias hay entre *Halloween* y el Día de los Muertos?
2. ¿Sabe Ud. algo de la tradición de la *danza macabra* o *danza de la muerte* como género pictórico o literario? ¿Ha visto Ud. alguna vez en las grandes puertas de las iglesias la figura del esqueleto entre los vivos? ¿Recuerda Ud. un cuadro famoso en el que el esqueleto se presenta como advertencia de la muerte?
3. ¿Qué opina Ud. de la comercialización de *Halloween* en los Estados Unidos? ¿Es igual que el impacto de la comercialización de otros días festivos como la Navidad o el Día de los Enamorados? Explique su respuesta.
4. Dé sus propias ideas o temores sobre la muerte.
5. Analice Ud. el grabado «Gran fandango y francachela (*revel*) de todas las calaveras» de Posada (p. 97). ¿Qué aspectos le impresionan más?

Improvisación

Escriba un epitafio humorístico a la manera mexicana y sométalo a un concurso de «calaveras» en la clase. Los tres mejores epitafios serán premiados por un comité formado por los estudiantes.

«*Gran fandango y francachela de todas las calaveras*», grabado satírico del mexicano José Guadalupe Posada.

Vocabulario activo

Estudie las siguientes palabras y expresiones que aparecen en la fábula *El burro flautista.*

Sustantivos

la flauta *flute*
el prado *meadow*

Expresión

por casualidad *by chance*

EL BURRO FLAUTISTA

Tomás de Iriarte   (España, 1750–1791)

(Sin reglas del arte, el que en algo acierta,°   **acierta** *hit the mark*
acierta por casualidad.)

   Esta fabulilla,
salga bien o mal,
me ha ocurrido ahora
por casualidad.
5   Cerca de unos prados
que hay en mi lugar,
pasaba un Borrico°   **Borrico** *ass*
por casualidad.
   Una flauta en ellos
10 halló, que un zagal°   **zagal** *joven*
se dejó olvidada
por casualidad.
   Acercóse a olerla
el dicho° animal,   **dicho** *above-men-*
                       tioned
15 y dio un resoplido°   **resoplido** *snort*
por casualidad.
   En la flauta el aire
se hubo de colar,°   **colar** *pasar*
y sonó la flauta
20 por casualidad.
   «¡Oh!—dijo el Borrico—:
¡Qué bien sé tocar!
¡Y dirán que es mala
la música asnal!»°
25   Sin reglas del arte,
borriquitos hay
que una vez aciertan
por casualidad.

Cuestionario

*Se ha definido la fábula como una breve composición literaria en la cual los
animales o plantas hablan en forma racional y, en general, adoptan todos los
intereses y pasiones de los hombres. Las fábulas tienen como fin moralizar.*

1. Relate *El burro flautista* en sus propias palabras.
2. ¿Qué intención tiene esta fábula? ¿A quién se refiere en la última
   estrofa?
3. ¿Podría Ud. relatar en clase una conocida fábula y explicar a sus
   compañeros los aspectos moralizantes que contenga?

Humor   MAFALDA

¡Charlemos!

1. ¿Qué cuelga (*hang*) en la pared Felipe, el amigo de Mafalda?
2. ¿Qué consejo del saber popular lleva el cartel?
3. ¿Qué implica la decisión de Felipe?
4. ¿Conoce Ud. algunas personas como Felipe que siempre están haciendo resoluciones para el futuro y nunca las cumplen? Explíquese.
5. ¿Cuáles son sus resoluciones para este año? ¿Se están cumpliendo?

Vocabulario activo

Estudie las siguientes palabras y expresiones que aparecen en la lectura *Leyenda del imperio de los incas: Mallku Kapac y Mama Okllu.*

Sustantivos

el **asombro** *astonishment*	la **especie** tipo, clase
la **bondad** *goodness*	la **fiera** animal salvaje
el **cerro** montaña pequeña	la **lana** *wool*
la **codicia** avaricia	la **mansedumbre** *meekness, gentleness*
la **cólera** enojo	la **pesadumbre** *sorrow*
el **cráneo** *skull*	la **sabiduría** *wisdom*
la **cueva** *cave*	la **soberbia** *excessive pride*
la **envidia** *envy*	el **terreno** tierra

Verbos

arrojar echar	**cosechar** *to harvest*
atraer *to attract*	**entristecer** poner triste
brotar *to bud*	**guiar** *to guide*
castigar *to punish*	**suplicar** rogar
conmover (o>ue) emocionar	**vencer** conquistar

Adjetivos

íntegro entero	**sagrado** *sacred*

LEYENDA DEL IMPERIO DE LOS INCAS: MALLKU KAPAC Y MAMA OKLLU

Antonio Paredes Candia   (*Bolivia, n. 1926*)

I

Wiracocha,* implacable, había castigado a su pueblo, dejando ruinas y
silencio en donde antes florecían las artes y las ciencias. Como todo dios
puritano e inflexible, le dolió que aquellos seres creados por su amor hicieran
brotar en su corazón, por influencia de Supaya,* dios del mal, el cardo° de la   **cardo** *thistle*
5   envidia y el odio.

Nada debe existir del pasado, dijo, y cubrió de nieve, dejó caer la
helada°, esterilizó los campos, provocó cataclismos; y el dolor, el llanto°, la   **helada** *frost*
pesadumbre hizo presa° en las almas de esos hombres que sólo conocían la   **/llanto** *tears* **/hizo**
soberbia y habían vivido en el egoísmo.   **presa** dominó

10   Desaparecieron pueblos íntegros y unas pocas familias en su
desesperación huyeron hacia el Norte en busca de tierras más benignas donde
asentarse.° Con el transcurso del tiempo perdieron todas sus cualidades,   **asentarse** situarse
olvidaron sus virtudes y conocimientos y se convirtieron en caníbales, sin
mínimo principio moral y huraños° como bestias indómitas.°   **huraños** tímidos
15   El castigo que entristeció a Wiracocha fue justo y perduró° largos siglos.   **/indómitas** no do-
¡Fue la noche de la humanidad!   mesticadas **/per-**
   duró duró

II

Un día Inti*, hijo predilecto° de Wiracocha, se acercó a su padre, dios   **predilecto** favorito
de dioses y le habló así:

—Padre y señor mío, creador de todo lo creado y por crearse, corazón
20   bienhechor° y magnánimo, este tu hijo, este hijo tan bien amado por ti,   **bienhechor** que
humillado, te suplica que ya se calme tu cólera para los miserables mortales   hace el bien
que deambulan° en la tierra cual° fieras abandonadas. Permite que mis hijos   **deambulan** andan
bajen hasta ellos, se acerquen y traten de enderezar° aquellos corazones   **/cual** como si
equívocos guiándolos al camino que les corresponde como a hijos de tu   fueran **/endere-**
25   creación.   **zar** rectificar

El dios de dioses escuchó calmado a su hijo y respondió:

—Hijo Inti, desde hoy te llamarás el bienhechor y el incomparable, tus
razones han conmovido mi corazón; no en vano eres mi predilecto, mi amable
Inti; se cumplirá tu deseo, manda a tus hijos a la tierra después de
30   adoctrinarles en el bien y el trabajo. . .

III

El padre Inti transportó en un rayo de luz a sus hijos Mallku Kapac y
Mama Okllu; los depositó en la isla más grande del Lago Titicaca*, llamada
Inti Karka (Peña° del sol*), con el mandato que desde allí empezaran a buscar   **peña** roca
la tierra donde asentarían su pueblo y su gobierno.

35 Tomad esta varilla áurea°—les dijo su padre Inti—allí donde se
hundiera° será el sitio escogido para fundar vuestro pueblo, donde
gobernaréis con sabiduría y benevolencia.

IV

Mallku Kapac y Mama Okllu, atravesaron el lago sagrado en una balsa
de totora° misteriosamente dirigida, cruzaron las tierras del Kollasuyo* y
40 caminaron hacia el Norte, siempre hacia el Norte, buscando el lugar donde se
hundiría la varilla áurea.

Caminaban y caminaban sin descanso, sin importarles las asperezas° del
terreno, ni las noches más lóbregas° en esas soledades.

Un día arribaron° a una especie de valle. A sus pies se extendía un
45 cañadón° regularmente abierto y algunas pinceladas° verdes adornaban los
cerros.

—Algo me dice que hemos llegado al sitio predestinado por nuestro
padre, hermana mía y esposa—habló Mallku Kapac. Luego arrojó la varilla
sobre la tierra y maravillados los dos, la vieron hundirse y desaparecer en la
50 tierra.

Era el sitio que más tarde recibiría el nombre de Kosko (Cuzco*), ciudad
metrópoli, centro del universo.

V

Llamaron a las gentes que moraban° en las cuevas de los alrededores,
cual si° fueran animales salvajes, comiendo carne humana de sus enemigos y
55 bebiendo en los cráneos de los vencidos. Aquel pueblo había retrocedido° y
no quedaban rastros° en su mente de las buenas costumbres que les había
inculcado° Wiracocha.

Mallku Kapac y su hermana los atrajeron con palabras pacientes,
venciendo su desconfianza. Él personalmente les enseñó a labrar° la tierra y
60 cosechar los frutos; ella, a trasquilar°, escarmenar° e hilar° la lana de los
wanakus*. Él enseñó a domesticar a los animales salvajes y ella a cocinar. Él
fabricó utensilios de cerámica y ella a saber cubrirse las desnudeces° con
decoro. Él legisló la justicia, fomentó la virtud, enseñó la verdad, predicó° la
palabra de Inti, hijo de Wiracocha e instituyó la religión; ella enseñó la
65 bondad, la mansedumbre, la obediencia.

Así los dos hermanos y esposos kollas fundaron el Imperio Incaico, que
más tarde sería asombro del mundo al conocer su organización social y moral,
estupefacción de reyes por las riquezas que encerraba y avidez de los
aventureros que veían en el rico imperio el filón° para saciar° su codicia.

VI

70 Así nació el Imperio Incaico, tuvo brillante cultura y elevada moral, para
después morir en manos extrañas y crueles . . .

Pero estamos ciertos que un día cercano renacerá más resplandeciente,
como inextinguible faro° alumbrando° la América.

DEL SABER POPULAR / 101

varilla áurea *golden rod* /**se hundiera** *sink in*

balsa de totora *raft made of reeds*

asperezas *ruggedness* /**lóbregas** obscuras /**arribaron** llegaron **cañadón** *large glen* /**pinceladas** *brush strokes*

moraban vivían **cual si** como si

retrocedido *regressed* /**rastros** *traces* /**inculcado** enseñado

labrar trabajar **trasquilar** *to shear sheep* /**escarmenar** *to comb wool* /**hilar** *to spin* /**desnudez** *nakedness* /**predicó** *preached*

filón vena rica /**saciar** satisfacer

faro luz /**alumbrando** iluminando

¿Sabía Ud. que...?

❊ En la mitología incaica **Wiracocha** es el dios supremo del universo.

❊ **Supaya** es el espíritu del mal.

❊ **Inti** es el dios sol, padre de Mallku Kapac y Mama Okllu.

❊ **El lago Titicaca** es el lago más alto del mundo. Se encuentra entre Bolivia y Perú. Se lo llama también el Lago Sagrado, y se dice que en él se encuentra una enorme cadena de oro que los incas echaron al lago a la llegada de los españoles.

❊ **Peña del Sol** es una pequeña isla que se encuentra en el Lago Titicaca.

❊ **Kollasuyo** es una de las cuatro regiones en las que estaba dividido el antiguo Imperio Incaico. Comprendía lo que es ahora Bolivia, parte de Chile y de la Argentina.

❊ **Cuzco** fue la capital del Imperio Incaico. Se encuentra en el Perú.

❊ Los **wanakus** son animales que viven en las montañas de los Andes.

Cuestionario

1. ¿Quién era Wiracocha y por qué había castigado a su pueblo?
2. Al desaparecer los pueblos, ¿adónde huyeron las pocas familias que quedaban? ¿De qué se olvidaron? ¿En qué se convirtieron?
3. ¿Qué le suplicó Inti a su padre y qué contestó Wiracocha?
4. ¿Quiénes eran Mallku Kapac y Mama Okllu? ¿Qué buscaban? ¿Qué llevaban consigo? ¿Cómo fue su viaje? ¿Dónde se hundió por fin la varilla de oro?
5. ¿Cómo eran las personas que Mallku Kapac y Mama Okllu encontraron en las cuevas? ¿Cómo las atrajeron? ¿Qué les enseñaron?
6. ¿Qué imperio fundaron en Kosko? ¿Sabe Ud. si existe todavía esa ciudad? ¿En qué país está?
7. ¿Por qué dice el narrador al terminar la leyenda: «Pero estamos ciertos que un día cercano renacerá (el Imperio Incaico) más resplandeciente, como inextinguible faro alumbrando la América»?

Práctica de vocabulario

A. *Estudie Ud. en la lectura anterior el significado de las palabras de la columna B. Reemplace cada palabra en letra bastardilla en la columna A por el antónimo de la columna B.*

A	B
____ 1. Al verlo hecho un hombre, su familia *se alegró.*	*a.* mansedumbre (l. 65)
____ 2. Sus padres lo *felicitaron* por sus acciones.	*b.* se entristeció (l. 15)
____ 3. La *maldad* guiaba todos sus actos.	*c.* bondad (l. 65)
____ 4. Recuerdo que no te gustaba la *rebeldía* que mostraba delante de la gente.	*d.* codicia (l. 69)
____ 5. Se hicieron famosos por su *generosidad.*	*e.* castigaron (l. 1)

B. *Estudie Ud. en la lectura anterior el significado de las palabras de la columna B. Reemplace cada palabra o expresión en letra bastardilla en la columna A por el sinónimo de la columna B.*

A	B
____ 1. No quería expresar *el enojo* que sentía por ellos.	*a.* un cerro (l. 46)
____ 2. Construyeron la casa en *una montaña pequeña* con vista al mar.	*b.* arrojó (l. 48)
____ 3. Cuando los hombres pierden su humanidad actúan como *animales salvajes.*	*c.* suplico (l. 21)
____ 4. *Echó* la varilla para ver si se hundía.	*d.* la cólera (l. 21)
____ 5. Te *ruego* que me ayudes a sacarlos de la miseria.	*e.* vencido (l. 59)
____ 6. El ejército había *conquistado* al enemigo.	*f.* fieras (l. 22)

Temas de reflexión

1. Compare Ud. esta leyenda con otras historias de la fundación de civilizaciones o imperios como el Génesis de la Biblia o la *Eneida* de Virgilio. ¿Qué aspectos tienen en común? ¿En qué difieren?
2. ¿Qué opina Ud. de la distribución de roles entre los hermanos Mallku Kapac y Mama Ollku? ¿Son éstos los roles tradicionales del hombre y de la mujer? Explique su respuesta.

Creación

Prepare Ud. un informe sobre el Imperio de los Incas y averigüe: ¿Cuáles eran sus grandes talentos? ¿Cómo era la organización social? ¿la religión? ¿Tenían escritura? ¿Por qué son famosas las murallas del Cuzco? ¿Cómo fueron conquistados por los españoles?

¡Charlemos!

¿Conoce Ud. algunas leyendas de las civilizaciones que existieron en América? ¿otras de los incas, mayas o aztecas? Busque en la biblioteca una leyenda y prepárese a relatarla a sus compañeros de clase.

Vocabulario activo

Estudie las siguientes palabras y expresiones que aparecen en el poema *Los dos príncipes.*

Sustantivos

la corona *crown*
el entierro *burial, funeral*
el monte *montaña*
la oveja *sheep*
el pañuelo *handkerchief*
el pastor *shepherd*
el trono *throne*

Adjetivo

hondo *profundo*

Expresión

estar de luto *to be in mourning*

LOS DOS PRÍNCIPES

José Martí   (Cuba, 1853–1895)

I

El palacio está de luto
y en el trono llora el rey,
y la reina está llorando
donde no la pueden ver.
5 En pañuelos de holán° fino   holán *cambric*
lloran la reina y el rey:
Los señores del palacio
están llorando también.
Los caballos llevan negro
10 el penacho° y el arnés;°   penacho *adorno de plumas* /**arnés** *harness*
los caballos no han comido
porque no quieren comer;
el laurel del patio grande
quedó sin hoja esta vez:
15 Todo el mundo fue al entierro
con coronas de laurel.
—¡El hijo del rey se ha muerto!
¡Se le ha muerto el hijo al rey!

II

En los álamos° del monte
20 tiene su casa el pastor;
la pastora está diciendo:
«¿Por qué tiene luz el sol?»
Las oveja, cabizbajas,°
vienen todas al portón:°
25 ¡una caja larga y honda
está forrando° el pastor!
Entra y sale un perro triste;
canta allá dentro una voz:
«¡Pajarito, yo estoy loca,
30 llévame donde él voló!»
El pastor coge llorando
la pala° y el azadón:°
Abre en la tierra una fosa,°
echa en la fosa una flor.
35 —¡Se quedó el pastor sin hijo!
¡Murió el hijo del pastor!

álamos *poplars*

cabizbajas con las cabezas bajas /**portón** *gate*

forrando *lining*

pala *shovel* /**azadón** *hoe* /**fosa** *grave*

Cuestionario

1. ¿Cómo está descrito el palacio? Fíjese en los detalles: el pañuelo de holán, los adornos de los caballos, las coronas de laurel. ¿Cómo contribuyen al cuadro completo?
2. ¿Qué efecto tienen los dos últimos versos de la primera estrofa? ¿Cómo completan el cuadro? ¿Cómo difieren entre sí estos dos versos?
3. Compare la segunda estrofa con la primera. ¿En qué se diferencian las viviendas del rey y del pastor? ¿Qué detalles enfoca el poeta en la escena rural?
4. ¿Por qué se llama el poema «Los dos príncipes»? ¿En qué sentido es príncipe el hijo del pastor?
5. ¿Qué sabiduría popular encierra este poema? ¿Qué tienen en común pobres y ricos?

TROLEBUS
SOLO

TROLEBUS
SOLO

Estampas de nuestros días

Muchas son las personas que día a día abandonan el pueblo natal y se integran a la acelerada vida de las capitales hispánicas. Algunas logran el bienestar soñado, otras se ganan la vida a duras penas. El desproporcionado aumento de la población en las capitales ha dado lugar a que éstas cobren carácter propio y sean muy diferentes de las demás ciudades del país. Las grandes universidades, los museos de arte más importantes, las salas de conciertos y los centros nocturnos más famosos generalmente se encuentran en la capital. La selección El Guernica: Fin de un exilio describe un gran acontecimiento que tuvo lugar en Madrid: la apertura al público del museo del Casón del Buen Retiro para exhibir el famoso y discutido mural Guernica de Pablo Picasso.

Pero no son sólo ventajas lo que brindan las grandes ciudades. El alto costo de la vivienda, los embotellamientos de tráfico, el ensordecedor ruido de las máquinas y las confusiones que surgen en las calles despiertan en unos el deseo de volver al pueblo de origen y en otros la agonía de no saber qué hacer ni adónde dirigirse. Todo vale la pena, Me voy pal pueblo y Humor son estampas de los sentimientos contradictorios que nacen en las grandes ciudades.

Las pequeñas ciudades y los pueblos hispánicos tienen un ritmo de vida mucho más lento y tranquilo que el de las capitales. Con frecuencia sus habitantes se reúnen en plazas o cafés para hablar de su mundo o celebrar, en forma más modesta, los grandes acontecimientos que despiertan el interés nacional. La selección La cola del gato presenta un retrato típico de la mentalidad provinciana. En este pueblo todos quieren ser Picasso es una estampa de la infancia en Guernica. Los niños, dando rienda suelta (free reign) a su imaginación, han reproducido en sus propios lienzos (canvases) el Guernica de Picasso, el cual cuenta la historia de su pueblo.

Vocabulario activo

Estudie las siguientes palabras y expresiones que aparecen en la lectura **Me voy pal pueblo.**

Sustantivos

la empresa compañía
la gallina hen
la ganga bargain
la huerta jardín
la moda fashion

la pluma *feather*
la raíz *root*
el rincón *corner*
el terreno tierra
la vivienda *dwelling, housing*

Verbos

aprovechar *to take advantage of*
deshacerse *to get rid of*

Adjetivos

cercano que está cerca
encantador *enchanting*

Expresiones

cada vez más *more and more; increasingly*
cuanto más . . . más *the more . . . the more*
tener en cuenta *to keep in mind*

ME VOY PAL° PUEBLO

pal para el (pop.)

Los hijos del asfalto y del cemento, los hombres y mujeres de las grandes ciudades que vieron una gallina por primera vez a los cinco años y creyeron que era un perro con plumas, sienten cada vez con más fuerza la llamada del pueblo. Muchos que emigraron a la ciudad vuelven generaciones más tarde a
5 comprar su casa en el pueblo del que huyeron. Las viejas y encantadoras casonas pueblerinas° constituyen cada vez más la segunda vivienda de todos aquellos que aprovechan los días libres para huir de la ciudad. Es algo más que una moda: es casi una necesidad para recuperar las raíces y encontrar esa identidad que se pierde en la gran ciudad. Para muchos, cada vez más,
10 poseer una segunda residencia en un pueblo en el que uno es reconocido como «don Pablo», «don Carlos», o «doña Cristina»* tiene más alicientes° que poseer el clásico chalet en una prefabricada urbanización de chalets.
　　　Hay casas de pueblo en Aragón, Cataluña, Andalucía, Guadalajara y Extremadura que se venden por relativamente poco dinero. Casi todas tienen
15 patio, huerta, cuadra°, o terreno fácilmente convertible en sencillo jardín. El problema es reformar y modernizar el interior y restaurar la fachada°. En algunos casos es necesario llevar la luz y el agua. Pero ya existen empresas en Madrid y Barcelona que venden las casas ya reformadas en provincias cercanas a Madrid, como Segovia, Guadalajara, Soria o Ávila.

**casonas pueble-
rinas** casas gran-
des de pueblo

alicientes atractivos

cuadra lugar donde
se guardan mulos
y burros /**fachada**
facade

20   Parte del encanto de la casa de pueblo es peregrinar por la geografía, descubrir uno mismo parajes°, rincones y pueblos insospechados°. Cuanto más subdesarrollada y peor comunicada esté la zona o la provincia, más bajos serán los precios. Antes de comprar una casa, tenga en cuenta las facilidades de acceso, calcule con precisión lo que le costarán las reformas y la distancia
25 de su primera residencia habitual. Si usted vive en Barcelona y se compra una ganga en un pueblo distante es casi seguro que decida deshacerse de ella pasados unos meses.

parajes lugares
/insospechados inesperados

—*Cambio 16,* España (Adaptado)

¿Sabía Ud. que...?

❋ **Don** y **doña** son títulos de cortesía que se aplican a todas las personas de cierta dignidad profesional. A veces, sin embargo, otros factores como edad, medios económicos, ocupación y apariencia influyen en su uso. Se lo emplea con el nombre y no con el apellido de las personas.

Cuestionario

1. ¿Qué sienten las personas de las grandes ciudades españolas que hace muchos años emigraron de los pueblos? ¿Cómo aprovechan sus días libres?
2. ¿Qué quiere decir el autor del artículo cuando dice que huir de la ciudad es algo más que una moda?
3. ¿Por qué muchos de los habitantes de la ciudad quieren ser reconocidos como «don Pablo», «don Carlos» o «doña Cristina»?
4. ¿Cuáles son las ventajas y los problemas de las casas que se venden en Aragón, Cataluña, Andalucía y Extremadura? ¿Cómo son las casas que venden algunas empresas en Madrid y Barcelona?
5. ¿Cuál es el encanto de vivir en una casa de pueblo?
6. ¿Qué se debe hacer antes de comprar una casa?

Práctica de vocabulario

¿Puede ser o no?

1. La gallina aprovecha de las gangas.
2. La gente elegante sigue la última moda.
3. Cuanto más se come, más se engorda.
4. El rincón tiene plumas.
5. Cada vez más la gente vuelve a su pueblo para encontrar sus raíces.
6. Para deshacerse de una vivienda se la puede vender.
7. La empresa es una persona encantadora.

Improvisación

Ud. es un agente de bienes raíces (real estate) en Cataluña en el norte de España, y está encargado de vender las casas descritas en los anuncios clasificados del **Periódico de Catalunya***. Los siguientes clientes vienen a hablar con Ud. ¿Qué vivienda sugeriría para cada comprador? Justifique sus selecciones.*

1. Leopoldo y Remedios Rodríguez (edades 66 y 60 años) se jubilaron hace algunos meses. Desean encontrar un lugar tranquilo para pasar el resto de sus días. Después de 35 años de trabajo en la ciudad, Leopoldo sueña con volver al trabajo de la tierra.

2. Linda y Fortunato García y sus hijos Paquito, Chalo y Lupe acaban de sacarse el gordo de la lotería y buscan una torre con vista al mar para darse importancia y hacer ver a sus amigos su nuevo estado. Los muchachos exigen sus habitaciones propias y si es posible una terraza para las fiestas.

3. Mercedes v. de Flores acaba de enviudar y no quiere seguir viviendo en una casa de tantos recuerdos. Por lo tanto busca un piso sencillo en un edificio seguro. Además, por su avanzada edad, preferiría no subir gradas.

4. Elvira y Piedad Fuentes son hermanas y acaban de ser contratadas como cantantes en un club nocturno de Barcelona. Buscan una casa en una urbanización nueva que esté en las afueras de la ciudad.

En Madrid un agente dirige con orgullo el tráfico de una de las calles más transitadas en la capital.

Creación

Prepare Ud. un informe sobre uno de los siguientes temas.

1. *Vuelta a la naturaleza*
   Considere las ventajas de vivir en el campo, alejado de la civilización, sin las enormes presiones de las grandes ciudades.
2. *Ventajas y desventajas de vivir en la ciudad*
   Considere las oportunidades de trabajo, las diversiones al alcance de la mano, los espectáculos, la contaminación ambiental y los problemas de la vivienda.
3. *Si yo viviera en una casa-remolque (un trailer) . . .*
   Considere el pequeño espacio en el que tendría que vivir. ¿De qué cosas podría o no podría prescindir?

Vocabulario activo

Estudie las siguientes palabras y expresiones que aparecen en la lectura *El Guernica: Fin de un exilio.*

Sustantivos

el dibujo *drawing*	**la medida** *measure*
el heredero *inheritor*	**la tela** *canvas*
la mancha *spot*	**el traslado** *move*

Verbos

colgar (o>ue) *to hang*	**pintar** *to paint*
descolgar (o>ue) *to take down*	**trasladarse** mudarse
encargar pedir, comisionar	

Expresiones

a primeros de los primeros días de	**hacerse cargo de** *to take charge of*
en un principio al comienzo	**realizar los trámites** hacer (todos)
hacer cola *to wait in line*	los arreglos

EL GUERNICA: FIN DE UN EXILIO

Carmen Viejo

El Gobierno de la República* había encargado a Pablo Picasso* un mural, con destino al Pabellón° Español de la Exposición Internacional de París, que habría de inaugurarse el 12 de julio de 1937. La guerra civil* y más concretamente el bombardeo nazi de la ciudad de Guernica inspiró a Picasso
5 para la ejecución del mural. Comenzó a pintar el Guernica, una de sus mayores telas, el 1 de mayo de 1937. En los dibujos preliminares, 57 en total, aparecen como primeros personajes el caballo, el toro y la madre con su hijo. En un principio aparecen algunas manchas de color que poco a poco el pintor irá eliminando, y los negros y grises serán los colores dominantes; el óleo° de
10 3,50 x 7,82 metros° quedó terminado a primeros de junio.

El Guernica nunca se había exhibido en España. Cuando Picasso lo pintó se encontraba ya en Francia, y después de la Exposición Internacional se lo pudo ver en Estocolmo° y Londres; en 1939, y por deseo expreso del pintor malagueño,° pasó al Museo de Arte Moderno de Nueva York en calidad de°
15 depósito, donde ha permanecido durante cuarenta y dos años. Ahora y después de cuatro largos años de negociaciones para conseguir su traslado, se encuentra en Madrid desde el mes de septiembre de 1981.

Los meses antes de su traslado a Madrid fueron de intenso trabajo para conseguir que otro español pudiera volver del exilio. Para su regreso se
20 necesitaba que todos los herederos estuvieran de acuerdo, que el abogado de Picasso expresara su consentimiento, y que se demostrara que el cuadro

Pabellón *Pavilion*

óleo *oil painting* /**3,50 × 7,82 metros** 11.5′ × 25.7′

Estocolmo *Stockholm* /**malagueño** de Málaga, ciudad en el sur de España /**en . . . de** como

pertenecía a España. Una vez realizados todos los trámites, el Ministro de Cultura, el director general de Bellas Artes, y algunas autoridades policiales se trasladaron a Nueva York para hacerse cargo de ese gran exiliado.

25   Después del cierre° del Museo de Arte Moderno de Nueva York, los especialistas procedieron a descolgar y embalar° el Guernica. En cinco horas y media todo estaba listo; seis bultos° de quinientos dieciséis kilos° transportaban el polémico° cuadro y los sesenta y tres dibujos y bocetos° al aeropuerto Kennedy.

30   El avión con trescientos diecinueve pasajeros a bordo, viajaba con un excepcional pasajero. Por fin, y tras cuarenta y cuatro años de ausencia, ese grito contra la violencia, que Pablo Picasso había pintado en 1937, se encontraba en España. Una gran ovación fue el cálido° recibimiento a esta universal obra por parte de todos los que se encontraban en el aeropuerto de
35 Barajas.°

    Como se sabe, Picasso quería que se lo colgara en el Museo del Prado. Parece que el abogado de Picasso poseía documentación en ese sentido y, además, el Museo de Arte Moderno lo puso como condición para su traslado. Aunque en este sentido ha habido grandes polémicas por parte de vascos,
40 catalanes y malagueños,° se ha respetado la voluntad del pintor, y es el Casón del Buen Retiro, edificio anexo al Museo del Prado, la sede° definitiva del Guernica.

    La apertura° al gran público era un verdadero acontecimiento ciudadano. Miles de personas hacían cola durante horas para admirar este

cierre closing /embalar to pack /bultos paquetes /516 kilos 1137 pounds /polémico controversial /bocetos sketches

cálido warm

Barajas aeropuerto de Madrid

vascos . . . malagueños gente de las provincias Vascongadas, Cataluña y Málaga. /sede seat /apertura opening

«*Guernica*», *Pablo Picasso.*

45 famoso y controvertido° mural del pintor malagueño. Aparte de la gran sala
dedicada al Guernica, el Casón del Buen Retiro cuenta con° varias salas
dedicadas a exhibir parte de los bocetos preparatorios de la obra. En una sala
contigua se exhiben diversas fotografías del pintor y de su obra, y otras dos
completan la serie de los 63 bocetos y dibujos llegados de Nueva York.

50   El cuadro, valorado actualmente en 4.000 millones de pesetas (fue
comprado por el Gobierno de la República por 150.000 pesetas), está
protegido por cristales antibalas° y cuenta con una protección especial de la
que se encarga la Guardia Civil. Drásticas medidas para defender de la
violencia a uno de los más notables símbolos universales contra la violencia.

—Carta de España, España (Adaptado)

controvertido *controversial* **cuenta con** *incluye*

cristales antibalas *bullet-proof glass*

¿Sabía Ud. que...?

❋   En 1931 el Rey Alfonso XIII de España, sin abdicar el trono, abandona su país. En España se forma **el Gobierno de la República** que aprueba una nueva constitución liberal-socialista: cámara única electa por cuatro años; presidente electo por seis años; libertad de pensamiento y de religión; nacionalización de la propiedad de la iglesia; absoluta laicización del estado y de la enseñanza.

❋   **Pablo Picasso** (1881–1973), pintor y escultor español, es considerado con Jorge Braque el iniciador del cubismo. Nació en Málaga, vivió en La Coruña y Barcelona y a los 22 años se estableció en Francia donde vivió hasta su muerte. Su arte atraviesa diferentes períodos. El «período azul» se caracteriza por sus figuras alargadas y melancólicas. Lo sigue un «período rosa», inspirado en el dibujo y el color de la cerámica clásica. En su arte cubista influye el arte africano. Al «período cubista» pertenecen los cuadros: «Las señoritas de Aviñón» (1906), «La guitarra», y «La destrucción de Guernica» (1937).

❋   En julio de 1936 estalla **la guerra civil española** con un alzamiento (*uprising*) por parte del ejército, apoyado por fuerzas fascistas de Alemania e Italia. Después de más de dos años y medio los republicanos se rinden (*surrender*) en 1939. El general Francisco Franco es designado el jefe del estado con poderes dictatoriales.

Cuestionario

1. ¿Qué evento histórico inspiró a Picasso a pintar Guernica?

2. ¿Cuántos dibujos preliminares hizo en total? ¿Qué se puede ver en ellos? ¿Qué representaría la ausencia de colores en Guernica?

3. ¿En qué capitales europeas se exhibió Guernica? ¿Por qué no se exhibió en España?

4. ¿Dónde y en calidad de qué permaneció Guernica por cuarenta y dos años? ¿Dónde se encuentra actualmente?

5. ¿Fue fácil el traslado de *Guernica* a Madrid? Explique su respuesta.
6. ¿Por qué se dice que *Guernica* es un español que vuelve del exilio?
7. ¿Dónde quería Picasso que estuviera este gran mural? ¿Se cumplió su deseo?
8. ¿Qué valor tiene esta obra de arte? ¿Cómo está protegido el cuadro y quién se encarga de ello? ¿Qué es la Guardia Civil? ¿Cuál es la ironía de esta protección especial?

Puntos de vista

Examine la reproducción del cuadro Guernica *en la página 114 con mucho cuidado y después conteste las siguientes preguntas.*

1. Como Ud. ya sabe, *Guernica* se pintó en el año 1937. ¿En qué sentido el mural tendría una visión profética de lo que sucedería en el mundo en los años posteriores? ¿Tendría este primer grito de dolor ante un bombardeo aéreo algún mensaje para el mundo en que vivimos hoy? Explique su respuesta.
2. ¿Podría Ud. encontrar algunos símbolos tradicionales y darnos su propia interpretación? ¿Existiría alguna relación entre la madre con el hijo muerto y «La Piedad» de Miguel Ángel? ¿entre la mujer con la lámpara y la Estatua de la Libertad? ¿entre la cabeza humana del toro y la figura mitológica del Minotauro? ¿Cómo es la luz del sol? ¿Por qué?
3. ¿Ha visto o conoce Ud. algún otro cuadro que tenga la fuerza dramática de *Guernica*? Explique su respuesta.

Vocabulario activo

Estudie las siguientes palabras y expresiones que aparecen en la lectura *En este pueblo todos quieren ser Picasso.*

Sustantivos

el asiento *seat*	**el genio** *genius*
la carne *flesh*	**el rostro** cara
la cólera *anger*	**la sombra** *shadow*
el espanto miedo	**la tela** *canvas*
el esquema *outline, sketch*	**el testigo** *witness*

Verbos

distraer *to distract*
herir (e > ie > i) *to wound*
sangrar *to bleed*

Adjetivos

amargo *bitter*
capaz *capable*
desnudo sin adorno

EN ESTE PUEBLO TODOS QUIEREN SER PICASSO

Los chicos de Guernica reviven una tragedia que duró tres horas

Pocas veces una tragedia se contó así. Con la fuerza de un alarido°
desgarrado,° inconsolable. De un alarido del que sólo Pablo Picasso fue capaz.

Hoy Guernica sigue siendo un pueblo vasco. Un pequeño pueblo donde
la historia, ahora, la cuentan los chicos.

5   De la otra, la amarga,° sólo quedó la Casa de Juntas—con su rico
archivo de la raza vasca y antiguo asiento del Parlamento—, y el tronco seco
de un roble° de 600 años.

Ellos son los únicos testigos. Lo demás, todo lo demás, sólo es un triste
recuerdo.

10   Tres horas y cuarto duró el bombardeo de la tristemente célebre Legión
Cóndor alemana, que intervino trágicamente en el conflicto español. Tan poco
tiempo bastó para dejar a Guernica totalmente destruida. España sangraba.

La noticia llenó a Picasso de espanto y de indignación. Habían herido a
su pueblo, y fue como si hubiesen herido su propia carne. Pocos días después

15 mostraría a un amigo una serie de esbozos° y estudios sobre este nuevo y triste
tema. En junio de 1937 la obra estaba terminada. La emoción por el suceso de
Guernica había conmovido a Picasso hasta lo más profundo, poniendo en
movimiento su temperamento y su apasionada cólera. Llegó a decir que
«cuando comenzó la revuelta, el gobierno republicano español, libremente

20 elegido y democrático, me nombró director del Museo del Prado, cargo que

alarido grito de do-
lor /**desgarrado**
rending

la amarga la
amarga historia

roble *oak*

esbozos *sketches*

En las paredes de Guernica los chicos imitan a Picasso.

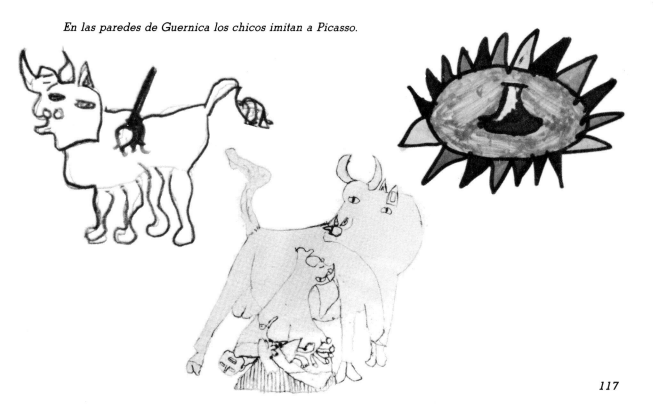

acepté inmediatamente. En la tela sobre la cual estoy trabajando, a la que llamaré Guernica, y en todas mis obras recientes, expreso mi odio por la casta militar que ha sumido° a España en un océano de dolor y de muerte».

Así de simple, así de franco.

sumido *sunk*

25 Renuncia al color, después de llegar en el período anterior a sentir toda su vitalidad, toda su intensidad. Pero, para Picasso, este renunciamiento formaba parte de una lógica despiadada.° No quería relatar y distraer con la sugestión de los colores. Le bastaría exponer el esquema más desnudo y tajante° de la tragedia: el blanco deslumbrante° de las explosiones, los rayos

despiadada *cruel, sin compasión*

30 dentados° de la lámpara, la sombra y la oscuridad en torno a° ella, y en la sombra y la oscuridad, brutalmente iluminados por la luz del desastre, la cabeza del toro y los rostros de las mujeres y del hombre caído. Así es la tela, así fue la realidad concebida por Picasso.

tajante *cutting* /**deslumbrante** *dazzling* /**dentados** *en forma de dientes* /**en torno a** *alrededor de*

Hoy Guernica sigue siendo un pueblo vasco. En sus paredes los chicos

35 emulan° al eterno genio. De la tragedia sólo conocen la historia.

emulan *imitan*

Guernica oprime, abruma,° testimonia al hombre en su inexplicable, absurda capacidad de crueldad y destrucción. Detenerse frente a la obra es como asistir a una cita con la irracionalidad que tantas veces gobierna la acción humana. Provoca dolor o vergüenza.

abruma *overwhelms*

40 Por eso hoy Guernica sigue siendo un pueblo vasco y por sus calles los chicos juegan interminables juegos. Los mismos que alguna vez jugaron sus padres, con muchos de aquellos que ya no están.

—*Siete días*, Argentina (Adaptado)

Ejercicio de comprensión

Indique si la oración es verdadera o falsa según la lectura anterior. Si es falsa, explique por qué.

1. _____ V _____ F   Guernica es un pequeño pueblo vasco en Francia.
2. _____ V _____ F   En el conflicto español (la guerra civil) no intervino ningún país europeo.
3. _____ V _____ F   El bombardeo que dejó Guernica destruido duró tres días.
4. _____ V _____ F   Picasso dijo que su obra expresa su odio por la casta militar.
5. _____ V _____ F   Picasso renuncia a los colores en Guernica para exponer un esquema tajante de la tragedia.
6. _____ V _____ F   Hoy en las paredes del pequeño pueblo vasco los chicos imitan al genio pintando la tragedia de Guernica.

Creación

1. ¿Qué otros cuadros ha pintado Pablo Picasso? ¿Sabe Ud. algo de la vida y obra de este gran pintor? Prepare un breve informe oral o escrito sobre uno de estos aspectos.
2. En la página a la derecha se pueden ver algunos cuadros de famosos artistas españoles. Prepare un informe sobre la pintura de Velázquez, El Greco, Goya, Dalí, Miró o Gris.

«Las meninas», Diego Velázquez.

Detalle de
«El entierro del conde de Orgaz»,
El Greco.

«Los fusilamientos del 2 de mayo», Francisco Goya.

Vocabulario activo

Estudie las siguientes palabras y expresiones que aparecen en la lectura *La cola del gato.*

Sustantivos

el agujero *hole*	**el mostrador** *counter*
la cola *tail*	**el patrón** *owner*
el dependiente *store clerk*	**la propina** *tip*
la escalera *ladder*	**el sueldo** salario
la etapa período	**el techo** *roof*
el heredero *inheritor, heir*	**la vela** candela
la moneda *coin*	**la vereda** *sidewalk*

Verbos

alquilar *to rent*	**revisar** examinar
aguardar esperar	**rezar** *to pray*
barrer *to sweep*	**sostener** *to support*
colgar (o > ue) *to hang*	**tirar** *to pull*

Expresiones

al cabo de (+ tiempo) después de
meterse en cama acostarse
pedir (e > i) prestado *to borrow*

LA COLA DEL GATO

Juan Carlos Dávalos   (Argentina, 1887–1959)

Don Roque Pérez es el hombre más flemático° de Salta.* Tiene cuarenta años. Hace veinte que está empleado en una oficina de la casa de gobierno. Es solterón,° metódico, cumplidor° y beato.°

Su vida es simple y redundante, como el rodar° monótono de los días
5 provincianos, o bien como la marcha circular y pacífica de un macho de noria.*

La historia de este hombre contiene dos etapas, separadas entre sí por un acontecimiento trascendental que dejó en su espíritu una perplejidad perdurable.

10 La primera etapa comprende su juventud, los diez años que pasó de dependiente en la tienda de don Pepe Sarratea. La segunda etapa comprende su madurez, sus veinte años de empleado público.

Con una sonrisa indefinible y calmosa, mientras fuma un cigarrillo, don Roque Pérez cuenta su caso° a un grupo de oficinistas.

15 Cuando él era dependiente, dormía en la trastienda.° El negocio de Sarratea ocupaba una vieja casuca° que todavía existe en una esquina de la plaza.

Marginal glosses:

flemático *slow*

solterón *bachelor* /**cumplidor** *reliable* /**beato** *devout* /**rodar** pasar

caso historia

trastienda la parte de atrás de una tienda /**casuca** casa fea

El dependiente barría la vereda todas las mañanas, plumereaba° los
estantes y aguardaba al patrón, que se presentaba a las ocho.

20   Sarratea despachaba° personalmente, detrás del mostrador; pero si había
de bajar alguna pieza de un alto estante, colocaba la escalera y el dependiente
se encaramaba° por ella.

    A las nueve de la noche, Sarratea despedía a sus contertulios° del barrio,
guardábase el dinero en el bolsillo y se marchaba a su casa. Entonces el
25 dependiente trancaba° las dos puertas de la tienda, rezaba su rosario y se
metía en cama.

    Una noche entre las noches, Roque Pérez, después de acostarse, dirigió
la vista al techo, y vio que colgaba una cola de gato por una rotura° del
cañizo.°

30   El agujero quedaba perpendicularmente sobre su cabeza, y la cola de
gato apuntaba,° naturalmente, a sus narices.

    —¿Qué será eso?—pensó el dependiente—. ¿Qué será . . . ?

    Apagó la vela y se durmió.

    Varias noches después del descubrimiento, Roque Pérez volvió a mirar la
35 cola de gato. Al cabo de una hora de contemplación, pensaba: «¿Qué será esa
cola . . . ? » Y se decía: «Mañana voy a poner la escalera para ver lo que
es . . . » Y apagaba la vela y se dormía.

    Todas las mañanas, al despertar, Roque Pérez se desperezaba° y miraba
la cola de gato. La miraba todas las noches al acostarse. Y siempre pensaba:
40 «En uno de estos días voy a poner la escalera.»

    Pero Roque Pérez era indolente,° con esa profunda indolencia de los
seres palúdicos.° Él había tenido una idea: aquella cola de gato debía
significar algo. Para saber qué era, había tiempo. Así pasaron dos años, y
pasaron cinco años, ¡y pasaron diez años! . . . El señor Sarratea murió de
45 tabardillo;° los herederos liquidaron el negocio; Pérez tuvo que abandonar la
vieja casuca.

    Salió de allí con quinientos pesos de sueldos economizados y se
contrató° en la tienda de enfrente.

    A poco de esto, alquiló la casa de Sarratea un boticario° alemán que
50 llegara a Salta con su mujer.

    Lo primero que hizo el boticario, naturalmente, fue preocuparse de la
limpieza del chiribitil,° para instalar su botica.°

    Un día el boticario entró en la trastienda, y al revisar las paredes y los
techos, vio la cola de gato. El alemán llamó a su mujer y le mostró aquello.
55 Pidieron prestada una escalera en la tienda de enfrente. Roque Pérez, en
persona, trajo la escalera. El boticario, ayudado por Pérez, la afianzó° sobre un
cajón para que alcanzase al techo, y se trepó.

    Mientras el pobre Roque sostenía la escalera, el boticario, allá arriba,
asió° de la cola, tiró, y cayó al suelo una moneda de oro. Tiró más, y cayeron
60 algunos cascotes° y varias monedas. Luego, metiendo el brazo en el agujero
del techo, sacó un zurrón° lleno de onzas de oro, y se lo arrojó° a su mujer.

---

sacudía

plumereaba *feather dusted*

despachaba vendía

se encaramaba *climbed up* /**contertulios** compañeros

trancaba *barred*

rotura *crack*

cañizo *pipe*

apuntaba *pointed to*

se desperezaba *stretched his limbs*

indolente perezoso

palúdicos *malarial*

tabardillo *fever*

se contrató se empleó /**boticario** farmacéutico

chiribitil cuarto pequeño /**botica** farmacia

afianzó *propped*

asió cogió /**cascotes** *rubbish*

zurrón *leather bag* /**arrojó** *threw*

Buscó más, y encontró otro zurrón, y cargando° el pesado fardo,° bajó al suelo.

—Bueno—dijo el alemán todo sofocado, entregándole a Pérez una
65 monedita—. Aquí tiene usted su propina. Y gracias por la escalera.

Ahora, don Roque, ante la rueda° de empleados, da un chupón° formidable a su cigarrillo, sonríe con calma, y con las barbas llenas de humo, dice:

—Entonces fue cuando comprendí que mi destino era ser empleado
70 público.

cargando *carrying*
/fardo *load (of coins)*

rueda *círculo*
/chupón *big draw*

¿Sabía Ud. que...?

* **Salta** es una ciudad en el noroeste de la Argentina.
* **El macho de noria** era un buey o una mula sujeto a una máquina hidráulica que la hacía girar para extraer agua de los pozos (*wells*).

Cuestionario

1. Describa brevemente a don Roque Pérez. ¿Cuáles son las dos etapas de su vida?
2. ¿Dónde vivía don Roque cuando era dependiente de la tienda de don Pepe Sarratea? ¿Cuál era su trabajo?
3. ¿Qué vio don Roque una noche en el techo de su cuarto? ¿Qué se preguntó?
4. ¿Qué se proponía don Roque cada vez que miraba la cola de gato que colgaba por la rotura del cañizo?
5. ¿Cuántos años pasó don Roque pensando: «Para saber qué era, había tiempo.» (l. 43)?
6. ¿Qué sucedió cuando murió el señor Sarratea?
7. ¿Quién alquiló la casa de Sarratea? ¿Qué fue lo que hizo al ver la cola de gato? ¿Qué cayó al suelo al tirar de la cola?
8. ¿Cuánto recibió como propina don Roque por traer la escalera y sostenerla mientras el boticario alemán tiraba de la cola?
9. ¿Cuáles son las palabras finales de don Roque al terminar su relato? ¿Está Ud. de acuerdo con ellas?
10. ¿Cuál fue el «acontecimiento trascendental» (l. 8) que marcó la vida de Roque Pérez? ¿Cree Ud. que Roque Pérez usaría estas palabras para describir su vida?

Práctica de vocabulario

A. Estudie Ud. en la lectura anterior el significado de las palabras de la columna B. Reemplace cada palabra o expresión en letra bastardilla en la columna A por el sinónimo de la columna B.

	A		B

<table>
<tr><td></td><td>A</td><td>B</td></tr>
</table>

A

_____ 1. La primera parte de la historia de don Roque comprende *el período* de su juventud como dependiente.

_____ 2. *Después de* diez años el patrón murió y los herederos liquidaron el negocio.

_____ 3. Después de plumerear los estantes el dependiente *esperaba* al patrón.

_____ 4. Por las noches don Roque cerraba las puertas de la tienda, *se acostaba* y apagaba la *candela*.

B

a. acontecimiento (l. 8)
b. al cabo de (l. 35)
c. aguardaba (l. 19)
d. la etapa (l. 10)
e. se metía en cama (ll. 25–26)
f. vela (l. 33)

B. *Estudie Ud. en la lectura anterior el significado de las palabras de la lista, y después complete las oraciones con el artículo y el sustantivo apropiado.*

el agujero (l. 30)   el techo (l. 28)
los herederos (l. 45)   la vereda (l. 18)
el mostrador (l. 20)

1. De _____ colgaba algo que parecía una cola de gato.
2. El dependiente barría _____ todos los días.
3. A la muerte de don Pepe Sarratea _____ no quisieron continuar con el negocio.
4. El patrón vendía detrás de _____.
5. El boticario metió el brazo por _____ del techo y sacó monedas de oro.

Temas de reflexión

1. ¿Cree Ud. que se puede justificar la indolencia de Roque Pérez?
2. ¿Siente Ud. simpatía por don Roque? ¿por el boticario alemán? ¿Por qué?
3. ¿Qué importancia tiene para el autor el hecho que el boticario sea alemán y don Roque argentino? ¿Hay una crítica social en ello?
4. ¿Podría Ud. explicar la ironía del nombre del protagonista, Roque Pérez? ¿de «la cola de gato apuntaba, naturalmente, a sus narices» (ll. 30–31)? ¿de «Todas las mañanas, al despertar, Roque Pérez se desperezaba . . . » (l. 38)? ¿de las últimas palabras: «Entonces fue cuando comprendí que mi destino era ser empleado público»? ¿Cree Ud. que hay amargura en estas palabras?
5. Hay un proverbio español que dice: «No dejes para mañana lo que puedes hacer hoy.» ¿Qué relación tiene con el cuento?

Improvisación

Con algunos de sus compañeros de clase ponga en escena la tercera etapa de la vida de don Roque Pérez que comprende su vejez. A Ud. le toca decidir si finalmente este personaje indolente decide romper con la rutina y cambiar, o si continúa su vida en el pueblo trabajando año tras año para el gobierno.

Humor

¡SOCORRO!

QUINO

¡Charlemos!

1. ¿Quién podría ser el señor del *Humor?*
2. ¿Piensa Ud. que es un hombre de la ciudad o del pueblo? ¿rico o pobre? ¿joven o viejo?
3. Describa Ud. la escena 8. ¿Dónde tiene lugar? ¿Cree Ud. que la señora que está en la cola está muy nerviosa? ¿Por qué?
4. Describa Ud. la escena 12. ¿Hay algún aspecto de la personalidad del hombre que le llama la atención? ¿Qué le parece el restaurante? ¿bueno o malo? ¿Por qué?
5. ¿Por qué está confundido el señor en las últimas escenas? ¿Por qué pide ¡SOCORRO! al final?
6. ¿Cree Ud. que hay una sátira del mundo contemporáneo en el problema de este hombre?

Improvisación

Con algunos de sus compañeros de clase ponga en escena una situación cómica o satírica de una persona que llega por primera vez a una gran ciudad y los muchos contratiempos que en ella tiene. O, si prefiere, represente un hombre o una mujer acostumbrado (-a) a la vida de la ciudad que por razones de trabajo tiene que vivir por algún tiempo en una pequeña aldea.

Vocabulario activo

Estudie las siguientes palabras y expresiones que aparecen en el poema *Todo vale la pena.*

Sustantivos

el abrazo *embrace, hug*
la pluma *feather*
la sangre *blood*

Verbo

sonar (o > ue) *to sound*

Adjetivos

dichoso contento, feliz
entero completo

Adverbio

ansiosamente *anxiously*

Expresión

valer la pena *to be worthwhile*

TODO VALE LA PENA

Gabriel Celaya   (España, n. 1911)

Todo vale la pena.
Espero ansiosamente telegramas que digan,
por ejemplo: «Aceptado», o: «Llegué bien. Abrazos.»
Pago cualquier precio por un coñac decente;
5   pierdo noches enteras con cualquier muchacha.

Todo vale la pena.
Todo me arrebata° y esto es lo terrible;
todo me apasiona y es, sin embargo, tonto;
10   todo debería parecerme nada,
mas° las naderías° son mi vida, mi todo.

Todo vale la pena.
Llevo el capital social de mi negocio
15   como un piel-roja° lleva su pluma arrogante.
Es una miseria; no significa nada;
mas mi sangre suena: vivo, soy dichoso.

arrebata encanta, atrae

mas pero
/**naderías** insignificancias, bagatelas

piel-roja indio

Cuestionario

1. Describa Ud. a la persona que habla en el poema. ¿Qué espera de la vida? ¿Qué clase de vida lleva?
2. ¿Cuál es la contradicción fundamental de su vida? ¿Cómo la ilumina el verso «mas las naderías son mi vida, mi todo» (v. 11)?
3. ¿Por qué se compara a un piel-roja? ¿Cómo interpreta Ud. la comparación?
4. ¿Cómo funciona la repetición del título al principio de cada estrofa? ¿Ve Ud. una tensión entre la frase «todo vale la pena» y el resto de la estrofa?
5. ¿Qué predomina en el poema, el optimismo o el pesimismo? ¿Qué nos dice el autor sobre su concepción de la vida moderna? ¿Está Ud. de acuerdo con su interpretación?

Reflexiones de un poeta delante de su ciudad natal.

Entre lo real y lo maravilloso

Entre lo real y lo maravilloso hay un mundo desconocido y misterioso que escapa a los cinco sentidos y que a través de miles de generaciones se lo ha venido explicando por medio de creencias religiosas o prácticas supersticiosas.

Se suele pensar que sólo los pueblos primitivos estaban dominados por la superstición, pero lo cierto es que muchas de nuestras costumbres vienen de antiguas creencias. Por ejemplo, el acto de darse la mano tiene, sin duda alguna, un origen mágico, pero se conserva hoy como un acto de cortesía. La antigua creencia en brujos y hechiceros va desapareciendo a medida que los individuos adquieren educación; sin embargo, en poblaciones indígenas alejadas de la civilización, es el brujo el encargado de mantener vivas las creencias y efectuar las ceremonias, como nos relata Rigoberto Paredes al hablar de las supersticiones indias en Bolivia.

La pregunta ¿adónde van los muertos? dio lugar a la creencia en los espíritus y fantasmas, la cual se encuentra en todas las culturas y no escapa al mundo civilizado de hoy. En toda América, de norte a sur, se cuentan historias de viejas mansiones, muchas de ellas en haciendas que, se dice, están habitadas por espíritus en pena que claman venganza por el maltrato que los colonizadores europeos les dieron en vida. En Misteriosa casa que burla a los espíritus se relata el caso de la viuda Winchester que vivió en San José de California durante el siglo XIX.

Y los sueños que han obsesionado a la humanidad por siglos, ¿qué explicación tienen? Siempre ha existido la creencia que los sueños predicen, directa o simbólicamente, los acontecimientos del futuro. Siendo así, no es de extrañar que en algunos países de Hispanoamérica las clases indígenas se sigan guiando por los mensajes ocultos que ellos encierran, como se enumera en la lectura El significado de los sueños.

La fantasía, como escape de la realidad cotidiana, también ha ejercido una fascinación constante sobre los pueblos. A través de mitos, supersticiones, leyendas y relatos, el ser humano experimenta con los límites entre la realidad y la fantasía creando un mundo nuevo inventado por la imaginación. Es quizás por el deseo de sobrepasar las limitaciones de lo real que en el cuento El leve Pedro, de Enrique Anderson Imbert, el lector acepta la «caída al cielo» del personaje Pedro como una realidad.

Vocabulario activo

Estudie las siguientes palabras y expresiones que aparecen en la lectura *El retorno de los brujos*.

Sustantivos

el desenlace *end, unfolding*
el hechicero *witch, wizard, enchanter*

Verbos

alcanzar *to reach*
aclarar explicar
estrenar inaugurar, comenzar
reponerse *to recover*

EL RETORNO DE LOS BRUJOS

Los extraterrestres son los hechiceros del siglo XX

Hace más de veinte años, cuando la opinión pública mundial seguía con pasión el desenlace de la crisis de los misiles cubanos, una mujer en los valles de los Pirineos* se reponía en la cama de un hospital de los golpes que sus vecinos le habían dado por practicar la brujería.

5   No sería el último caso en España. Diez años más tarde, en un pueblo de la provincia de Huesca*, las casas amanecieron° llenas de inscripciones pintadas contra una supuesta hechicera y en 1977, casi al mismo tiempo que España estrenaba elecciones democráticas, se producía un exorcismo en Zaragoza*.

    amanecieron *appeared at dawn*

10   Estos y otros casos marcan el retorno de los brujos, que quizá no se marcharon nunca. Es una vuelta a los senderos de la magia. Las culturas que manejan a diario la energía nuclear pueden recrear tantos fenómenos extraterrestres como demonios medievales. En los últimos años hay una proliferación de fenómenos de posesión por parte de extraterrestres que
15 mantienen una simbología idéntica a las antiguas posesiones demoníacas.

    En los siglos XVI y XVII las posesiones diabólicas alcanzaron límites masivos. Este fenómeno tuvo grandes repercusiones en el valle de Tena* en España entre los años 1637 y 1643 y Felipe IV* tuvo que enviar al inquisidor mayor de Aragón para que aclarara los casos. Durante cinco años una
20 cantidad que se estima en 1.600 personas se vieron mezcladas en fenómenos de posesión. Los documentos hablan de pérdidas temporales de la vista, desmayos,° personas que se lanzaban de las montañas sin sufrir daño, levitaciones y toda clase de hechos sobrenaturales.

    desmayos *fainting spells*

    Los estudiosos modernos indican que estos sucesos fueron producto de
25 una histeria colectiva que se solucionó con una sentencia mínima para el brujo de esa región. Pero muchos son los que se preguntan quiénes eran esos hechiceros que podían aterrorizar a comarcas° enteras con técnicas de persuasión que envidiarían los especialistas en marketing.

    comarcas territorios, regiones

❋ **Los Pirineos** son las montañas que forman la frontera entre Francia y España. Se dividen en dos zonas: la parte oriental habitada por catalanes y la parte occidental que es tierra de vascos. Debido a las montañas, los pueblos de estas regiones se encuentran aislados y muchos de ellos conservan todavía sus antiguas tradiciones y costumbres. En la época medieval estas montañas fueron cruzadas por los ejércitos invasores y por innumerables peregrinos.

❋ **Huesca** y **Zaragoza** son provincias de la comarca de Aragón al nordeste de España. Las capitales de ambas provincias llevan el mismo nombre.

❋ **El valle de Tena** está situado en la comarca de Aragón.

❋ **Felipe IV** (1605–1665) fue Rey de España desde la edad de 16 años. Tenía poco interés por el gobierno y abandonó la monarquía en manos del Duque de Olivares, quien aceleró la decadencia de España. Durante su reinado, España perdió todo el territorio al norte de los Pirineos, y en 1640 tuvo que renunciar definitivamente a Portugal.

Cuestionario

1. ¿Cuáles son algunos de los casos en España que, según el artículo, marcan el retorno de los brujos?
2. ¿En qué siglos el fenómeno de las posesiones diabólicas alcanzó límites masivos? ¿En qué lugar de España tuvo este fenómeno grandes repercusiones?
3. ¿Cuántas personas se estima que estuvieron mezcladas en el fenómeno de posesión en el valle de Tena? ¿Cuáles eran los síntomas de los posesionados?
4. ¿A qué conclusión han llegado los estudiosos modernos sobre este fenómeno en España?
5. ¿Qué envidiarían los especialistas en marketing de nuestra época de los hechiceros de los siglos XVI y XVII?

Puntos de vista

1. ¿Está Ud. de acuerdo con el artículo que algunos casos extraños de hoy en día marcan el retorno de los brujos? ¿Qué sucesos le inducen a pensar así?
2. ¿Ha oído Ud. de algún caso de histeria colectiva que tuvo lugar en los últimos diez años? ¿Tuvo algunas repercusiones?
3. ¿Cree Ud. que los brujos existen verdaderamente o son simples impostores?
4. ¿Qué sabe Ud. de la historia de la brujería en los Estados Unidos? ¿Ha leído algo de las mujeres condenadas como brujas en Salem, Massachusetts? ¿Cree Ud. que aquellos procesos tuvieron justificación, o fueron solamente casos de anti-femenismo?

Vocabulario activo

Estudie las siguientes palabras y expresiones que aparecen en la lectura
Superticiones indias en viajes y en caminos.

Sustantivos

el adagio proverbio, refrán
el antepasado antecesor
el brujo *sorcerer*
la desgracia *misfortune, mishap*
el fracaso *failure*

el presagio *omen*
la vela candela
el venado *deer*
el zorro *fox*

Verbos

adquirir (i > ie) obtener, lograr
arder quemar
barrer *to sweep*

emprender comenzar
encender (e > ie) *to light*
tropezar (e > ie) con *to run into, come across*

Adjetivos

desgraciado infortunado
entretenido *entertained*

imprescindible indispensable
propicio bueno

Expresiones

a falta de si no hay
verter (e > ie) lágrimas llorar

SUPERSTICIONES INDIAS EN VIAJES Y EN CAMINOS

M. Rigoberto Paredes   (Bolivia, 1870–1951)

Las supersticiones son inherentes a la naturaleza humana; ellas son
mayores y más dominantes según el estado de civilización de cada país. En
Bolivia se adquieren en la niñez y acompañan hasta la tumba. A medida que
los individuos descienden en escala social y disminuye su instrucción, van
5 aumentando en número y haciéndose imprescindibles en el dominio de la
vida.

Cuando el jefe de una familia india tiene que emprender un viaje largo,
o de importancia, consulta al brujo para que le diga si el viaje ha de ser
propicio o desgraciado, si conviene realizarlo o no, y según su respuesta, lo
10 efectúa, alegre o triste. A falta de brujos hace los vaticinios° con las hojas de la   vaticinios pronósti-
coca* y también se guía por la manera de arder de la vela que ha encendido   cos, predicciones
con ese objeto al santo de su devoción.

El día de la partida acompañan al que viaja hasta cierta distancia del
camino, haciéndole beber chicha* y licores en el trayecto, y después lo

15 despiden vertiendo lágrimas. Algunos, en el momento de la separación, echan
sobre brasas encendidas° alguna resina o queman algo en homenaje° a la
deidad que debe proteger al caminante.

brasas encendidas
live coals /**home-
naje** *hommage*

Si el momento de la partida cruza por los aires un cóndor, es signo de
que el viaje será feliz y motiva la alegría del que lo efectúa, que desde ese
20 momento camina satisfecho, no dudando ya de su buen éxito.

Si un zorro se le presenta o aparece por el lado derecho del camino,
anuncia al viajero que le sobrevendrá° alguna desgracia, que puede evitarse
invocando la protección del *Huasa-Mallcu*, Señor° de los caminos y desiertos,
y tomando las precauciones necesarias; pero si el zorro se muestra por el lado
25 izquierdo, lo cree de pésimo augurio,° no faltando quien° renuncie al viaje,
temeroso de lo que pueda ocurrir.

sobrevendrá ocurrirá
Sēnor Dios

augurio pronóstico,
signo
/**no . . . quien**
existiendo siempre
alguien que

Ha llegado también a infiltrarse en las costumbres indígenas la
preocupación española de no principiar ningún negocio ni partir de su casa el
día martes. El conocido adagio: «día martes, no te cases ni te embarques, ni de
30 tu casa te apartes», lo repite con frecuencia y es imposible que lo infrinja. No
hay que barrer la casa el día en que el dueño de ella o el que la habita se
ausente, porque ya no volverá: ha sido barrido el hogar.

Constituye otro augurio funesto, que anuncia el seguro fracaso de lo que
se proyecta o del objeto de un viaje, el encontrarse al salir de casa o en el
35 trayecto con un tuerto.° Por el contrario, si el encuentro es con un cojo,° se
tiene como buen presagio. Los negociantes y viajeros huyen siempre de la
presencia del tuerto y buscan con ansia la del cojo. Cuando el indio se ve
cruzado en su camino por una vicuña,* sigue tranquilo, pero si por huir
tropieza con ella, es señal de que morirá; igual temor se apodera de° su ánimo
40 cuando el hecho le sucede con un venado.

tuerto *one-eyed
man* /**cojo** *cripple*

se apodera de do-
mina

Al paso lento de las llamas* y burros, el indio atraviesa largas distancias,
entretenido en esas horas en relatar historietas a sus compañeros o en
escuchar las que ignoraba, referente a sus antepasados, o a los lugares que
toca, o a lo ocurrido en viajes anteriores. En los viajes descubre el indio
45 secretos de familia, porque se vuelve indiscreto y comunicativo, y adquiere
experiencia y conocimientos útiles.

¿Sabía Ud. que...?

---

* **La coca** es considerada una planta sagrada. Una leyenda del tiempo de los incas cuenta
que a la llegada de los españoles al imperio incaico, el dios Sol le entregó a un viejo adivino
llamado *Kjana-chuyma* una pequeña planta de coca para que les sirviera de alimento y de
consuelo en las duras fatigas impuestas por los blancos. Desde entonces los indios mascan
coca pensando que les da fuerza en el trabajo, y que les ayuda a soportar el frío y el
hambre. Hay, además, una profecía que dice que la coca será la salvación de su raza y la
perdición de los blancos. Cuando quieren averiguar lo que les traerá el futuro, un puñado
de esas hojas, lanzado al viento, les revela el secreto de lo que quieren saber.

✱ **La chicha** es una bebida alcohólica que resulta de la fermentación del maíz en agua y azúcar. Se la bebe especialmente en Bolivia, Perú y Chile. Se usa la expresión «no ser ni chicha ni limonada» para decir que una persona o una cosa no tiene carácter definido.

✱ **La vicuña** es un animal de la familia de los camellos que vive en los Andes del Perú, Bolivia y el norte de Chile y de la Argentina. Es un animal muy liviano y rápido y tiene un aspecto muy elegante. Su lana es de color castaño claro, muy fina y extraordinariamente suave. En la época de los incas sólo el inca y sus familiares podían usar tejidos de vicuña. A pesar de que se han dictado leyes para proteger a la vicuña e impedir su extinción, aún no se han obtenido muy buenos resultados.

✱ **La llama** es el animal compañero de los descendientes de los incas. Como la vicuña, pertenece a la familia de los camellos. Se la usa principalmente como animal de carga. En la época de las colonias españolas se emplearon 300.000 llamas para transportar la plata de las famosas minas de Potosí (Bolivia). Con su lana se hacen tejidos muy abrigados (*warm*). Su color más frecuente es castaño pero hay también llamas blancas, negras y grises.

Ejercicio de comprensión

Indique si la frase es verdadera o falsa según la lectura. Si es falsa, explique por qué.

1. ____ V ____ F Los bolivianos van perdiendo las supersticiones durante la vida.
2. ____ V ____ F Las personas menos instruidas tienen más supersticiones.
3. ____ V ____ F Al hacer un viaje largo, el jefe de una familia india consulta con un brujo, o hace el pronóstico del viaje con las hojas de la coca.
4. ____ V ____ F El momento de la partida es una ocasión triste. Beben chicha y hacen sacrificios para el dios de los caminos.
5. ____ V ____ F Si en el momento de la partida aparece un zorro, es de buen augurio, y si es un cóndor, es de mal augurio.
6. ____ V ____ F El refrán «día martes, no te cases ni te embarques, ni de tu casa te apartes» es un antiguo dicho español que han adoptado los indios bolivianos.
7. ____ V ____ F El viajero desea encontrarse con un tuerto al salir de viaje pero quiere evitar a los cojos.
8. ____ V ____ F Las vicuñas y los venados pueden ser de buen o mal augurio: depende de la manera de encontrarlos.
9. ____ V ____ F Los indios se divierten en los viajes contando y escuchando los relatos de familia.

Práctica de vocabulario

Estudie Ud. en la lectura anterior el significado de las palabras de la columna B. Reemplace cada palabra o expresión en letra bastardilla en la columna A por el sinónimo de la columna B.

A

_____ 1. Con su libro piensa *obtener* mucha fama.
_____ 2. *Si no hay* pan, compra galletas.
_____ 3. Al *comenzar* el negocio estaba seguro que no tendría problemas.
_____ 4. La vi *llorar* cuando le anunciaron la muerte del viajero.
_____ 5. En Hispanoamérica la gente acostumbra dejar una *candela* en la iglesia.
_____ 6. Es *indispensable* que tomes el primer avión.

B

a. adquirir (l. 3)
b. imprescindible (l. 5)
c. verter lágrimas (l. 15)
d. vela (l. 11)
e. a falta de (l. 10)
f. emprender (l. 7)

Puntos de vista

1. ¿Cree Ud. que es verdad que las supersticiones son mayores a medida que los individuos descienden en escala social? ¿Por qué?
2. ¿Qué supersticiones existen en las naciones modernas y civilizadas?
3. ¿Es Ud. supersticioso (-a)? ¿Tiene Ud. alguna de las siguientes supersticiones?
   a. ¿Piensa Ud. que pasar por debajo de una escalera le traerá mala suerte?
   b. Cuando accidentalmente deja caer sal al suelo, ¿piensa que le pasará algo malo en el futuro próximo?
   c. ¿Toca madera para evitar que la suerte no se le escape?
   d. ¿Toma precauciones los días viernes 13?
   e. Si un gato atraviesa su camino, ¿piensa Ud. que tendrá algún inconveniente durante el día?
   f. ¿Cree Ud. que le irá mal durante el día si se levanta con el pie izquierdo? ¿Qué le hace pensar que este profesor se levantó con el pie izquierdo?

Holligrove

4. Como Ud. sabe, las supersticiones se pasan de generación en generación y derivan de viejas creencias. ¿Conoce Ud. el origen de las supersticiones en las bodas? ¿De dónde proviene la costumbre de lanzar arroz a los recién casados? ¿Por qué debe la novia cortar el primer pedazo de la torta con la mano del novio sobre la de ella? ¿llevar a la novia en brazos y pasar a través de una puerta?

Vocabulario activo

Estudie las siguientes palabras y expresiones que aparecen en la lectura *Misteriosa casa que burla a los espíritus.*

Sustantivos

la acción *stock*
la fábrica *factory*
la escalera *steps*
el fusil rifle

la piel *skin*
el preso prisionero
la renta *income*
la venganza *revenge*

Verbos

anhelar desear
burlar *to mock, to deceive*

fallecer morir

Expresión

estar de moda *to be in style*

MISTERIOSA CASA QUE BURLA A LOS ESPÍRITUS

¿Puede una construcción con determinadas especificaciones hacer que los espíritus de los muertos dejen en paz a sus moradores?°

En San José, California, existe una mansión de lo más extraña: tiene decenas° de habitaciones, muchas escaleras que no conducen a ningún lado, puertas falsas, pues no franquean° ningún cuarto, gran cantidad de ventanas y, por supuesto, el número 13 presidiendo° diversos detalles: hay 13 puertas, 13 baños, 13 escalones° en algunas escaleras, 13 lámparas de gas. Total, los treces se multiplican en variados aspectos.

Esta construcción, que hoy figura entre las atracciones turísticas de la gran ciudad californiana, es conocida como «la misteriosa casa Winchester», y, como toda excentricidad que se respete, tiene su historia.

Sucede que en las últimas décadas del siglo pasado Sarah L. se casó con Wirt Winchester, hijo del inventor de los famosos fusiles *Winchester*.

Quince años después de su matrimonio falleció el marido y Sarah se vio dueña de una fortuna de 20 millones de dólares, más el 48 por ciento de las acciones de la fábrica de armas, además de una renta diaria de mil dólares.

Pero, pese a° su descomunal° fortuna, la señora Winchester no era feliz. Se sentía presa de una marcada angustia aunque injustificada, pues gozaba de buena salud y, sobre todo, de una muy considerable fortuna. Tan extraño estado anímico° la hizo consultar a quienes en ese tiempo estaban muy de moda: los espiritistas, y uno de ellos le reveló que su estado emocional se debía a que cientos de indios pieles rojas de diversas tribus, muertos por el rifle *Winchester,* anhelaban venganza, y que había que burlarlos construyendo una casa a prueba de su maleficio.° Así comenzó la construcción de la casa, que no paró las 24 horas del día durante 38 años, hasta que la dueña falleció en 1922.

Lo que no se ha podido establecer, es si la extraña morada° logró desconcertar° a las almas de los indios muertos por el rifle «que conquistó el oeste».

— *Supermente*, México (Adaptado)

moradores habitantes

decenas grupos de diez /**franquean** dan salida a /**presidiendo** gobernando
escalones *steps*

pese a *in spite of*
descomunal poco común

anímico psíquico

una . . . maleficio *a house that would ward off their spells*

morada casa
desconcertar confundir

Ejercicio de comprensión

*Indique la oración que **no** corresponde a la lectura.*

1. La misteriosa casa Winchester
   a. es hoy una atracción turística en San José, California.
   b. tiene muchas escaleras y puertas falsas.
   c. fue construida por el inventor de los famosos fusiles Winchester.
   d. tiene 13 baños, 13 puertas, 13 lámparas de gas, etc.

2. Sarah L. Winchester
   a. fue la esposa de Wirt Winchester.
   b. se casó con Wirt a finales del siglo XIX.
   c. enviudó a los 15 años de matrimonio.
   d. quedó muy pobre al morir su esposo.

3. La señora Winchester no era feliz
   a. porque no gozaba de buena salud.
   b. a pesar de su muy considerable fortuna.
   c. y por eso consultó a espiritistas.
   d. porque sufría de una angustia mental.

4. La construcción de la misteriosa casa Winchester empezó
   a. después de que un espiritista le reveló a Sarah que su estado emocional se debía a los espíritus de los indios muertos por el rifle Winchester.
   b. y no paró por 38 años, hasta la muerte de Sarah en 1922.
   c. para desconcertar a las almas de los indios que deseaban venganza.
   d. como monumento a los que conquistaron el oeste.

¡Charlemos!

Formen uno o dos círculos cerrados con sus compañeros de clase, y en voz baja relaten:

1. cuentos de misterio en los que no se puede encontrar explicación para los hechos.
2. sucesos extraños que les han sucedido en la vida.
3. recuerdos espantosos que les persiguen durante muchos años.
4. una visita que hicieron a un lugar poco común.

Improvisación

Ahora les toca a Uds. usar su imaginación. Con algunos de sus compañeros escriban su propio cuento de misterio y escenifíquenlo para la clase.

¡Todo está permitido: fantasmas, brujos, hechiceras, adivinas, Drácula, Mandraque el mago, el Hombre lobo!

Vocabulario activo

Estudie las siguientes palabras y expresiones que aparecen en la lectura *El leve Pedro.*

Sustantivos

la altura *height*	**la cuerda** *cord*	**la pluma** *feather*
el ansia (f.) *deseo*	**la escalera** *stairs*	**la sábana** *(bed) sheet*
el asombro *sorpresa*	**el espanto** *miedo*	**el suelo** *tierra*
la carne *flesh*	**el hacha** (f.) *ax*	**la tontería** *foolishness*
la carrera *race*	**la leña** *firewood*	**el techo** *roof, ceiling*
el cerdo *pig*	**el plomo** *lead*	

Verbos

abrazar *to embrace*
acudir *ir, venir*
amarrar *to tie*
amenazar *to threaten*
anclar *to anchor*
animarse (a) *entusiasmarse por*
apagar *to turn off*
arrastrar *to drag*
atar *to tie*
aterrizar *to land*

atraer *to attract, to pull*
hachar *to ax, to chop*
pegar *to stick*
prender *to catch*
recobrarse *recuperarse*
rechazar *to repel*
soplar *to blow*
trepar *to climb*
vaciar *to empty*

Adjetivos

desnudo *sin ropa*
leve *light*
milagroso *miraculous*

Expresiones

alcanzar a + infinitivo *to manage to + infinitive*
al revés *backwards*
echarse a + infinitivo *comenzar a + infinitivo*
levantar vuelo *comenzar a volar*
tener ganas de *to feel like*

EL LEVE PEDRO

Enrique Anderson Imbert   *(Argentina, n. 1910)*

Durante dos meses se asomó° a la muerte. El médico refunfuñaba° que la enfermedad de Pedro era nueva, que no había modo de tratarla y que él no sabía qué hacer. . . Por suerte el enfermo, solito,° se fue curando. No había perdido su buen humor, su oronda° calma provinciana. Demasiado flaco y eso era todo. Pero al levantarse después de varias semanas de convalecencia se sintió sin peso.

—Oye—dijo a su mujer—me siento bien pero ¡no sé!, el cuerpo me parece . . . ausente. Estoy como si mis envolturas° fueran a desprenderse° dejándome el alma desnuda.

—Languideces—le respondió su mujer.

—Tal vez.

Siguió recobrándose. Ya paseaba por el caserón, atendía el hambre de las gallinas y de los cerdos, dió una mano de pintura verde a la pajarera bulliciosa° y aun se animó a hachar la leña y llevarla en carretilla° hasta el galpón.° Pero según pasaban los días las carnes de Pedro perdían densidad. Algo muy raro le iba minando,° socavando,° vaciando el cuerpo. Se sentía con una ingravidez° portentosa. Era la ingravidez de la chispa,° de la

se asomó se acercó /refunfuñaba murmuraba /solito all by himself /oronda pompous

envolturas wrappings, coverings /desprenderse separarse

pajarera bulliciosa noisy bird cage /carretilla small cart /galpón shed

minando consumiendo /socavando disminuyendo /ingravidez falta de gravedad /chispa spark

burbuja° y del globo.° Le costaba muy poco saltar limpiamente la verja,° trepar las escaleras de cinco en cinco,° coger de un brinco° la manzana alta.

20 —Te has mejorado tanto—observaba su mujer—que pareces un chiquillo acróbata.

Una mañana Pedro se asustó. Hasta entonces su agilidad le había preocupado, pero todo ocurría como Dios manda. Era extraordinario que, sin proponérselo, convirtiera la marcha de los humanos en una triunfal carrera en 25 volandas° sobre la quinta.° Era extraordinario pero no milagroso. Lo milagroso apareció esa mañana.

Muy temprano fue al potrero.° Caminaba con pasos contenidos porque ya sabía que en cuanto taconeara iría dando botes° por el corral. Arremangó° la camisa, acomodó un tronco, tomó el hacha y asestó° el primer golpe. Y 30 entonces, rechazado por el impulso de su propio hachazo, Pedro levantó vuelo. Prendido todavía del hacha, quedó un instante en suspensión, levitando allá, a la altura de los techos; y luego bajó lentamente, bajó como un tenue vilano de cardo.°

Acudió su mujer cuando Pedro ya había descendido y, con una palidez 35 de muerte, temblaba agarrado a un rollizo° tronco.

—¡Hebe! ¡Casi me caigo al cielo!

—Tonterías. No puedes caerte al cielo. Nadie se cae al cielo. ¿Qué te ha pasado?

Pedro explicó la cosa a su mujer y ésta, sin asombro, le reconvino:° 40 —Te sucede por hacerte el acróbata. Ya te lo he prevenido. El día menos pensado te desnucarás° en una de tus piruetas.

—¡No, no!—insistió Pedro—. Ahora es diferente. Me resbalé.° El cielo es un precipicio, Hebe.

Pedro soltó el tronco que lo anclaba pero se asió° fuertemente a su 45 mujer. Así abrazados volvieron a la casa.

—¡Hombre!—le dijo Hebe, que sentía el cuerpo de su marido pegado al suyo como el de un animal extrañamente joven y salvaje, con ansias de huir—. ¡Hombre, déjate de hacer fuerza, que me arrastras! Das unas zancadas° como si quisieras echarte a volar.

50 —¿Has visto, has visto? Algo horrible me está amenazando, Hebe. Un esguince,° y ya comienza la ascensión.

Esa tarde, Pedro, que estaba apoltronado° en el patio leyendo las historietas del periódico, se rió convulsivamente. Y con la propulsión de ese motor alegre fue elevándose como un ludión*, como un buzo° que se quitara 55 las suelas.° La risa se trocó° en terror y Hebe acudió otra vez a las voces de su marido. Alcanzó a agarrarle los pantalones y lo atrajo a la tierra. Ya no había duda. Hebe le llenó los bolsillos con grandes tuercas,° caños de plomo° y piedras; y estos pesos por el momento dieron a su cuerpo la solidez necesaria para tranquear° por la galería y empinarse° por la escalera de su cuarto. Lo 60 difícil fue desvestirlo. Cuando Hebe le quitó los hierros y el plomo, Pedro, fluctuante sobre las sábanas, se entrelazó a los barrotes de la cama° y le advirtió:

burbuja *bubble* /globo *balloon* /verja *fence* /de . . . cinco *five at a time* /brinco *jump*

en volandas *flying* /quinta *hacienda*

potrero *pasture* en . . . botes *as soon as he strutted he would bounce* /Arremangó *He rolled up his sleeves* /asestó *dio* /como . . . cardo *like the delicate down of a thistle* rollizo *thick*

reconvino *reprochó*

desnucarás *romperás la cabeza* /me resbalé *I slipped* /se asió *tomó*

zancadas *leaps*

esguince *twist of the body* /apoltronado *lounging*

buzo *diver*

suelas *soles* /trocó *se convirtió*

tuercas *screws* /caños de plomo *lead piping* /tranquear *andar a pasos largos* /empinarse *tiptoe* /se . . . cama *he interlaced his body with the iron bars of the bedstead*

—¡Cuidado, Hebe! Vamos a hacerlo despacio porque no quiero dormir en el techo.

65 —Mañana mismo llamaremos al médico.

—Si consigo estarme quieto no me ocurrirá nada. Solamente cuando me agito me hago aeronauta.

Con mil precauciones pudo acostarse y se sintió seguro.

—¿Tienes ganas de subir?

70 —No. Estoy bien.

Se dieron las buenas noches y Hebe apagó la luz.

Al otro día cuando Hebe despegó° los ojos vió a Pedro durmiendo como un bendito, con la cara pegada al techo. Parecía un globo escapado de las manos de un niño.

despegó abrió

75 —¡Pedro, Pedro! —gritó aterrorizada.

Al fin Pedro despertó, dolorido° por el estrujón° de varias horas contra el cielo raso.° ¡Qué espanto! Trató de saltar al revés, de caer para arriba, de subir para abajo. Pero el techo lo succionaba como succionaba el suelo a Hebe.

dolorido aching
/**estrujón** pressure
/**cielo raso** ceiling

80 —Tendrás que atarme de una pierna y amarrarme al ropero° hasta que llames al doctor y vea qué pasa.

ropero dresser,
wardrobe

Hebe buscó una cuerda y una escalera, ató un pie a su marido y se puso a tirar con todo el ánimo. El cuerpo adosado° al techo se removió como un lento dirigible. Aterrizaba.

adosado junto

85 En eso se coló° por la puerta un correntón° de aire que ladeó° la leve corporeidad de Pedro y, como a una pluma, la sopló por la ventana abierta. Ocurrió en un segundo. Hebe lanzó un grito y la cuerda se le escapó de las manos. Cuando corrió a la ventana ya su marido, desvanecido,° subía por el aire inocente de la mañana, subía en suave contoneo° como un globo de 90 color fugitivo en un día de fiesta, perdido para siempre, en viaje al infinito. Se hizo un punto y luego nada.

se coló entró /**correntón** draft
/**ladeó** movió

desvanecido sin
conocimiento
/**contoneo** contour, outline

¿Sabía Ud. que...?

❋ **El ludión** es un aparato de física que se usa para demostrar el equilibrio que tienen los cuerpos sólidos cuando están sumergidos en los líquidos.

Cuestionario

1. ¿Qué importancia tiene en el cuento el hecho de que la enfermedad de Pedro sea nueva e incurable? ¿Cómo lo dejó después de la convalecencia?

2. ¿Qué comparaciones usa el autor para describir la ingravidez de Pedro? ¿Qué le permite hacer su nuevo estado físico?

3. ¿Cómo cambia la actitud de Pedro hacia su ingravidez? ¿Cómo explica Ud. el cambio?

4. ¿Qué sucedió la mañana que Pedro fue al potrero? ¿Fue, como lo dice el autor, un milagro? ¿Cuál es la reacción de su esposa Hebe a sus acciones? Aprecie Ud. lo irónico de las palabras de Pedro: «¡Casi me caigo al cielo!» (l. 36)

5. ¿Qué sucedió esa misma tarde cuando Pedro, leyendo las historietas del periódico, se rió convulsivamente? ¿Por qué Hebe le llenó los bolsillos con objetos pesados?

6. ¿Qué vio Hebe al día siguiente cuando abrió los ojos? ¿Por qué trató Pedro de saltar al revés?

7. ¿Qué ocurrió cuando por la puerta se coló un correntón de aire? ¿Qué piensa Ud. que le habrá pasado a Pedro?

Práctica de vocabulario

A. *Estudie Ud. en la lectura anterior el significado de las palabras o expresiones de la columna B. Reemplace cada palabra o expresión en letra bastardilla en la columna A por el sinónimo de la columna B.*

A

_____ 1. Al leer las historietas el muchacho *comenzó* a reír.

_____ 2. Los hombres *subieron* la montaña en menos de cuatro horas.

_____ 3. Hebe le llenó los bolsillos con piedras para que no se separara de *la tierra.*

_____ 4. Poco a poco Pedro iba *recuperándose* de su enfermedad extraña.

_____ 5. Cuando oyó los gritos de su esposo, Hebe *fue* a ayudarlo.

_____ 6. Lo tuvieron que *amarrar* con una cuerda de modo que no subiera al cielo.

_____ 7. *Quería* hacer algo especial para celebrar su cumpleaños.

_____ 8. El avión *volvió a tierra* después de un vuelo de más de quince horas.

B

a. recobrándose (l. 12)

b. tenía ganas de (l. 69)

c. treparon (l. 19)

d. atar (l. 80)

e. aterrizó (l. 84)

f. el suelo (l. 78)

g. acudió (l. 34)

h. se echó (l. 49)

Temas de reflexión

1. ¿Puede Ud. concebir algunas circunstancias en que la fantasía de este cuento podría hacerse realidad? Explique su respuesta.

2. ¿Cómo maneja el autor la realidad y la fantasía en este cuento? ¿Qué elementos le parecen realistas? ¿Dónde y cuándo entra lo maravilloso?

3. ¿Cómo interpreta Ud. el cuento? ¿Es un estudio de carácter, una historia con una moraleja, o pura fantasía?

Creación

¿Qué le pasó a Pedro? ¿Adónde fue cuando desapareció? Piénselo bien, y después escriba la continuación de la historia de Pedro. ¿Qué aventuras tuvo? ¿Hasta dónde subió? ¿hasta el cielo? ¿hasta los planetas? ¿Echaba de menos a Hebe? ¿Se hizo astronauta? Deje volar su imaginación y cuéntenos su propia fantasía.

Durante la Semana Santa en Sevilla, el fervor religioso se manifiesta como un aspecto de lo maravilloso.

Vocabulario activo

Estudie las siguientes palabras que aparecen en el poema *Anoche, cuando dormía . . . .*

Sustantivos

la abeja *bee*
la amargura pena, aflicción
la cera *wax*

la colmena *beehive*
la miel *honey*

Verbos

alumbrar iluminar
fluir correr
lucir brillar

Adjetivos

ardiente que arde, que resplandece
bendito *blessed*

ANOCHE, CUANDO DORMÍA . . .

Antonio Machado (España, 1875–1939)

    Anoche cuando dormía
soñé, ¡bendita ilusión!,
que una fontana fluía
dentro de mi corazón.
5 Di, ¿por qué acequia° escondida,   **acequia** canal
agua, vienes hasta mí,
manantial° de nueva vida   **manantial** fuente
en donde nunca bebí?

    Anoche cuando dormía
10 soñé, ¡bendita ilusión!,
que una colmena tenía
dentro de mi corazón;
y las doradas abejas
iban fabricando en él,°   **él** el corazón
15 con las amarguras viejas,
blanca cera y dulce miel.

    Anoche cuando dormía
soñé, ¡bendita ilusión!,
que un ardiente sol lucía
20 dentro de mi corazón.
Era ardiente porque daba
calores de rojo hogar,
y era sol porque alumbraba
y porque hacía llorar.

25   Anoche cuando dormía
soñé, ¡bendita ilusión!,
que era Dios lo que tenía
dentro de mi corazón.

Cuestionario

    1. ¿Con qué soñó el poeta? ¿Por qué es «bendita» la ilusión?
    2. ¿Qué cree Ud. que representan la fontana, la colmena y el sol que el
        poeta ve en sus sueños?
    3. ¿Qué emoción se manifiesta en el poema? ¿Qué tipo de religiosidad
        parece tener Antonio Machado?
    4. Lea el poema en voz alta. ¿Qué relación ve Ud. entre su ritmo alegre
        e inspirado, y lo que él nos dice?

5. ¿Qué significan nuestros sueños? Lea Ud. la siguiente lectura y compare sus sueños con la simbología que sugiere. ¿Le revelará algo que no había sospechado antes?

Vocabulario activo

Estudie las siguientes palabras y expresiones que aparecen en la lectura *El significado de los sueños.*

Sustantivos

el conejo *rabbit*
la oveja *sheep*
la pena *sorrow*
el sapo *toad*
el varón hombre
la víbora serpiente

Verbos

arrancar *to pull out*
arrastrar *to drag*
embrujar *to bewitch*
morder (o>ue) *to bite*
picar *to bite, to sting*

Adjetivo

turbio *opaque*

Expresiones

en llamas *in flames*
estar embarazada *to be pregnant*

EL SIGNIFICADO DE LOS SUEÑOS

M. Rigoberto Paredes (Bolivia, 1870–1951)

Los sueños tienen influencia decisiva en las determinaciones de las clases indígenas bolivianas. Creen que los sueños predicen algo que les sucederá en la vida real, y con este motivo se dan varias interpretaciones.
Soñarse

5
- con llamas u ovejas es para que se frustre algún negocio que se proyecta.
- con cóndor, es para que se tenga éxito en lo que se propone.
- con cadáver es para tener dinero.
- cocinando es para que alguien muera.

Las imágenes de los sueños representan realidades vividas.

- con víboras (estando embarazada) es para tener hijo varón; con sapos, para
  10 tener hija mujer; con cóndor, para que el hijo que nazca sea un gran
  hombre.
- arrancándose un diente es para recibir dinero, o que se le muera un
  pariente próximo.
- con la casa en que se vive en llamas, es para romper con la persona que nos
  15 protege.
- con perros que nos han mordido, para que nos roben.
- con una víbora venenosa que nos ha picado, para que nos envenenen.
- con fuegos, para tener penas.
- con un niño gordo, para recibir dinero.
  20 • con conejos para ser embrujado.
- con una persona, cuando ésta piensa mucho en la que sueña.
- ser arrastrado por una corriente de agua turbia es para que muera el que ha
  soñado.

Temas de reflexión

1. ¿Ha soñado Ud. alguna vez con los animales u objetos mencionados? ¿Recuerda si ha sucedido lo que predice la simbología?
2. Después de leer la lectura, ¿qué consejos le daría a una persona que le dice que acaba de soñar con perros que le mordieron? ¿con un niño gordo? ¿con llamas y ovejas?
3. ¿Conoce Ud. algunos objetos\que tienen valor simbólico al soñarse con ellos?
4. ¿Tiene a menudo sueños agradables? ¿Podría Ud. contarnos uno de ellos?
5. ¿Cuál fue la última pesadilla que tuvo? ¿Ve Ud. una relación entre lo que pasó en el sueño y sus preocupaciones del día? ¿Está Ud. de acuerdo con los psicoanalistas como Freud que opinan que los sueños pueden revelar nuestros deseos inconscientes?
6. ¿Sueña Ud. en blanco y negro o a colores? ¿en inglés o en español?

Consejos y recetas para una vida mejor

Los problemas que confrontan los países en vías de desarrollo no se los puede resolver de la noche a la mañana. Los gobiernos de muchos países hispanoamericanos han lanzado campañas para concientizar a la gente y proveerle de consejos básicos para mantener el bienestar físico y mental. «Ponte en onda con la natura...» forma parte de una campaña cubana para mejorar la salud de sus habitantes a través de ejercicios y deportes. En México, periódicos y revistas están llenos de anuncios como «Combinación es nutrición» que tienen como propósito instruir y aconsejar a la población en materia de nutrición. Por medio de la institución SAM (Sistema Alimentario Mexicano), el gobierno mexicano quiere «alcanzar la autosuficiencia en la producción de alimentos básicos, elevar el ingreso de los campesinos, y mejorar el nivel nutricional de toda la población».

En Colombia existe la Acción Cultural Popular, un programa educativo que transmite clases por radio a los campesinos. El locutor les da consejos y sugerencias para mejorar la producción agrícola y realizar muchas tareas del hogar. La mayoría de los países hispanoamericanos ha adoptado programas educativos parecidos. También España, después de las muchas muertes que causó el consumo de un aceite tóxico, se decidió a lanzar una campaña para fomentar, en lo posible, el uso de productos naturales de alta calidad. Esta vuelta a lo elemental, que por ahora viene a ser un fenómeno universal, aparece también en la literatura. Pablo Neruda en Oda a los calcetines exalta la lana como producto natural.

En nuestra vida diaria, también tropezamos a cada paso con instrucciones o consejos para realizar toda clase de tareas; de las más simples, como preparar una receta de cocina, hasta las más complejas, como lograr la felicidad. Fernando Diez de Medina en su poético ensayo En la misteriosa lejanía aconseja «aproximarse a lo pequeño y solitario» para descubrir la belleza de lo que nos rodea. Julio Cortázar, en una nota humorística, nos muestra en cámara lenta la «compleja» tarea de subir una escalera. En el relato satírico Baby H.P., Juan José Arreola reduce al absurdo la manía de dar consejos y encontrar a toda costa recetas que nos garanticen una vida mejor.

PONTE EN ONDA CON LA NATURA...

YO ME LLAMO VERÓNICA ...ASÍ... CON "VE" DE VACA

...descubre los secretos de la flora y la fauna, a la vez que te ejercitas físicamente y aguzas tus sentidos de orientación, participando en los Concursos Nacionales de Excursionismo.

SER EXCURSIONISTA ES SER JOVEN

Dirección Nacional de Propaganda INDER

ponte en onda *get in touch*

aguzar *sharpen*

¿Sabía Ud. que...?

❋ En forma familiar, para hacer la diferencia entre *b* y *v*, se dice *be de burro* y *ve de vaca*. En muchas partes de Hispanoamérica se dice también *be larga* y *ve chica*, y en España se oye *be de Barcelona* y *ve de Valencia*.

❋ Este anuncio, sacado de una revista cubana, muestra la importancia que da el gobierno cubano a los deportes. Después de la revolución (1959), el gobierno lanzó una gran campaña para que los habitantes de Cuba conocieran su propio país, disfrutaran de su riqueza natural y practicaran los ejercicios físicos.

Vocabulario activo

Estudie las siguientes palabras y expresiones que aparecen en la lectura **Baby H.P.**

Sustantivos

la aguja *needle*
el ama de casa *(f.) housewife*
el anillo *ring*
la calefacción *heating*
la corriente *current*

la espalda *back*
el folleto *pamphlet*
la pulsera *bracelet*
el recreo *recess*
el rincón *corner (of a room)*

Verbos

añadir *to add*
enchufar *to plug in*

obsequiar *regalar*
otorgar *dar*

Adjetivos

disponible *available*
ligero *light*

Expresiones

al pie de la letra con exactitud
de hoy en adelante *from now on*
ni siquiera *not even*
estar llamado a estar destinado a

por lo que toca en lo que se refiere
tener a la venta *available for sale*
tener puesto llevar

BABY H. P.

Juan José Arreola   (México, n. 1918)

Señora ama de casa: convierta usted en fuerza motriz° la vitalidad de sus niños. Ya tenemos a la venta el maravilloso Baby H.P., un aparato que está llamado a revolucionar la economía hogareña.°

El Baby H.P. es una estructura de metal muy resistente y ligera que se
5 adapta con perfección al delicado cuerpo infantil, mediante° cómodos cinturones, pulseras, anillos y broches.° Las ramificaciones de este esqueleto suplementario recogen cada uno de los movimientos del niño haciéndolos converger en una botellita de Leyden* que puede colocarse en la espalda o en el pecho, según necesidad. Una aguja indicadora señala el momento en
10 que la botella está llena. Entonces usted, señora, debe desprenderla° y enchufarla en un depósito especial, para que se descargue° automáticamente. Este depósito puede colocarse en cualquier rincón de la casa, y representa una preciosa alcancía de electricidad° disponible en todo momento para fines de alumbrado° y calefacción, así como para impulsar alguno de los
15 innumerables artefactos que invaden ahora, y para siempre, los hogares.

De hoy en adelante usted verá con otros ojos el agobiante° ajetreo° de sus hijos. Y ni siquiera perderá la paciencia ante una rabieta° convulsiva,

fuerza motriz *moving force*

hogareña de la casa

mediante *by means of* /**broches** *fasteners*

desprenderla separarla /**descargue** *discharge* /**alcancía de electricidad** *electricity bank* /**alumbrado** luz /**agobiante** fatigante /**ajetreo** agitación /**rabieta** *tantrum*

pensando en que es fuente generosa de energía. El pataleo° de un niño de
pecho° durante las veinticuatro horas del día se transforma, gracias al Baby
20 H.P., en unos útiles segundos de tromba licuadora,° o en quince minutos de
música radiofónica.

    Las familias numerosas pueden satisfacer todas sus demandas de
electricidad instalando un Baby H.P. en cada uno de sus vástagos,° y hasta
realizar un pequeño y lucrativo negocio, trasmitiendo a los vecinos un poco de
25 la energía sobrante.° En los grandes edificios de departamentos pueden
suplirse satisfactoriamente las fallas° del servicio público, enlazando° todos los
depósitos familiares.

    El Baby H.P. no causa ningún trastorno° físico ni psíquico en los niños,
porque no cohibe° ni trastorna sus movimientos. Por el contrario, algunos
30 médicos opinan que contribuye al desarrollo armonioso de su cuerpo. Y por lo
que toca a su espíritu, puede despertarse la ambición individual de las
criaturas, otorgándoles pequeñas recompensas cuando sobrepasen° sus
récords habituales. Para este fin se recomiendan las golosinas° azucaradas,
que devuelven con creces° su valor. Mientras más calorías se añadan a la
35 dieta del niño, más kilovatios se economizan en el contador eléctrico.

    Los niños deben tener puesto día y noche su lucrativo H.P. Es importante
que lo lleven siempre a la escuela, para que no se pierdan las horas preciosas
del recreo, de las que ellos vuelven con el acumulador rebosante° de energía.

    Los rumores acerca de que algunos niños mueren electrocutados por la
40 corriente que ellos mismos generan son completamente irresponsables. Lo
mismo debe decirse sobre el temor supersticioso de que las criaturas provistas°
de un Baby H.P. atraen rayos y centellas.° Ningún accidente de esta
naturaleza puede ocurrir, sobre todo si se siguen al pie de la letra las
indicaciones contenidas en los folletos explicativos que se obsequian *con cada*
45 *aparato.*

    El Baby H.P. está disponible en las buenas tiendas en distintos tamaños,
modelos y precios. Es un aparato moderno, durable y digno de confianza,° y
todas sus coyunturas° son extensibles. Lleva la garantía de fabricación de la
casa J. P. Mansfield & Sons, de Atlanta, Ill.

pataleo *kicking* /**niño . . . pecho** *bebé* /**tromba licuadora** *blender*

vástagos *hijos*

sobrante *en exceso*
fallas *failures* /**enlazando** *conectando*
trastorno *problema*
cohibe *inhibe*

sobrepasen *outdo, break* /**golosinas** *dulces* /**con creces** *en abundancia*

rebosante *overflowing*

provistas *equipped*
rayos y centellas *lightning*

digno de confianza *reliable* /**coyunturas** *joints*

¿Sabía Ud. que...?

✱ Una ***botella de Leyden*** es un aparato inventado en el siglo XVIII en la Universidad de
Leyden en Holanda. Consiste en una botella cubierta de papel metálico que sirve para
conducir y ahorrar electricidad.

Cuestionario

1. ¿Podría Ud. describir lo que es un Baby H.P.? ¿Para qué sirve?
   ¿Dónde se lo coloca?

2. ¿Por qué dice el narrador que la madre verá con otros ojos los ajetreos y rabietas de sus hijos?
3. ¿Qué ventajas adicionales tendrían las familias numerosas?
4. ¿Qué beneficios ven algunos médicos en el uso del Baby H.P. por los niños? ¿Por qué se les recomienda dar golosinas azucaradas?
5. ¿Cuántas horas del día y de la noche deben los niños tener puesto el Baby H.P.? ¿Cuáles son las horas de mayor productividad?
6. ¿Qué rumores o supersticiones existen acerca del uso del Baby H.P.?
7. ¿Dónde se puede obtener un Baby H.P.?

Práctica de vocabulario

Estudie Ud. en la lectura anterior el significado de las palabras y expresiones de la columna B. Reemplace cada palabra o expresión en letra bastardilla en la columna A por el sinónimo de la columna B.

A	B
_____ 1. Seguimos sus instrucciones *con exactitud*.	a. tenía puesto (l. 36)
_____ 2. Me dijeron que *llevaba* un abrigo de piel.	b. al pie de la letra (l. 43)
_____ 3. Le *dieron* un premio en el concurso de natación.	c. estaba llamado a (ll. 2–3)
_____ 4. Nos *regalaron* pulseras y anillos.	d. obsequiaron (l. 44)
_____ 5. Siempre pensé que *estaba destinado a* ser rey.	e. otorgaron (l. 32)

Puntos de vista

1. ¿A quiénes cree Ud. que se dirige la sátira de Arreola? ¿Qué se podría deducir del título del cuento y del hecho de que la casa productora está en los Estados Unidos?
2. ¿Le recuerda este cuento la publicidad de alguno de nuestros medios de comunicación? ¿la televisión? ¿la radio? ¿los periódicos? Explíquese.
3. ¿Se deja Ud. influenciar por la publicidad? Si tuviera un niño, ¿estaría dispuesto a comprar un Baby H.P.? ¿Le ha convencido el vendedor del aparato? ¿Cree Ud. en la fuerza de convicción de los anuncios? ¿Qué aspectos del anuncio del Baby H.P. despertarían dudas?

Improvisación

Prepare Ud. un anuncio publicitario de algún producto extraordinario que desea vender y hacerse millonario en poco tiempo. Trate de convencer a sus compradores que lo que Ud. tiene que ofrecer es algo sensacional que revolucionará el hogar, la sociedad, el continente o el mundo entero. Muéstreles a sus compañeros su habilidad como agente publicitario. Haga uso de su energía, de su poder de persuasión.

¡Luz, cámara, acción!

cuadra *block*
derecho *straight ahead*
doblando *turning the corner*
cortada calle que cruza

¡Charlemos!

1. ¿Cuál es la conversación que oye en la calle Miguelito? ¿Quiénes hablan?
2. A continuación, ¿qué solicita Miguelito al policía?
3. ¿Por qué cree Ud. que Miguelito se siente insatisfecho?
4. ¿Son todos los niños como Miguelito, o cree Ud. que el autor satiriza a la gente mayor?

Vocabulario activo

Estudie las siguientes palabras y expresiones que aparecen en la lectura *Instrucciones para subir una escalera.*

Sustantivos

la altura *height*
el cuero *leather*
la escalera *stairs*

Verbos

colgar (o>ue) *to hang*
dejar de *to stop*
trasladar transportar, llevar

Adjetivo

quebrado roto

Adverbio

sumamente verdaderamente

INSTRUCCIONES PARA SUBIR UNA ESCALERA

Julio Cortázar   (Argentina, 1914–1984)

Nadie habrá dejado de° observar que con frecuencia el suelo se pliega° de manera tal que una parte sube en ángulo recto con° el plano del suelo, y luego la parte siguiente se coloca paralela a este plano, para dar paso° a una nueva perpendicular, conducta que se repite en espiral o en línea quebrada
5 hasta alturas sumamente variables. Agachándose° y poniendo la mano izquierda en una de las partes verticales, y la derecha en la horizontal correspondiente, se está en posesión momentánea de un peldaño° o escalón.° Cada uno de estos peldaños, formados como se ve por dos elementos, se sitúa un tanto más arriba y más adelante que el anterior, principio que da sentido a
10 la escalera, ya que cualquier otra combinación produciría formas quizá más bellas o pintorescas, pero incapaces de trasladar de una planta baja° a un primer piso.

Las escaleras se suben de frente,° pues hacia atrás o de costado° resultan particularmente incómodas. La actitud natural consiste en mantenerse
15 de pie,° los brazos colgando sin esfuerzo, la cabeza erguida° aunque no tanto que los ojos dejen de ver los peldaños inmediatamente superiores al que se pisa, y respirando lenta y regularmente. Para subir una escalera se comienza por levantar esa parte del cuerpo situada a la derecha abajo, envuelta° casi siempre en cuero o gamuza,° y que salvo° excepciones cabe exactamente en
20 el escalón. Puesta en el primer peldaño dicha parte, que para abreviar llamaremos pie, se recoge° la parte equivalente de la izquierda (también llamada pie, pero que no ha de confundirse con el pie antes citado), y llevándola a la altura del pie, se la hace seguir hasta colocarla en el segundo peldaño, con lo cual en éste descansará el pie, y en el primero descansará el
25 pie. (Los primeros peldaños son siempre los más difíciles, hasta adquirir la coordinación necesaria. La coincidencia de nombres entre el pie y el pie hace difícil la explicación. Cuídese especialmente de no levantar al mismo tiempo el pie y el pie.)

Llegado en esta forma al segundo peldaño, basta repetir alternadamente
30 los movimientos hasta encontrarse con el final de la escalera. Se sale de ella fácilmente, con un ligero golpe de talón° que la fija en su sitio, del que no se moverá hasta el momento del descenso.

Nadie . . . de *Probably nobody has failed to* /**se pliega** se dobla /**en . . . con** *at a right angle to* /**para . . . paso** *to give way* /**agachándose** inclinándose /**peldaño, escalón** *step*

planta baja *main floor*

de frente *face forward* /**costado** lado /**mantenerse de pie** *remaining standing* /**erguida** levantada

envuelta cubierta

gamuza *chamois* (un tipo de cuero) /**salvo** *except for* /**se recoge** se levanta

talón *heel*

Ejercicio de comprensión

Ponga las siguientes oraciones en el propio orden para dar instrucciones para subir una escalera de acuerdo con la lectura. Después, cambie los infinitivos al imperativo de Ud.

_____ Colocar el pie izquierdo en el segundo peldaño.
_____ Recoger el pie izquierdo.
_____ Mantenerse de pie.
_____ Colocar el pie derecho en el primer peldaño.
_____ Confrontar la escalera de frente.
_____ Repetir alternativamente los movimientos.
_____ Levantar el pie izquierdo más arriba del otro pie.
_____ Levantar el pie derecho.

Temas de reflexión

1. Comente sobre el humor de Cortázar en Instrucciones para subir una escalera. *¿Podría Ud. explicar en qué consiste lo irónico de las siguientes citas?*

    1. «Nadie habrá dejado de observar que con frecuencia el suelo se pliega . . . » (l. 1)

    2. «Las escaleras se suben de frente, pues hacia atrás o de costado resultan particularmente incómodas.» (ll. 13–14)

    3. «La coincidencia de nombres entre el pie y el pie hace difícil la explicación. (ll. 26–27)

    4. «Cuídese especialmente de no levantar al mismo tiempo el pie y el pie. (ll. 27–28)

2. Una de las técnicas que emplea Cortázar en Instrucciones *se llama la desfamiliarización. Consiste en poner énfasis en el acto de percibir: convierte lo conocido en desconocido, lo familiar en extraño. Por ejemplo, en la lectura de Cortázar, el objeto familiar, la escalera, nos parece extraño al estar descrito así:* « . . . el suelo se pliega de manera tal que una parte sube en ángulo recto con el plano del suelo, y luego la parte siguiente se coloca paralela a este plano, para dar paso a una nueva perpendicular . . . » *O algo sumamente natural, el pie, resulta casi desconocido:* « . . . esa parte del cuerpo situada a la derecha abajo, envuelta casi siempre en cuero o gamuza . . . » *Esta técnica se emplea con frecuencia en la literatura. ¿Podría Ud. emparejar la descripción desfamiliarizada en la columna A con el verdadero nombre de las cosas de la columna B? Las citas son selecciones de varias obras de la literatura hispánica.*

A	B
_____ *1.* «Al ser destapado por el gigante, el cofre dejó escapar un aliento glacial. Dentro sólo había un enorme bloque transparente, con infinitas agujas internas en las cuales se despedazaba en estrellas de colores la claridad del crepúsculo.» (G. García Márquez, *Cien años de soledad*)	*a.* los molinos de viento *b.* el hielo *c.* un juego de ajedrez *d.* la luna

_____ 2. «Cisne redondo en el río,
    ojo de las catedrales,
    alba fingida en las hojas
    soy . . . » (F. García Lorca, *Bodas de Sangre*)

_____ 3. «Tenue rey, sesgo alfil, encarnizada
    Reina, torre directa y peón ladino
    Sobre lo negro y blanco del camino
    Buscan y libran su batalla armada.»
    (J.L. Borges, *El otro, el mismo*)

_____ 4. «Ves allí, amigo Sancho Panza, donde se descubren treinta, o
    poco más, desaforados gigantes con quien pienso hacer
    batalla y quitarles a todos las vidas, con cuyos despojos
    comenzaremos a enriquecer; que ésta es buena guerra y es
    gran servicio de Dios quitar tan mala simiente de sobre la faz
    de la Tierra.
    —¿Qué gigantes?—dijo Sancho Panza.
    —Aquellos que allí ves—respondió su amo—de los brazos
    largos, que los suelen tener algunos de casi dos leguas.» (M.
    de Cervantes Saavedra, *Don Quijote de la Mancha*)

Creación

Escriba Ud. sus propias instrucciones imitando el estilo de Julio Cortázar.
Instrucciones para:

   1. levantarse de la cama
   2. comer una naranja
   3. dar un beso
   4. lavarse los dientes
   5. alcanzar la felicidad
   6. subir al cielo

¡Charlemos!

Examine el anuncio *Combinación es nutrición* con mucho cuidado y comente
con sus compañeros si sus comidas diarias contienen todos los elementos
nutritivos necesarios para una vida sana. Si Ud. es carnívoro, explique la
importancia de la carne en su dieta. Si Ud. es vegetariano, mencione las
ventajas de alimentarse principalmente con frutas y verduras.

Dé vuelta a la página para descubrir el secreto de la buena nutrición.

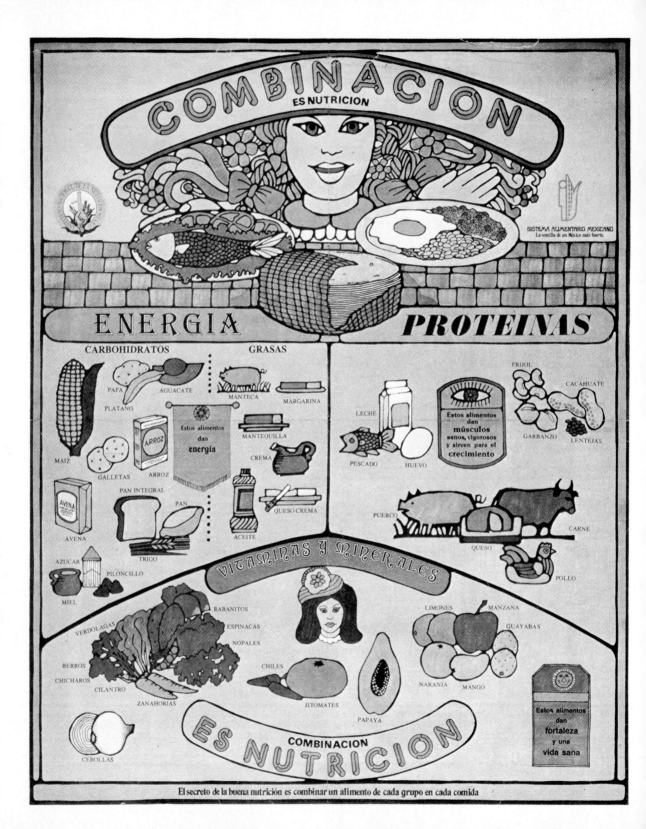

RECETAS DE LA COCINA HISPÁNICA

Un menú de verano

Una bebida:	*Sangría*
Una sopa fría:	*Gaspacho*
Una comida fría:	*Ceviche de camarones*
Un postre:	*Flan de leche*

SANGRÍA *(España)*

Ingredientes *(para 15 personas)*

1 botella de vino tinto	2 palillos de canela° (opcional)
2 tazas de jugo de naranja	5 clavos de olor° (opcional)
1 botella de limonada gaseosa°	azúcar al gusto
3 naranjas en rajas°	mucho hielo
2 limones en rajas	

- En una ponchera se colocan las frutas, la canela, el clavo de olor, el azúcar y el vino y se deja reposar por aproximadamente tres horas.
- Poco antes de servir se vierte° el jugo de naranja, la limonada gaseosa y el hielo.

limonada gaseosa *lemon soda*
rajas *slices*
palillos de canela *cinnamon sticks*
/clavos de olor *cloves*

se vierte *pour in*

GAZPACHO *(España)*

Ingredientes *(para 8 personas)*

2 libras de tomates maduros pelados
  (o una lata grande de tomates estofados°)
1 cebolla°
1 diente de ajo°
1 raja de pan seco de ½″ de ancho
1 trozo de pepino° de 2″ de ancho
3 cucharas de aceite de oliva
3 cucharas de vinagre
  sal al gusto
¾ taza de agua fría

estofados *stewed*
cebolla *onion*
diente de ajo *garlic clove*
pepino *cucumber*

- Remojar° el pan en el agua.
- Poner en una licuadora° la cebolla, el ajo, el pepino, la sal y el pan con agua. Licuarlo muy bien.
- Añadir los tomates, el aceite y el vinagre. Licuarlo nuevamente.
- Poner el gaspacho en una sopera o cuenco° bien cubierto y dejarlo en la nevera° por unas 6 horas.
- Servir en platos de sopa con trozos de pan seco y pepino.

remojar *soak*
licuadora *blender*

cuenco *bowl*
nevera *refrigerador*

CEVICHE DE CAMARONES   (Ecuador)

Ingredientes (para 8 personas)

2 libras de camarones°
2 cebollas grandes
6 limones
1 taza de aceite°
1 taza de salsa de tomate°
  sal y pimienta al gusto

- Cortar las cebollas en rodajas.
- Mezclar las cebollas con el jugo de los limones y dejarlas reposar en la
  nevera por una hora.
- Quitarles el carapacho° a los camarones y freírlos en fuego lento hasta que
  se vuelvan rojos. Dejarlos enfriar.
- Mezclar los camarones con la cebolla y el jugo de limón y añadir todos los
  demás ingredientes.
- Dejarlo en la nevera hasta el momento de servir.
- Servir en copas de champaña.

camarones *shrimp*

aceite *oil*
salsa . . . tomate
  catsup

carapacho *shell*

FLAN DE LECHE   (España e Hispanoamérica)

Ingredientes (para 8 personas)

Caramelo: 1 taza de azúcar
Flan: ¼ galón de leche
      ¾ taza de azúcar
      ⅛ cucharilla de sal
      1 cucharilla de vainilla
      6 huevos batidos

- Poner el azúcar en una olla pequeña y cocinarlo en fuego lento hasta que se
  derrita° y tome un color dorado.
- Vaciar el caramelo de azúcar caliente en un molde y esparcirlo° por los
  lados. Dejar enfriar.
- Mezclar la leche, el azúcar y la sal. Hervir por 10 minutos removiendo
  constantemente.
- Echar la leche sobre los huevos batidos, poco a poco, batiendo
  constantemente.
- Añadir la vainilla.
- Poner la mezcla en el molde acaramelado, taparlo bien y colocarlo en el
  horno sobre un recipiente con agua caliente.
- Hornear° a 325° por 1½ horas.
- Dejar enfriar. Colocar el molde en la nevera hasta el momento de servir.
- Volcar° el flan en un recipiente hondo.

se derrita *melts*
esparcirlo *spread it*

Hornear *Bake*

Volcar *Turn upside
  down*

Cuestionario

1. ¿Ha comido Ud. alguna vez algún plato típico hispánico? ¿Cuál? ¿Le gustó? ¿Cuál de las recetas que presentamos aquí le parece más interesante?
2. Se dice que los norteamericanos desayunan muy bien y almuerzan muy mal. ¿Está Ud. de acuerdo? ¿Por qué?
3. Presente a la clase su mejor receta de cocina. Explique cómo se prepara el plato, los ingredientes que usa, el tiempo que toma, la temperatura del horno y todos aquellos secretos culinarios que sólo Ud. conoce. ¡Recuerde que lo que queremos es que se nos haga agua la boca!

Las recetas de la cocina hispánica pasan en forma oral de generación en generación.

Humor *El Señor Profesor*

¡Charlemos!

1. ¿Por dónde camina el Señor Profesor?
2. ¿Qué hora será?
3. ¿Por qué buscará el Señor Profesor un restaurante?
4. ¿Qué pasa con los tres primeros restaurantes?
5. ¿Por qué no puede entrar en el cuarto restaurante? ¿Cuál es el problema? ¿la leche . . . ?

Vocabulario activo

Estudie las siguientes palabras y expresiones que aparecen en la lectura *En la misteriosa lejanía.*

Sustantivos

el aprovechamiento *utilization, exploitation*	**la lejanía** *distancia*
la búsqueda *search*	**el muro** *pared*
la cima *punto más alto*	**la ternura** *tenderness*
la fortaleza *fortress*	

Verbos

agitar mover
carecer de to lack
nutrirse alimentarse
poblar (o > ue) to populate

recoger to take in
reparar darse cuenta de
soler (o > ue) acostumbrar

Adjetivos

capaz able
alejado distante

Expresión

pasar de largo to pass by

EN LA MISTERIOSA LEJANÍA

Fernando Diez de Medina   (Bolivia, n. 1908)

Es un pueblito perdido en la vastedad° de los altiplanos.* El camino pasa
por la plaza principal, pero como ésta carece de atractivos y el paraje° se
presenta desolado, los viajeros pasan de largo. Nadie ha preguntado su
nombre. Nadie se ha interesado por los dos o tres mil habitantes que lo
5 pueblan. Para el turista ávido° de novedad y movimiento, es un sitio muerto
que nada dice a su mirada inquisitiva.

Si los viajeros se hubieran detenido un par de horas en el pueblito
habrían conocido unas huellas° de dinosaurio petrificadas en la roca. La
iglesia colonial, producto del barroco* americano, atesora° en sus muros
10 lienzos° y ornamentaciones, delicias del arte mestizo. Una caverna maravillosa,
a pocos kilómetros del villorrio,° capaz de satisfacer al espeleólogo° y al
aventurero. Cerámica finamente trabajada. Aguayos* multicolores de fuerte
urdimbre.° Habrían visto las danzas totémicas de los indígenas, exóticas de
ritmo y vestimenta,° cuya significación simbólica se pierde en el tiempo.
15 Habrían recogido los aires melodiosos y monótonos de músicas primitivas. Del
monte próximo, una leyenda. Del lago, una tradición. Y del habla poblana°
unas vetas° lingüísticas, unos modos de expresión arcaicos y exquisitos, como
solían manejar los clásicos. Aquí un organismo marino que el tiempo convirtió
en piedra; allí unos estratos° geológicos que hablan de millones de años
20 pasados; más allá una estatuilla° armoniosa que evoca civilizaciones
desaparecidas. Paleontólogos, geólogos, arqueólogos tendrían mucho que
observar. El sociólogo se nutriría de verdades nuevas, el folklorista y el esteta°
absorberían esencias jóvenes. Los campesinos se manejan° por usos e
instrumentos viejísimos. Hay un observatorio solar, allá en la cima de un cerro
25 distante, que se ignora si fue obra del Inca* o de los Kollas.* Y dos «pucaras»
o fortalezas eminentes que guardan los valles de acceso al pueblito. Y tantas
cosas más en el paraje y sus habitantes que sólo revelarían la búsqueda
inteligente y la amorosa frecuentación.

vastedad inmensi-
dad, extensión
/paraje lugar, sitio

ávido eager

huellas tracks
atesora guarda
lienzos pinturas,
cuadros
villorrio pueblo
/espeleólogo
experto en caver-
nas /urdimbre
warp /vestimenta
ropa
poblana del pueblo
/vetas minas

estratos layers
estatuilla pequeña
estatua
esteta persona que
admira la belleza
/se manejan
guían

Así son los pequeños pueblos interiores de América, de la América india,
30 de la América mestiza, de la América no transatlántica, no cosmopolita, no
desarrollada, que viven fuera del tiempo vertiginoso de yanquis y europeos.

No diré que sean cosa mayor ni mejor que las ciudades o las urbes° donde lo moderno transcurre asediado° por las incitaciones del contorno,° resistiendo las múltiples presiones del medio y de las gentes. Pero sé que
35 frente al brutal ordenamiento civilizado, basado en el número, en el aprovechamiento matemático del tiempo y del espacio, en la tensión igualadora de la técnica y las máquinas, estos oasis reducidos y alejados de arcaica geometría, guardan veneros° de ternura para el buen buscador.

urbes población /**asediado** perseguido /**contorno** alrededor

veneros fuentes

Puede llamarse Achumani, Toro-Toro, Sipesipe, Achokalla, Monterani . . .
40 Un torrente de nombres y pueblos remotos, de poética genealogía, que una diáspora secreta dispersó en la abrupta geografía del hemisferio sur.

Son tantos, tan bellos, tan diversos entre sí. Dicen que los diosecillos° comarcanos° los protegen, los esconden del mirar comercial y explotador. Tal vez un día la explosión demográfica y el progreso de las comunicaciones
45 rompan el sello° de su misteriosa lejanía.

diosecillos dioses menores /**comarcanos** de las regiones
sello *seal*

No será muy pronto. Entretanto yo exalto a «Pacha», el Dios Cósmico del Ande, la deidad más antigua y más oscura en la teogonía° andina, que dejó la imprenta° de su genio legendario en el paisaje, en la raza, en la memoria de las generaciones. Porque estas cosas, estos hechos, estas presencias escondidas
50 que apenas dejan entrever su mensaje, tienen en verdad raíces tan lejanas que la Colonia* y la República* absorbieron y modificaron sin apenas comprenderlas.

teogonía genealogía de los dioses
imprenta marca

No repares en lo excelso° ni en lo numeroso solamente. También conviene aproximarse a lo pequeño y solitario.

excelso grandioso

¿Sabía Ud. que...?

* **Los altiplanos** son extensiones en las mesetas de los Andes a gran altura sobre el nivel del mar, y rodeadas de montañas cubiertas de nieves perpetuas. La mayoría de los habitantes de estas regiones son indígenas que han conservado las costumbres y el idioma *quechua*.

* **El barroco** es el arte que imperó a fines del siglo XVI hasta la segunda mitad del siglo XVIII. En España, el estilo barroco culmina con el arquitecto y escultor José Churriguera, quien da el nombre al estilo churrigueresco. El barroco transplantado a América produjo notables ejemplares, sobre todo en las iglesias de los pueblos y ciudades que se construyeron en el siglo XVIII.

* **Aguayo** es el nombre que se da en Bolivia y el Perú a las mantas de colores hiladas y tejidas por los indígenas de los altiplanos. El aguayo se lleva a la espalda y sirve para cargar a los niños recién nacidos o para llevar cosas.

❋ **El Inca** era el gobernante del Imperio Incaico o *Tahuantinsuyo* que se extendía, dividido en cuatro regiones, por lo que hoy es Perú, Bolivia, Ecuador, Argentina y Chile. Al Inca se lo tenía por hijo del dios Sol y se lo consideraba divino. Su poder era absoluto y era él quien nombraba a su sucesor.

❋ **Kollas** eran los habitantes del Kollasuyo, una de las cuatro regiones en las que estaba dividido el Imperio Incaico. Los kollas habitaban la región cerca del lago Titicaca.

❋ **La Colonia** comprende más de tres siglos de dominio español; desde el descubrimiento de América a fines del siglo XV hasta el triunfo de las guerras de la independencia en la primera parte del siglo XIX.

❋ **La República** comienza con la formación de los países independientes a principios del siglo XIX.

Cuestionario

1. ¿Por qué no se detienen en un pueblito los viajeros que pasan por el altiplano?
2. ¿Qué habrían visto los viajeros si se hubieran detenido un par de horas?
3. ¿Por qué dice el autor que los pueblos de la América india «viven fuera del tiempo vertiginoso de yanquis y europeos»? (l. 31)
4. En los Andes se dice que los diosecillos de las comarcas esconden estos pueblitos. ¿Contra qué los protegen los diosecillos? ¿Por qué?
5. ¿Quién es «Pacha»? ¿Existe esta deidad en otros países?
6. ¿Cuál es el consejo final que le da el autor al lector? ¿Está Ud. de acuerdo con el autor que lo pequeño y solitario puede tener grandes atractivos?
7. Cuando Ud. va de turismo, ¿prefiere las grandes capitales o los pueblos pequeños? ¿Cuáles cree Ud. que son más representativas del carácter nacional de cada país? Explíquese.

Práctica de vocabulario

Estudie Ud. en la lectura anterior el significado de las palabras de la columna B. Reemplace cada palabra o expresión en letra bastardilla en la columna A por el sinónimo de la columna B.

A

_____ 1. Algunas ciudades *no tienen* atractivo para el turista.
_____ 2. El edificio tenía grandes *paredes* de cemento.
_____ 3. No *nos dimos cuenta de* que estábamos solos.
_____ 4. *Acostumbran* dar un paseo diario por el pueblo.
_____ 5. Se trata de un pueblito *distante* de la ciudad.
_____ 6. Por fin llegamos *al punto más alto* de la montaña.

B

a. muros (l. 9)
b. alejado (l. 37)
c. a la cima (l. 24)
d. suelen (l. 18)
e. carecen de (l. 2)
f. reparamos en (l. 53)

Vocabulario activo

Estudie las siguientes palabras y expresiones que aparecen en el poema *Oda a los calcetines.*

Sustantivos

el bombero *fireman* **la lana** *wool*
el fuego *fire* **la selva** *forest*
la jaula *cage*

Verbo

tejer *to weave, to knit*

Adjetivos

agudo *acute* **sagrado** *sacred*
rosado *pink* **suave** *soft*

ODA A LOS CALCETINES

Pablo Neruda (Chile, 1904–1973)

Me trajo Maru Mori
un par
de calcetines
que tejió con sus manos
5 de pastora,°
dos calcetines suaves
como liebres.°
En ellos
metí los pies
10 como en
dos
estuches°
tejidos
con hebras° del
15 crepúsculo°
y pellejo° de ovejas.

Violentos calcetines,
mis pies fueron
dos pescados
20 de lana,
dos largos tiburones°
de azul ultramarino
atravesados
por una trenza° de oro,

pastora *shepherd-ess*

liebres *hares*

estuches *cajas elegantes*

hebras *threads*
crepúsculo *dawn*
pellejo *piel*

tiburones *sharks*

trenza *braid*

25 dos gigantescos mirlos,°
dos cañones:
mis pies
fueron honrados
de este modo
30 por
estos
celestiales
calcetines.

Eran
35 tan hermosos
que por primera vez
mis pies me parecieron
inaceptables
como dos decrépitos
40 bomberos,
indignos
de aquel fuego
bordado,°
de aquellos luminosos
45 calcetines.

Sin embargo
resistí
la tentación aguda
de guardarlos
50 como los colegiales°
preservan
las luciérnagas,°
como los eruditos
coleccionan
55 documentos sagrados,
resistí
el impulso furioso
de ponerlos
en una jaula
60 de oro
y darles cada día
alpiste°
y pulpa de melón rosado.
Como descubridores
65 que en la selva
entregan el rarísimo
venado° verde

mirlos *blackbirds*

bordado
embroidered

colegiales
estudiantes

luciérnagas *fireflies*

alpiste *birdseed*

venado *deer*

al asador°
y se lo comen
70 con remordimiento,°
estiré°
los pies
y me enfundé°
los
75 bellos
calcetines
y
luego los zapatos.

Y es ésta
80 la moral de mi oda:
dos veces es belleza
la belleza
y lo que es bueno es doblemente
bueno
85 cuando se trata de dos calcetines
de lana
en el invierno.

azador *spit*

remordimiento
remorse
estiré *I stretched*
out
me enfundé me
metí, me puse

Cuestionario

1. ¿Qué le trajo Maru Mori al poeta? Describa este regalo.
2. ¿En qué aspectos son especiales los calcetines? ¿Por qué son «celestiales» (v. 32)? ¿Qué imágenes usa el poeta para comunicar lo maravilloso de los calcetines tejidos por Maru Mori?
3. ¿Por qué le parecieron «inaceptables» (v. 38) los pies del poeta?
4. ¿Por qué se compara el poeta a los colegiales, a los eruditos y a los descubridores en la selva?
5. ¿De qué están hechos los calcetines?
6. ¿Cuál es la moraleja del poema? ¿Cómo la interpreta Ud.?

Temas de reflexión

1. En su libro *Odas elementales* Pablo Neruda canta los elementos naturales como la madera, la piedra, el tomate y la alcachofa (*artichoke*). ¿Se podría decir que *Oda a los calcetines* es un canto a la lana? ¿Por qué?
2. Vuelva a leer el poema poniendo atención a las comparaciones que usa el poeta para cantar los calcetines: «suaves como liebres» (v. 6–7); «como . . . dos estuches tejidos con hebras del crepúsculo» (v. 10–15); «mis pies fueron dos pescados de lana, dos largos tiburones de azul ultramarino» (v. 18–22); «dos gigantescos mirlos, dos cañones» (v. 25–26);

«como dos decrépitos bomberos» (v. 39–40), etc. ¿Le parecen interesantes estas comparaciones? ¿Por qué? ¿Cómo funcionan en el poema?

Improvisación

Piense Ud. en un artículo que ha comprado o que alguien le ha regalado que le gusta muchísimo. Debe ser algo digno de los adjetivos que usa Neruda en su poema: «celestiales», «luminosos» o «bellos». Imitando el estilo del poeta, trate de describir a la clase su posesión favorita. Convenza a sus compañeros de que su objeto es verdaderamente algo fuera de lo común, algo digno de ser cantado en un poema.

Lección 9

Los medios de comunicación

El progreso de la civilización y el desarrollo de los medios de comunicación han caminado de la mano (hand in hand) a través de los siglos. Mientras el hombre vivía en un estado salvaje sus métodos de comunicación posiblemente fueron muy primitivos. Sin embargo, cuando se formaron las primeras comunidades fue preciso crear un lenguaje para la transmisión de ideas. Un lento proceso evolutivo desarrollado durante miles de años dio origen a las diversas lenguas.

Con el crecimiento de las comunidades surgió la necesidad de comunicarse entre las distintas regiones, y en todas las civilizaciones aparecieron corredores adiestrados que llevaban los mensajes verbalmente. Luego se usó palos con marcas especiales o cuerdas con nudos. Griegos, romanos, aztecas e incas se valieron de estos medios de comunicación.

La invención de la palabra escrita comenzó con los dibujos rudimentarios que el hombre usaba para expresar sus ideas. Las cuevas de Altamira en España contienen famosos dibujos que se han conservado por más de 10.000 años. Miles de años más tarde, con la invención del alfabeto griego, fue posible indicar los sonidos de una lengua por medio de símbolos escritos. Con la invención de la imprenta en el siglo XV comenzó la propagación de los conocimientos humanos por medio de libros y periódicos.

En el siglo XIX se abren nuevas vías de comunicación a través de tres grandes inventos: el telégrafo y el teléfono salvarían las distancias geográficas y la cinematografía revolucionaría el arte y las letras. La invención de la radio y la televisión en nuestro siglo ha hecho posible la difusión instantánea de noticias hasta los últimos rincones del mundo.

Hoy en día por medio de los múltiples medios de comunicación se puede difundir todo tipo de programas culturales, políticos, sociales y didácticos. Los medios de comunicación en masa tienen un efecto inmediato sobre el público receptor y forman la conciencia colectiva de una nación. Hay, sin embargo, una enorme discrepancia entre las posibilidades que tienen a su alcance estos medios y el uso que de ellos se ha venido haciendo. Se reprocha constantemente la falta de responsabilidad de todos los medios para con el público: la mediocridad de su producción, la política dirigida, las técnicas publicitarias para vender toda clase de productos comerciales y el uso de la violencia para fines de diversión. ¿Qué se debe difundir? ¿Cuáles serían los mejores programas de televisión? ¿las películas más apropiadas? ¿los artículos más responsables? En Hispanoamérica, especialmente, hay cierta objeción a la excesiva influencia de las emisiones norteamericanas, en la medida en que el cine y la televisión han pasado a ser los promotores de la industria, el modo de vida y la política norteamericana.

Las selecciones que presentamos en esta sección han sido tomadas de periódicos, revistas y libros hispánicos. Presentan un ejemplo de los diferentes medios: la escritura en Aceleración de la historia; los correos y telégrafos en Anónimo y El telegrama; la televisión en Mafalda y la TV y el cine en Cantinflas: Príncipe mexicano de la comedia.

Vocabulario activo

Estudie las siguientes palabras y expresiones que aparecen en la lectura
Cantinflas: Príncipe mexicano de la comedia.

Sustantivos

el alcalde *mayor*	**el hombro** *shoulder*
el bigote *moustache*	**la manga** *sleeve*
la cuadra *block* (de casas)	**el payaso** *clown*
el cuello *neck*	**el pulgar** *thumb*
el día feriado *holiday*	**la risa** *laughter*
la función *performance*	**la tintorería** *dry cleaners*

Verbos

atar *to tie*	**derramar** *to spill*
atraer *to attract*	**empujar** *to push*
brindar beber a la salud de	**otorgar** *to grant*
cargar llevar	**sostener** mantener

Adjetivos

disfrazado *disguised*	**torpe** *clumsy*
espantoso que produce miedo	**travieso** *mischievous*

Expresiones

al igual que *just like*	**a pesar de** *in spite of*
apenas *hardly*	**dar la vuelta** *to turn* (around)

«En la América latina las películas de Cantinflas
recaudan más dinero que ninguna otra.»

CANTINFLAS: PRÍNCIPE MEXICANO DE LA COMEDIA

Ron Butler

Hace poco, en un elegante restaurante de Nueva York, el artista del cine mexicano, Mario Moreno, cenaba con unos amigos con motivo de° un premio que el alcalde le otorgaba por sus obras humanitarias. Su presencia apenas hizo impresión en los otros comensales,° pero en la cocina había un revuelo°
5 tremendo porque los empleados, en su mayoría de origen hispano, se empujaban para poder ver a quien muchos millones de personas conocen por Cantinflas, el actor cómico más querido del mundo hispano.

    Antes de irse del restaurante, Moreno, alias Cantinflas, dándose cuenta de la conmoción que causaba, fue a la cocina y durante media hora se cayó,
10 olió, brindó, dejó caer tapas de ollas,° se quemó los dedos y lloró sobre algunas cebollas.

    En la América Latina sus películas recaudan° más dinero que ninguna otra, nacional o extranjera. La mayoría del público estadounidense sólo lo conoce como el ingenioso criado en *La vuelta al mundo en ochenta días* o
15 como el travieso protagonista de *Pepe*. No hay actor más venerado en la América Latina. En las últimas elecciones mexicanas obtuvo más de dos mil votos aunque no era candidato en ninguna lista electoral. Los niños en sus juegos imitan su manera desgarbada° de andar y de mover los hombros, mientras los padres, tanto en hoteles elegantes como en pequeñas cantinas,°
20 se ríen y repiten su último chiste sobre alguna importante figura de la política.

    En la Ciudad de México, un mural de media cuadra de largo por Diego Rivera* honra a los héroes de la historia de México. Allí Cantinflas es, otra vez, figura central. Los días feriados, los limpiabotas° que van por las calles importantes de la ciudad a menudo se visten y gesticulan como Cantinflas
25 para atraer clientes. Cuando Moreno aparece en público, el Gobierno obliga a las casas de empeño° a cerrar, de manera que los pobres no puedan empeñar° lo poco que tienen para asistir a su función.

    ¿Qué lo hace tan popular? En las películas, Cantinflas es un vagabundo callejero,° triste y harapiento,° que lleva los pantalones, atados con una
30 cuerda, a punto de caérsele. Viste con un estropeado° sombrero de fieltro,° una desteñida° camiseta de mangas largas que le produce comezón° y un chaleco° apolillado° que trata con sumo cuidado y respeto. Su ropa imita vagamente la de los cargadores mexicanos, tan mal pagados. Se pinta la pensativa cara morena de blanco alrededor de la boca y se acentúa los ojos.
35 Su pequeño bigote a cada lado del labio superior, aparentemente pintado con betún° para zapatos, es tan característico del personaje como su famosa vestimenta,° que no ha sufrido cambios en cuarenta años. («Naturalmente», dice él, «la mando a la tintorería de tanto en tanto.»)

    Cuando habla, sus palabras son a menudo una jerigonza° atolondrada,°
40 morcillas entrecortadas,° insinuaciones y palabras inexistentes o

con . . . de a causa de

comensales compañeros de mesa /**revuelo** uproar

tapas de ollas pot lids

recaudan earn

desgarbada sin elegancia /**cantinas** tabernas

limpiabotas shoeshine boys

casas de empeño pawnshops /**empeñar** pawn
callejero loiterer /**harapiento** tattered /**estropeado** deteriorado /**fieltro** felt /**desteñida** faded /**que . . . comezón** that itches him /**chaleco** vest /**apolillado** motheaten /**betún** shoe polish /**vestimenta** ropa
jerigonza gibberish /**atolondrada** giddy /**morcillas entrecortadas** faltering gags

despiadadamente° mal pronunciadas. El verbo «cantinflear» significa hablar mucho y decir poco, mientras su nombre es sinónimo de payaso simpático.

despiadadamente *unmercifully*

Según un amigo, Cantinflas siempre hace de bueno,° de pobre infeliz. Eternamente está tratando de ayudar a alguien, cuando es él quien más 45 necesita de ayuda. Sin embargo, nunca la pide.

hace . . . bueno *actúa como un buen hombre*

El humor de Cantinflas tiene mucho del patetismo de Chaplin. Al igual que éste, Cantinflas es un pantomimo. Usa las manos, los ojos y las piernas con la misma perfecta coordinación. Gesticula con las manos que invariablemente sostienen un cigarrillo de larga ceniza.° Camina con una deliberada curvatura 50 del espinazo° y un contoneo° pomposo que contrasta decididamente con los harapos° que lleva y su personalidad de marginado. La movilidad de las caderas,° en conflicto con la rigidez del resto del cuerpo, acentúa su andar. Cantinflas parece caminar en dos direcciones a la vez.

ceniza *ash*

espinazo *spine* /contoneo *waddle* /harapos *rags* /caderas *hips*

Pero, mientras Chaplin fue actor de la frustración, Cantinflas es actor del 55 triunfo. De algún modo, a pesar de sus múltiples equivocaciones, consigue sobreponerse° a sus espantosos apuros.° Hay una comedia en que hace de camarero bien intencionado, pero torpe. Derrama sopa en el cuello de un ministro de gabinete,° mete el dedo pulgar en el puré de papas de una matrona elegante y, al dejar caer su bistec al suelo, lo recoge con manos 60 mugrientas.° Aún así, su restaurante prospera.

sobreponerse *dominar* /apuros *problemas* /gabinete *cabinet*

mugrientas *sucias*

La mayoría de los mexicanos se identifican, o identifican a otras personas, con este personaje disfrazado de cargador. Sus problemas son tan tremendos que los de ellos parecen pequeños en comparación. El humor tiene antecedentes extraños: penas, desgracias, hostilidad, miedo. A través de una 65 caracterización sencilla y simpática, Cantinflas puede transmutar estas emociones, darles la vuelta y hacer que la gente llore de risa.

Américas, Washington, D.C. (adapted.)

¿Sabía Ud. que...?

* **Diego Rivera** (1886–1957) fue un muralista mexicano que expresó en forma práctica los sucesos, ideas y esperanzas del pueblo mexicano. Como pintor se caracterizó por encontrar la belleza en las máquinas y sus trabajadores. La obra de Rivera es muy amplia. Entre sus murales más famosos se cuentan los del Palacio Nacional en la capital mexicana, los del Palacio de Cortés en Cuernavaca y los de la Escuela de Agricultura en Chipango. En los Estados Unidos hay murales de Rivera en San Francisco, Detroit y Nueva York.

Cuestionario

1. ¿Quién es Mario Moreno, alias Cantinflas? ¿Por qué le otorgó un premio el alcalde de Nueva York? ¿Cómo explica Ud. el hecho que los empleados de la cocina conocían a Cantinflas pero no los clientes del restaurante?
2. ¿Qué evidencia nos da el autor de este artículo para demostrar que Cantinflas es el «actor más venerado en la América Latina»?
3. ¿Quién es la figura central en un cuadro de Diego Rivera en la Ciudad de México? ¿Por qué obliga el gobierno a las casas de empeño a cerrar cuando Moreno aparece en público?
4. Describa Ud. a Cantinflas. ¿Cómo se viste?
5. ¿Cómo es el habla de Cantinflas? ¿Qué quiere decir el verbo «cantinflear»?
6. ¿Con qué actor inglés puede compararse Cantinflas? ¿En qué se parecen los dos actores? ¿En qué difieren?
7. ¿Por qué se identifica la mayoría de los mexicanos con Cantinflas?

Práctica de vocabulario

Estudie Ud. en la lectura anterior el significado de las palabras o expresiones de la lista, y después complete las oraciones con la palabra o expresión apropiada.

mangas (l. 31)   día feriado (l. 23)
a pesar de (l. 55)   empujar (l. 6)
función (l. 27)   apenas (l. 3)
payaso (l. 42)   alcalde (l. 3)

1. _____ su origen humilde Cantinflas llegó a ser un gran actor.
2. Aunque se vistió de _____, su ropa extraña _____ impresionó a sus compañeros.
3. En verano llevamos camisas de _____ cortas.
4. El 16 de septiembre es un _____ en México porque se celebra la independencia del país.
5. Había un letrero que decía: «Sírvase _____ la puerta.»
6. El _____ de esta ciudad es un hombre muy activo políticamente.
7. Apresurémonos para llegar al cine. La _____ comienza a las nueve y ya son las ocho y media.

Puntos de vista

1. Mario Moreno nació en un barrio pobre pero respetable de la Ciudad de México. Era el sexto hijo de una familia de doce varones y tres hembras. De niño, fue limpiabotas. ¿Cree Ud. que su origen humilde tiene algo que ver con su humor? ¿con sus obras humanitarias?
2. Después de leer este artículo sobre Cantinflas, ¿le gustaría ver una de sus películas? Explique su respuesta.

Improvisación

Imagínese que Ud. es un crítico para una de las redes nacionales de la televisión. Haga un reportaje sobre:

- una película de terror
- una película de aventuras
- una película de misterio
- una película musical
- una película cómica
- una película de ciencia ficción

Cite lo bueno y lo malo de la película y de acuerdo con su criterio califíquela: (a) apta para todo público; (b) no apta para menores de 18 años; (c) prohibida para menores; (d) sólo para mayores. Dé sus razones.

¡Charlemos!

¿Quién soy? Su instructor(a) preparará etiquetas con los nombres de varios actores y actrices conocidos y las pegará a las espaldas de cada estudiante. Haciendo preguntas a sus compañeros de clase, Ud. tendrá que adivinar quién es Ud.

Humor   MAFALDA y la TV

atrofiar *atrophy*

Puntos de vista

1. ¿Qué sugieren estas dos tiras cómicas sobre la televisión? En la primera, ¿qué se pregunta Mafalda mientras camina? ¿Qué ve en la calle, y qué se imagina al verlo? ¿Adónde se siente transportada la niña en su imaginación? Mafalda no lo dice explícitamente, pero ¿cuál sería su respuesta a la pregunta, «¿Atrofia la televisión la imaginación de los chicos?»
2. En la segunda historieta, ¿qué ve Guille, el hermano de Mafalda, en la pantalla? ¿Por qué le ofrece su chupete?
3. ¿Cómo influye la televisión en los niños? ¿Pueden ellos distinguir entre lo real y lo que ven en la pantalla? ¿Qué tipo de programación es buena/mala para los chicos?
4. De niño (-a) ¿veía Ud. mucha televisión? ¿Qué clase de programas le gustaban? ¿y ahora? ¿Hasta qué punto cree Ud. que la televisión ha influido en su personalidad, sus deseos, su visión del mundo?

Vocabulario activo

Estudie las siguientes palabras y expresiones que aparecen en la lectura *El telegrama*.

Sustantivo

el timbre *doorbell*

Verbos

apoyar *to lean against, to support*
enterarse (de) *to find out about*

reñir (e > i) disputar, pelear
tratarse llevarse bien (con alguien)

Adjetivos

anticuado *old-fashioned*

grueso *thick*

Expresiones

a eso de más o menos
estar equivocado *to be wrong*

menos mal *fortunately*

EL TELEGRAMA

Noel Clarasó

Dicen que un telegrama es una noticia que manda uno que tiene mucha prisa, que lleva otro que tiene mucha menos, y que recibe un tercero que no tiene ninguna. Todo esto, algunas veces, es cierto. Y también lo es que existen seres humanos con una sensibilidad especial a quienes un telegrama recién llegado
5 les impresiona tanto que se les pone la carne de gallina.°

se ... gallina *they get goose bumps*

Lo digo porque esto es lo que a mí me pasa. Nunca he pensado que nadie se moleste en darme una buena noticia por telegrama y así hacerme un poco más feliz.

Si yo trabajara como repartidor° en Correos o en Telégrafos, me gustaría 10 llevar cartas con buenas noticias dentro. Y los telegramas me daría reparo° llevarlos. Preferiría abrirlos yo, enterarme de la mala noticia y darla de palabra, despacio. Empezaría así:

—No se preocupe, no es nada grave, que no tenga remedio. Se trata de que . . . etc.

15 Yo, antes de abrir un telegrama, paso un mal rato. Me dan miedo, como una aprensión. Sobre todo desde aquella vez, hace años. Lo cuento tal como lo recuerdo, quizás exagerándolo un poco, como de costumbre.

Yo vivía entonces en una calle con casitas todas de una sola planta,° en un suburbio* de la ciudad. Una noche llegué a mi casa a eso de la una. Vi a 20 un hombre junto a la puerta del número 18 y una bicicleta apoyada en la pared. Yo vivía en el número 16. Me picó la curiosidad° y me acerqué a ver. El hombre era el ciclista de los telegramas. Estaba impaciente y me habló en seguida:

—Es un telegrama para esta casa. Hace ya diez minutos que estoy 25 llamando y no me contestan.

En el número 18 vivía un señor solo, don Agapito. Un viudo° sin hijos, gruñón insoportable,° mal amigo, mal vecino, tipo raro, agresivo, pendenciero.° Conmigo no se trataba. Reñimos a los quince días de vecindad.

—Llame más fuerte.

30 —¿Cómo? Le estoy dando al timbre.

—El inquilino° duerme en la parte de atrás. Llame a porrazos.°

—¿Con qué?

Menos mal que yo llevaba bastón.° Lo cedí° al hombre de los telegramas. Y él decidido, aporreó° la puerta con mi bastón. Era una puerta 35 sólida, de madera. Se abrió una ventana de la casa vecina y una voz preguntó:

—¿Qué pasa?

—Un telegrama para don Agapito. Se ve que no ha oído el timbre, ni los golpes a la puerta.

El vecino bajó a ayudarnos con un bastón más grueso que el mío. Y 40 porrazo va, porrazo viene sobre la puerta cerrada. Por fin se abrió y apareció don Agapito en camisón de noche. Era anticuado y no usaba pijama. Yo le grité:

—¡Un telegrama! ¡Que tiene usted un telegrama! Y no ha oído usted el timbre. Menos mal que ha oído los porrazos.

45 Don Agapito, sin ni contestarme, cogió el telegrama y, como es natural miró el nombre de la persona a quien iba dirigido. Y don Agapito me gritó una palabra que no me atrevo a repetir. Arrugó° el telegrama y me lo lanzó a la cara, al tiempo que vociferaba:°

—¡Me la pagará! ¡Me la pagará!

---

repartidor *mailman*

reparo aprensión

planta piso

Me . . . curiosidad
It aroused my curiosity

viudo *widower*
/**gruñón insoportable** *unbearable grumbler* /**pendenciero** *quarrelsome*

inquilino *tenant* /**porrazos** golpes

bastón *cane* /**cedí** entregué /**aporreó** golpeó

Arrugó *He crumpled* /**vociferaba** gritaba

50   Desarrugué° el telegrama y leí el nombre del destinatario.° Era mi
nombre. El telegrama era para mí. Pero el número de la casa estaba
equivocado. En fin, que no hubo forma humana de reanudar° la amistad con
don Agapito en los siete años que duró nuestra vecindad. Hace de esto
muchos años. Si don Agapito todavía vive, le pido perdón desde aquí.

desarrugué *I un-
wrinkled* / **destina-
tario** *addressee*
/ **reanudar**
continuar

Destino, España (Adaptado)

¿Sabía Ud. que...?

* **El suburbio** es una población en los alrededores de la ciudad en la que generalmente vive
gente de pocos medios económicos. **El barrio** es una de las zonas en las que se dividen las
ciudades.

«*Si yo trabajara como repartidor de Correos o en Telégrafos,
me gustaría llevar cartas con buenas noticias dentro.*»

Cuestionario

1. ¿Por qué se define un telegrama como «una noticia que manda uno que tiene mucha prisa, que lleva otro que tiene mucha menos y que recibe un tercero que no tiene ninguna»? (ll.1–3)
2. Según el escritor, ¿qué les sucede a los seres humanos que tienen una sensibilidad especial cuando reciben un telegrama?
3. ¿Qué tipo de mensajes le gustaría llevar al narrador si trabajara como repartidor de Correos?
4. ¿Dónde vivía el narrador hace muchos años? ¿Qué sucedió una noche que llegó a su casa a eso de la una? ¿Qué le dijo el ciclista de los telegramas?
5. ¿Quién vivía en el número 18? Describa Ud. al inquilino.
6. ¿Qué le dio el narrador al hombre de los telegramas para despertar a don Agapito? ¿Cómo les ayudó un vecino?
7. Cuando don Agapito finalmente abrió la puerta, ¿qué hizo? ¿Para quién era el telegrama? ¿Qué había sucedido?
8. ¿En qué ocasiones envía Ud. telegramas? ¿Ha recibido Ud. uno?
9. ¿Recuerda Ud. quién inventó el sistema telegráfico? ¿y las primeras famosas palabras que se transmitieron?

Práctica de vocabulario

¿Puede ser o no?

1. Mi vecino estaba equivocado cuando me acusó del robo.
2. Estaba furioso cuando se enteró de que su hijo apoyaba al candidato del partido opuesto.
3. Reñimos con el timbre porque no nos contestaba.
4. Llegaron a eso de las nueve de la noche.
5. Es sabido que los perros y los gatos se tratan bien.

Creación

A. *Escriba Ud. un telegrama a un pariente o a un amigo dando una buena noticia.*

B. *Escriba un telegrama anunciando un hecho extraordinario. Ejemplo:*

CARMIÑA DIO A LUZ QUINTILLIZOS PUNTO MADRE E HIJOS ENCUENTRANSE PERFECTA SALUD PUNTO PADRE RECIBE ATENCION MEDICA DEBIDO ATAQUE NERVIOS

C. *Haga Ud. un informe sobre uno de los siguientes medios de comunicación:*

1. *Las torres de señales*
   a. Su origen
   b. El papel que desempeñaron en el imperio romano
   c. Su uso en los barcos de guerra
   d. Su uso en los aereopuertos

2. El sistema postal
   a. El papel que desempeña la palabra escrita en la historia de la comunicación
   b. ¿Cuándo comenzaron los primeros dibujos de que se valía el hombre para expresar sus ideas?
   c. La invención del alfabeto, la imprenta, los libros y demás material impreso
   d. La evolución del sistema de correos

3. Los semáforos
   a. ¿Quién inventó el semáforo?
   b. ¿Cómo fueron los primeros semáforos?
   c. Su uso en la época moderna

4. El teléfono
   a. ¿Quién fue Alexander Graham Bell (1847–1922)?
   b. ¿Cuándo se establecieron las comunicaciones transatlánticas?
   c. La necesidad de los teléfonos hoy en día

5. Otros medios de comunicación
   a. La radiodifusión
   b. El radar
   c. El lenguaje

Humor

"Por favor mantente en sintonía, que ahora te va a hablar mi hermano Pepito".

mantente en sintonía *stay tuned in*

¡Charlemos!

1. ¿Por qué está de rodillas la niña? ¿A quién se dirige?
2. ¿Por qué cree Ud. que habla a Dios en términos técnicos?
3. ¿Le parece que el lenguaje técnico está invadiendo el hogar? ¿Podría citar algunos ejemplos?
4. ¿Le sorprende a Pepito la oración de su hermana?

Vocabulario activo

Estudie las siguientes palabras y expresiones que aparecen en la lectura *Anónimo*.

Sustantivos

la amenaza *threat*	la letra *handwriting*
la caja (cajita) *(small) box*	el mecanógrafo *typist*
el cartel *poster*	el perfil *profile*
la culebra *serpiente*	la propaganda *advertisement*
la lata *tin can*	los rasgos (*pl.*) *features*

Verbos

adivinar *to guess*	encender (e > ie) *to turn on*
acudir *ir*	hallarse *encontrarse*
asombrar *sorprender*	tardar (en) *to take time*
aterrar *espantar, horrorizar*	trepar *to climb*
atreverse (a) *to dare to*	vigilar *to watch*
compartir *to share*	

Adjetivo

cotidiano *daily*

Expresiones

a la vez *at the same time*	no quedarle más remedio *to have no choice but to*
frente a *across from*	por último *lastly*
no obstante *nevertheless*	sacar a relucir *to bring to light*

.

ANÓNIMO

Esther Díaz Llanillo   (Cuba, n. 1934)

Aquella mañana se levantó temprano y, sin calzarse,° casi dormido, avanzó hacia la cocina hambriento.°

Era la suya una habitación peculiar: vivía en una buhardilla,° al final de una larga escalera que trepaba por la parte posterior de la casa, como una
5 culebra; los peldaños° eran tan estrechos que uno temía haber sobrepasado° las proporciones normales de un ser humano, pues podía resbalar° y caerse con suma° facilidad; por otra parte, la escalera vibraba sospechosamente° a cada paso, y esto, unido a la insegura barandilla° de hierro, hacía pensar que la vida del que se atrevía a utilizarla se hallaba en constante peligro. Como el
10 cartero no compartía estos arrestos,° ni por vocación de su oficio, solía dejarle la correspondencia junto al primer apartamento de la planta baja° del edificio, en una cajita de madera incrustada en la pared.

calzarse ponerse los zapatos /hambriento con mucha hambre /buhardilla garret

peldaños steps /sobrepasado excedido /resbalar slip /suma muchísima /sospechosamente suspiciously /barandilla railing /arrestos determinación, valor /planta baja ground floor

Le gustaba vivir allí, donde nadie lo molestaba, ni ruidos ni personas. No me atrevía a asegurar que aquello pudiera considerarse un hogar en el sentido
15 exacto de la palabra: un cuadrilátero aprisionado° entre cuatro paredes; dentro de él, a la izquierda de la puerta, otro cuadrilátero más pequeño hacía de° baño en condiciones tan reducidas que nos asombraba que cupiera en él un ser humano. Al final de un rectángulo, con pretensiones de corredor, estaba la sala-cuarto-cocina. De primera intención,° lo que se percibía era una
20 hornilla° eléctrica sobre una mesa donde se amontonaban platos, cubiertos, un vaso, una taza con lápices, un portarretrato° con el asombroso perfil de Michele Morgan y una fina capa° de polvo de varios días. La cama era a la vez sofá. En las paredes de madera había fotografías de otras actrices, un cartel de propaganda y programas de teatro.
25 Cuando me dieron aquella noticia de él, traté de reconstruir los hechos colocándome en su lugar; me basé en lo que pude adivinar de él en tan poco tiempo, pues trabajamos juntos en la misma oficina durante cuatro meses, ambos como mecanógrafos, y no creo que este trabajo nos diera grandes oportunidades de conocernos. Sin embargo, creo poder reconstruir lo que
30 pasó en aquellos días . . .
Esa mañana se levantó temprano, según dije. Al encender la hornilla para calentar el café le asombró descubrir un pequeño sobre blanco debajo de la puerta. Le extrañó° que alguien se hubiera tomado el trabajo de subirlo hasta allí. Cogió el sobre y leyó: «Sr. Juan Ugarte Ruedas», escrito a mano, con
35 una letra temblorosa e irregular. Inmediatamente rompió uno de los extremos y extrajo la carta, que decía con la misma letra del sobre: «Nombre: Juan Ugarte Ruedas. Edad: 34 años. Señas:° Una pequeña marca tras la oreja derecha, producto de una caída cuando niño. Gustos: Prefiere leer al acostarse; suele tardar en dormirse imaginando todas las peripecias de un viaje
40 a Francia que en realidad no puede costear.° Detalle: Ayer, alrededor de las once P.M., se cortó levemente el índice° de la mano derecha tratando de abrir una lata de conservas. Anónimo.» Aquello le intrigó. ¿Qué propósito podía perseguir quien le mandaba la carta, que por ende° le jugaba la broma de firmarla Anónimo, como si ya no fuera evidente que se trataba de un
45 anónimo? Por otra parte, ¿cómo sabía Anónimo todos aquellos detalles de su vida? Su primera preocupación fue averiguar si le había contado a alguien esos detalles; no lo recordaba.
En éstas y otras cavilaciones° pasó toda la jornada,° salvo las horas de oficina y de almuerzo, pues tenía la costumbre de ser reservado con todos,
50 hasta consigo mismo, cuando estaba con los demás. Por la noche, como es lógico, reanudó° estos pensamientos y llegó a la conclusión de que recibiría otro algún día, quizá más pronto de lo que esperaba; tuvo un sueño intranquilo y por primera vez se olvidó de su viaje a Francia antes de dormirse.
55 Al día siguiente, octubre 13, recibió otra carta misteriosa. Como la anterior, venía fechada y escrita con letra irregular y nerviosa; decía: «Padre:

aprisionado cerrado
hacía de servía de

de . . . intención a primera vista /**hornilla** *stove* /**portarretrato** *picture holder* /**capa** *cover*

extrañó sorprendió

señas (*identifying*) *marks*

costear pagar
índice *index finger*

por ende por lo visto, por eso

cavilaciones pensamientos /**jornada** día

reanudó empezó de nuevo

Regino Ugarte, cafetero.° Madre: Silvia Ruedas, prostituta. El primero ha muerto; la segunda huyó del hogar cuando usted tenía nueve años y se dio a la mala vida; usted desconoce° su paradero° y no le interesa saberlo.

60 Educación: autodidacta° desde los quince años. Preocupaciones: Teme que los demás lean sus pensamientos. Anónimo.»

Durante varios días estuvo recibiendo comunicaciones de Anónimo que revelaban detalles de su pasado, de su vida cotidiana y de sus procesos mentales que sólo hubiera podido saber él mismo o alguien que tuviera

65 poderes extraordinarios. Esto no le aterraba, sino el pensar que en realidad aquel hombre estuviera empleando algún procedimiento simple y directo para saberlo, es decir, que lo vigilara constantemente.

Las cartas de Anónimo empezaron por adivinar sus deseos y luego descubrieron sus preocupaciones, sacaron a relucir su pasado y quizá

70 aventurarían su futuro, lo cual lo intranquilizó. Frases como «ayer no pudo dormir en casi toda la noche», «esta mañana, durante el almuerzo, estuvo a punto de contárselo todo a su amigo, pero se detuvo pensando que él fuera el remitente»,° «ha decidido usted no abrir más estas cartas, pero no puede dejar de hacerlo, ya ve, ha abierto la de hoy», «su trabajo estuvo deficiente ayer, no

75 cesa de pensar en mí»; eran para sobresaltar a cualquiera. Finalmente, Anónimo envió en tres cartas seguidas este mismo mensaje: «Usted teme una amenaza»; al cuarto día lo varió por la «la amenaza está al formularse»; y después por «sé que ha dejado de leer mis cartas durante varios días; ésta es la penúltima; por tanto,° la leerá; mañana sabrá cuál es la amenaza. Anónimo».

80 Por último, pensó que no tenía el valor suficiente para leer la última carta, pero el deseo de saber en qué consistía la amenaza y la esperanza de que al saberla podría escapar de ella lo llevaron a abrirla y leyó: «Morirá mañana. Anónimo.»

Al finalizar el mensaje llegó a la conclusión de que no le quedaba más

85 remedio que acudir a la Policía, pues no sabiendo en qué condiciones moriría, ni dónde, ni cuándo, no podría evitar el hecho. Llevó los anónimos a la Estación de Policía y fue cuidadosamente vigilado. Siguió trabajando como si nada hubiera sucedido, y por la noche, a eso de las ocho, llegó a la casa.

Sabía que estaba bien protegido, no podía temer nada, salvo la pérdida

90 de su soledad, pero por poco tiempo, hasta que se descubriera el autor de los anónimos; después sería nuevamente independiente y feliz.

Se acostó más tranquilo; tardó un poco en dormirse, quizá planeó otra vez el viaje a Francia. Al día siguiente apareció muerto frente a su cuarto, la puerta abierta, el cuerpo atravesado° en el umbral,° un sobre abierto junto a

95 él y una carta ensangrentada° en la mano derecha. La única palabra visible era «ya», y después: «Anónimo.» Tenía abiertas las venas del brazo, la sangre había rodado° por los escalones.° Nadie la había visto hasta que el vecino de los bajos notó el largo hilillo° rojo bajo sus zapatos.

Se hicieron múltiples indagaciones° sin resultados positivos. No obstante,

100 por sugerencia mía, se ha comparado la letra de Anónimo con la del muerto: coinciden en sus rasgos esenciales.

cafetero dueño de un café

desconoce ignora /**paradero** where-abouts /**autodidacta** self-taught

remitente el que enviaba las cartas

por tanto as such

atravesado across /**umbral** threshold /**ensangrentada** bloody /**rodado** run /**escalones** steps

hilillo thread (of dripping blood) /**indagaciones** investigaciones

Cuestionario

1. Describa Ud. la vivienda del personaje principal. ¿En qué sentido es «peculiar»? ¿Por qué describe la autora la escalera con tantos detalles? ¿Por qué es importante saber que el acceso a la habitación es tan difícil?

2. ¿Por qué le gustaba vivir allí? ¿Qué clase de hombre era el personaje principal?

3. ¿Por qué dice el narrador que la habitación no es un hogar en el sentido exacto de la palabra? ¿Qué sugiere la descripción de la habitación sobre su inquilino (*tenant*)?

4. ¿Cómo había conocido el narrador al personaje principal? ¿Qué importancia tiene para la narración el hecho que el narrador hubiera conocido al protagonista?

5. ¿Qué encontró el personaje principal debajo de la puerta la mañana que se levantó temprano? ¿Por qué se sorprendió?

6. ¿Qué decía la carta? Describa Ud. la letra con que fue escrita. ¿Cómo estaba firmada?

7. ¿Qué decía la segunda carta? ¿Tiene algo que ver el hecho que la recibiera el 13 del mes? ¿Encuentra Ud. que es irónica la última frase: «Preocupaciones: Teme que los demás lean sus pensamientos.» (ll. 60–61)

8. Describa Ud. la progresión del contenido de las cartas. Las frases citadas, ¿se parecen más a anotaciones en un diario o a cartas amenazadoras?

9. ¿Cómo crea la autora el suspenso al final? ¿Qué mensaje llevaban las últimas cartas? ¿Cómo reaccionó el protagonista a la última?

10. Describa Ud. la escena final. ¿Cómo murió el Sr. Juan Ugarte Ruedas?

11. ¿De qué nos damos cuenta al final? ¿Quién era el que firmaba «Anónimo»?

Práctica de vocabulario

Estudie Ud. en la lectura anterior el significado de las palabras o expresiones de la columna B. Reemplace cada palabra o expresión en letra bastardilla en la columna A por el sinónimo de la columna B.

A	B
_____ 1. Al despertar, *se encontró* en un campo de flores.	a. a la vez (ll. 22–23)
_____ 2. Del análisis de su *escritura* deducimos que Ud. no es el criminal.	b. no obstante (l. 99)
	c. letra (l. 35)
_____ 3. No se debe comer y hablar *al mismo tiempo*.	d. me asombra (l. 17)
_____ 4. *Subieron* a la montaña.	e. treparon (l. 4)
_____ 5. Ha cometido un error. *Sin embargo,* es un hombre inteligente y honrado.	f. se halló (l. 9)
	g. acudieron (l. 85)
_____ 6. *Fueron* al parque para ver el concierto.	
_____ 7. *Me sorprende* lo mucho que sabe para su edad.	

Temas de reflexión

1. ¿Cómo interpreta Ud. el cuento? ¿Es simplemente un cuento de horror? ¿Podría ser un retrato psicológico del personaje principal? ¿o le parece más una crítica de la impersonalidad de la sociedad moderna? Explique su respuesta.
2. Imagínese Ud. los motivos que tuvo el Sr. Juan Ugarte Ruedas para suicidarse de una manera tan extraña. ¿Cómo explicaría Ud. el hecho de que no parecía saber que era él mismo el que escribía las cartas?

Creación

Ud. es periodista para un diario regional. Escriba un artículo corto para su periódico relatando los sucesos principales en el caso del señor Juan Ugarte Ruedas. Incluya entrevistas con el vecino que descubrió el cuerpo y con el narrador del cuento, su compañero de trabajo.

Adivinanzas

1. Forman las hojas mi ser, produzco frutos invisibles, y hay muchos que me devoran, aunque no soy comestible. ¿Qué soy?

2. Al comenzar mi trabajo voy con gran velocidad, y por mucho que me apure, tengo que volver para atrás. ¿Qué soy?

Respuestas: 1. un libro 2. una máquina de escribir

¡Charlemos!

Háganos una adivinanza o cuéntenos su chiste favorito . . . en español, por supuesto.

ACELERACIÓN DE LA HISTORIA

José Emilio Pacheco   (México, n. 1939)

Escribo unas palabras
          y al minuto
ya dicen otra cosa
           significan
5 una intención distinta
           son ya dóciles
al Carbono 14*
         Criptogramas
de un pueblo remotísimo
10   que busca
la escritura en tinieblas°

tinieblas *darkness*

✳ El **carbono 14** es un isótopo del elemento carbono que se usa en las investigaciones científicas para determinar la edad de especímenes arqueológicos.

Temas de reflexión

1. ¿Qué tipo de experiencia está tratando de comunicar el poeta? ¿Por qué cree Ud. que cambian el significado o la intención de las palabras que escribe?
2. ¿Qué efecto produce la introducción en el poema del término científico «Carbono 14»? ¿Cómo interpreta Ud. que las palabras «son ya dóciles al Carbono 14» (v. 6–7)?
3. ¿Qué son los criptogramas? ¿Por qué dice el poeta que son de un pueblo muy remoto?
4. Examine Ud. los últimos versos. ¿Por qué, según el poeta, sus palabras son «Criptogramas / de un pueblo remotísimo / que busca / la escritura en tinieblas?» (v. 8–11) ¿Cómo interpreta Ud. la búsqueda de la escritura? ¿las tinieblas?
5. ¿Qué significa para Ud. el título del poema?

¡Charlemos!

¿Ha tenido Ud. alguna vez una experiencia parecida a la del poeta, en la que algo que ha escrito o dicho le parece totalmente ajeno o extraño? ¿Hay algo inherente en el acto de escribir que nos distancia de nosotros mismos? ¿Recuerda Ud. la primera vez que oyó su voz grabada? ¿La reconoció?

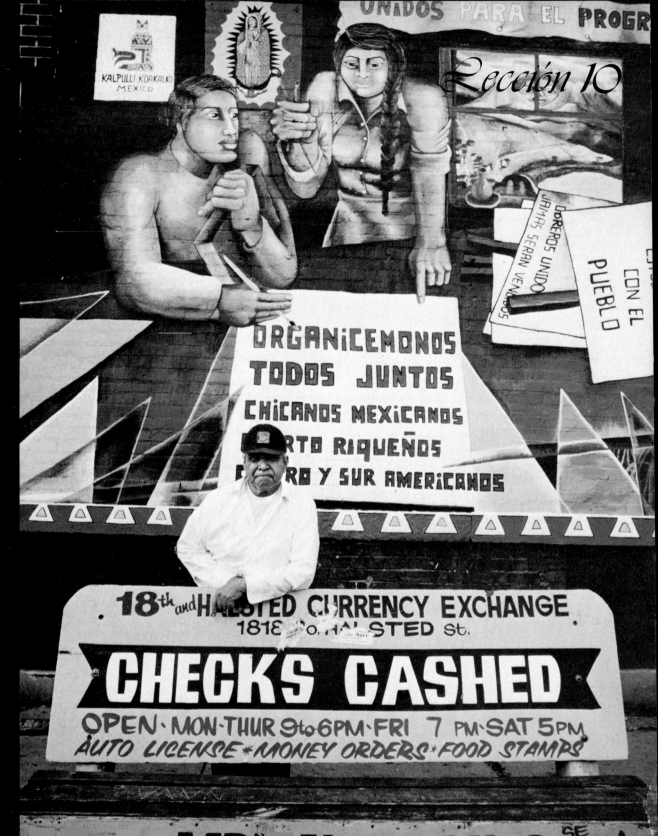

La identidad hispánica en los Estados Unidos

La presencia hispánica en los Estados Unidos data desde hace más de tres siglos. Ya en 1565, con la fundación de San Agustín en La Florida, la cultura española comenzó a florecer en la América del Norte para extenderse, más tarde, por Nuevo México, Tejas, Arizona, Colorado y California. Son muchas las razones históricas que dieron lugar a la incorporación de miles de mexicanos, puertorriqueños y cubanos a la ciudadanía estadounidense. Analizando estos hechos, se puede llegar a comprender el deseo firme de los hispanos en este país de mantener vivas la lengua y la cultura de sus antepasados.

En el siglo XIX, siguiendo el concepto de «destino manifiesto», los anglosajones comenzaron a ampliar su territorio tratando de obligar a la gente hispánica a aceptar una cultura y lengua impuestas a la fuerza. El Tratado de Guadalupe Hidalgo, firmado en 1848, dio fin a la guerra entre los Estados Unidos y México, y los mexicanos pasaron a ser ciudadanos de segunda clase. A muchos de ellos, la necesidad los llevó a trabajar en las tareas del campo bajo la opresión y la explotación del anglosajón. En estas pésimas condiciones del trabajador mexicano se desenvuelve el cuento Las salamandras de Tomás Rivera.

En 1898, como resultado de otra guerra, esta vez entre los Estados Unidos y España, se firmó el Tratado de París, mediante el cual Puerto Rico, Cuba y las Filipinas pasaron a ser territorio de los Estados Unidos. En 1917 los puertorriqueños recibieron la ciudadanía estadounidense y en 1952 Puerto Rico fue declarado Estado Libre Asociado y se autorizó mantener el idioma y la cultura hispánica de la isla. Puerto Rico, sin embargo, no logró su soberanía nacional, lo cual ha despertado un resentimiento que se manifiesta a través de la literatura. José Diego en su poema En la brecha incita a su pueblo a luchar por la independencia nacional.

En 1902 Cuba logró su independencia de los Estados Unidos, pero se firmó la Enmienda Platt mediante la cual los Estados Unidos podían intervenir en la política interna de la isla. En los años que siguieron, las compañías norteamericanas se fueron apoderando de la industria azucarera, provocando un descontento general que culminó en 1959 con el triunfo de la revolución encabezada por Fidel Castro. Este acontecimiento dio lugar a que miles de cubanos, ya sea por razones económicas o políticas, emigraran a los Estados Unidos. Durante los primeros años los cubanos pensaban volver triunfantes a Cuba, pero el tiempo fue pasando y una nueva generación de cubanos nació y se formó en este país. La lucha interna de uno de estos exiliados se ve reflejada en el ensayo La identidad y el exilio.

El deseo de mantener la raíz histórica, el idioma y el modo de ser de los hispanos ha dado lugar a la unión de los inmigrantes de los diversos países. La selección La dialéctica de «la raza cósmica» y el «melting pot» sugiere que la palabra «hispanidad» ha dejado de ser una idea abstracta para convertirse en una realidad de cada día. Esta unión se manifiesta sobre todo en los barrios hispánicos a través de su gente y de su arte, como se puede apreciar en el poema nuestro barrio y el artículo La magia de los murales.

Vocabulario activo

Estudie las siguientes palabras y expresiones que aparecen en la lectura *La identidad y el exilio*.

Sustantivos

el apoyo *support*	la garganta *throat*
la búsqueda *search*	la raíz *root*
los frijoles *beans*	la riqueza *fertilidad, opulencia*

Verbos

arraigar *to root*	ligar *to tie*
criarse *to be raised*	plantear(se) *preguntar(se)*
brindar *ofrecer*	sostener *mantener*

Adjetivos

deseable *desirable*	hueco *empty*
estrecho *narrow*	

Expresiones

el medio ambiente *environment*
tal y como *just as*

LA IDENTIDAD Y EL EXILIO

Jorge Duany

Yo no tengo un solo recuerdo de Cuba, y sin embargo me siento tan cubano como José Martí,* el daiquirí,* la rumba* o el habano.* Nací en Cuba en 1957, pero me fui con mis padres a los tres años; viví mi primera infancia en Panamá y después me crié en Puerto Rico. Adolescente aún, partí hacia los
5 Estados Unidos para iniciar mis estudios universitarios. En estos últimos años de múltiples exilios, me he estado haciendo obsesivamente la misma pregunta: ¿Qué es esto de ser cubano? lo que para mí representa plantearme el ¿quién soy? y el ¿de dónde vengo? de los autores clásicos.

He leído libros larguísimos y sostenido interminables conversaciones en
10 búsqueda de respuestas. Poco a poco uno va cobrando° conciencia de que la   cobrando *tomando*
biografía personal está arraigada en un contexto histórico específico. Entonces empieza uno a entender que se es parte de procesos globales, colectivos: la revolución cubana, el exilio, las inmigraciones latinoamericanas, las minorías étnicas en los Estados Unidos. Inevitablemente se llega a la conclusión de que
15 el problema de la identidad no es individual, sino que está ligado íntimamente al destino de los demás, y en especial al de los que son como uno.

En otras palabras, mi yo es inseparable de mi medio ambiente, de las fuerzas sociales que han condicionado mi desarrollo. Por eso, la única manera de definir mi identidad es mediante° la experiencia de los cubanos en los   mediante *by means*
20 Estados Unidos y Puerto Rico.   *of*

Soy cubano porque hablo muy rápido, me como las eses, desprecio las eres y las des,* y me gusta una cierta melodía en la entonación. Soy cubano porque los pies me saltan cuando oigo la voz de Beny Moré,* el mambo de Pérez Prado* o las flautas de la Orquesta Aragón.* Soy cubano porque me
25 encanta un buen plato de arroz con frijoles negros,* un bistec empanizado° y   **empanizado**
plátanos maduros. Soy cubano porque cuando veo en una foto o una película   *breaded*
el Malecón de La Habana,* las murallas del Morro,* las palmeras de
Varadero,* las calles estrechas de Santiago,* siento una indefinible nostalgia,
una presión en el pecho y una absurda pesadez° en la garganta.   **pesadez** *heaviness*

30   Cubano, pues, aunque no haya vivido en Cuba, aunque todas mis
imágenes de la patria—palabra hueca—sean prestadas,° aunque mi futuro no   **prestadas**
me devuelva a la tierra en que nací. Es que la geografía poco tiene que ver   *borrowed*
con la nacionalidad más entrañable.° Más bien, la identidad nacional se centra   **entrañable**
en el idioma, en las costumbres, en la música, en fin, en la cultura.   *profunda*

35   Siento intensamente que esa cultura—como la de los puertorriqueños,
mexicanos y otros grupos minoritarios en este país—es digna de ser
preservada. En esto los angloamericanos deberían seguir el principio del
pluralismo, tal y como lo hacen en cuestiones de política y religión. Cada
ciudadano tiene igualmente el derecho de hablar su idioma nativo y a
40 comportarse de acuerdo a las normas de su grupo—siempre y cuando° éstas   **siempre y cuando**
no violen la ley.   *si*

La persistencia de la lengua y la cultura hispánica en los Estados Unidos
no amenaza ninguna de las instituciones básicas ni los valores más auténticos
de este país. Al contrario, es en la diversidad misma que está su fuerza; la
45 variedad es siempre un signo de riqueza. La asimilación cultural de las
minorías hispánicas no es una condición necesaria, mucho menos deseable,
para su adaptación al sistema de vida norteamericano. La prueba por
excelencia de esta afirmación lo son los exiliados cubanos en Miami, quienes
han tenido un impresionante éxito económico sin tener que dejar sus hábitos y
50 actitudes distintivas.

Ofrezco mi caso como un ejemplo típico de alguien que ha descubierto
sus raíces étnicas en el idioma y la cultura hispánica. No creo que hubiera sido
posible este encuentro si se me hubiera forzado a hablar únicamente inglés o a
abandonar las tradiciones y creencias de mis padres. Como tantos otros
55 cubanos exiliados, necesito de la seguridad y del apoyo indispensables que
sólo esa continuidad con el pasado, sólo esa congruencia interior puede
brindarle al ser humano.

¿Sabía Ud. que...?

❋   **José Martí** (1853–1895) fue un poeta, ensayista y periodista cubano que entregó su vida a la
independencia de su patria. Aunque vivió en exilio desde la edad de 16 años, murió en
Cuba en el campo de batalla sólo tres años antes de que se realizara su sueño de
independencia.

* **El daiquirí** es una bebida hecha de ron, azúcar y jugo de limón, llamada así por el pueblo del mismo nombre en el oriente de Cuba, de donde vino el ron que se usaba para hacerlo.

* **La rumba** es un baile de origen afrocubano de ritmos complejos.

* **El habano** es el cigarro hecho de tabaco cubano que lleva el nombre de la capital.

* **Comer las eses:** En conversaciones informales los cubanos tienden a eliminar la *s*, la *r* y la *d* en ciertas posiciones. Por ejemplo, *más o menos* se pronuncia «má o meno»; *corbata verde* sería «co'bata ve'de».

* **Beny Moré** fue un cantante negro cubano de los años 40 y 50, un ídolo de la música popular en Hispanoamérica.

* **Pérez Prado** popularizó con su orquesta los ritmos caribeños. Su música fue conocida internacionalmente.

* **La Orquesta Aragón** es una famosa orquesta cubana que se especializó en el cha-cha-chá.

* **El arroz con frijoles negros** es el plato nacional de Cuba.

* **El Malecón de La Habana** es un paseo a lo largo de la costa de la ciudad donde la gente toma el fresco.

* **El Morro** es una fortaleza construida durante el siglo XVII en el puerto de La Habana para defender la bahía de los ataques piratas.

* **Varadero** es una playa cubana muy conocida por los turistas por sus cinco millas de arena blanca y agua transparente.

* **Santiago** es la segunda ciudad de Cuba y la de mayor influencia africana.

Cuestionario

1. Describa Ud. el problema del ensayista. ¿Por qué habla de «múltiples exilios»? ¿Cuál es la pregunta incesante que se hace?

2. Según el autor, ¿cuál es la relación entre la biografía personal y el contexto histórico? ¿Cómo describe el problema de la identidad? ¿Cómo piensa encontrar su identidad personal?

3. Para él, ¿qué quiere decir «ser cubano»? ¿Dónde se centra la identidad nacional, en la geografía o en la cultura?

4. ¿Está el autor a favor del pluralismo o de la asimilación de las culturas hispánicas en este país? ¿Por qué? ¿Qué ejemplo nos ofrecen los cubanos exiliados en Miami?

5. ¿Dónde ha descubierto el autor las raíces étnicas? ¿Qué importancia tienen para él el idioma y la cultura hispánica?

Práctica de vocabulario

Dé el sustantivo relacionado con los siguientes verbos, y úselo en una oración original.
Ejemplo: saltar   el salto   Dio un salto de alegría.

Verbo	Sustantivo
1. enriquecerse	————
2. arraigar	————
3. buscar	————
4. apoyar	————

Temas de reflexión

1. El autor de *La identidad y el exilio* nos cuenta la conmovedora búsqueda de su propia identidad. ¿Qué enseñanza encierra su relato? ¿Está Ud. de acuerdo con su definición de la identidad?
2. ¿Ha pensado Ud. en las grandes preguntas que se hacían los autores clásicos, el «¿quién soy?» y el «¿de dónde vengo?» ¿Cómo define Ud. su propia identidad?
3. El autor declara que puede retener su identidad cubana aunque viva exiliado de su patria. ¿Le parece realista esta convicción? Si Ud. fuera inmigrante en un país extranjero, ¿cree Ud. que podría mantener su identidad cultural? ¿Cómo lo haría?
4. Lea Ud. el artículo *La dialéctica de «la raza cósmica» y el «melting pot»* en la página 199 de esta lección. ¿Qué tienen en común la visión de estos dos autores? ¿Cómo se complementan este ensayo personal y la teoría general de «la raza cósmica» de José Vasconcelos?

¡Charlemos!

El autor de *La identidad y el exilio* nos explica la idea de su identidad nacional con una oración que comienza: «Soy cubano porque . . . » Ahora le toca a Ud. hablar de su propia identidad: «Soy norteamericano porque . . . »

Vocabulario activo

Estudie las siguientes palabras y expresiones que aparecen en la lectura *La magia de los murales.*

Sustantivos

el águila *eagle*	**la raíz** *root*
el estilo *style*	**la riqueza** abundancia
el letrero *sign (poster)*	**la sabiduría** *wisdom*

Verbos

desafiar *to challenge*	**pugnar** luchar
destacar observar, señalar	**prestarse** *to lend itself*
empeñarse (en) insistir (en)	**ubicar** *to locate*
nutrirse alimentarse	

«El muralismo se presta a los objetivos sociales de jóvenes artistas.»

LA MAGIA DE LOS MURALES

Paul Elitzik

Una parte de Pilsen tiene la apariencia monótona y gris de barrio pobre. Una buena parte, tal vez; pero acá y allá la brillantez de los rojos, verdes y azules, colores que no se asocian con el corazón de las ciudades, desafían a los apagados° colores habituales. Es el muralismo—gigantescas pinturas de
5 aztecas y mayas que montan guardia en calles que comparten con autos Ford y Chevrolet y héroes de la historia de México que miran despectivamente° los restaurantes baratos. Pilsen es el pequeño México en Chicago.

     El arte mural de hoy surgió en la inquietud de la década de 1960, junto con una nueva oleada° de artistas de minorías culturales que se empeñaban
10 en afirmar su propia identidad cultural. El muralismo, por naturaleza un arte público, se prestó fácilmente a los objetivos sociales y a las ansias° que tenían los jóvenes artistas de ser conocidos por un público grande. En las barriadas° hispanas, los pintores pugnaban por encontrar imágenes, estilos y métodos nuevos con los cuales crear una forma de arte que expresara su ascendencia
15 mexicana.

apagados *subdued*

despectivamente *scornfully*

oleada movimiento

ansias deseos
barriadas barrios

El resultado fue un florecimiento de estilos. John Weber, uno de los primeros muralistas de Chicago y coautor de un libro muy leído sobre el tema, destaca que «la gran riqueza y variedad de vocabulario con que los artistas chicanos se expresaban [provenía] de una tradición pictórica muy rica y
20 variada». En estos murales se puede apreciar que los artistas chicanos hacen nuevo uso de motivos° tradicionales: las imágenes del arte precolombino,* el arte popular contemporáneo y el arte de la Revolución Mexicana.* Estos se combinan con las imágenes urbanas actuales que se nutren de la cultura popular y, en algunos murales, ésta aparece incorporada en composiciones
25 semiabstractas ejecutadas de una manera indudablemente modernista.

    Unidos para el progreso (véase p. 188) es ejemplo de la fuerte influencia precolombina en el muralismo de Pilsen. En esta obra, Aurelio Díaz, que se enorgullece° de su ascendencia tarasca,* usa antiguas imágenes para expresar problemas de los hispanos de hoy. Encima de las figuras estilizadas de
30 estudiantes que llevan letreros que piden educación y el fin de las divisiones entre los hispanos, hay un símbolo de la sabiduría india. Representada por la tradicional serpiente azteca* dentro de una casa, Kalpulli Koakalko (la casa de la sabiduría de la serpiente) es un centro para el estudio de la cultura náhuatl* que está ubicado al sur de la Ciudad de México. La serpiente representa la
35 adquisición de sabiduría en la Tierra. A la derecha se ve el calendario azteca y el símbolo del águila posada sobre un nopal,° el lugar profético de Tenochtitlán,* la capital azteca.

    El muralista Díaz no representa el «progreso» por la tecnología moderna como sucede en las obras características del gran pintor mexicano Diego
40 Rivera, sino por símbolos de la fuerza de las tradiciones precolombinas. El artista sugiere que la clave° del progreso para los hispanos actuales es la fuerza de este pasado heroico—el componente indígena de su tradición, no el europeo.

    En otros murales del barrio, los motivos indios han llegado a ser un
45 componente importante de las imágenes que afirman lo distinto del chicano, una identidad que los artistas resaltan° a diferencia de la tradición sajona, acentuando las raíces no europeas.

                                                —*Américas,* New York (Adaptado)

motivos *motifs*

enorgullece *siente orgullo*

nopal *prickly pear cactus*

clave *key*

resaltan *bring out*

¿Sabía Ud. que...?

❋   **Precolombino** se refiere a cualquier época en el hemisferio occidental antes de la llegada de Colón. El arte precolombino se considera muy avanzado para su tiempo.

❋   **La Revolución Mexicana** comenzó en 1910 y duró unos quince años. Venustiano Carranza, Pancho Villa, y Emiliano Zapata fueron los tres líderes más importantes. En México se dice que la Revolución Mexicana aún no ha terminado.

❋ **Tarasco** fue una tribu de indios en el estado de Michoacán en México. Hay evidencia que su civilización se había desarrollado en forma independiente de la civilización azteca. Su capital fue Tzintzuntan a orillas del lago Patzcuaro.

❋ **Los aztecas** fueron los indios que a la llegada de los españoles tenían su capital en Tenochtitlán, hoy Ciudad de México. Su dios, Quetzalcoatl, era representado por una serpiente, dueña del aire y de los fenómenos atmosféricos.

❋ **Náhuatl** fue la lengua de los nahuas o aztecas. El centro cultural de esta civilización estaba al sureste de la ciudad de México.

❋ **Tenochtitlán** fue la capital de los aztecas situada en lo que es hoy la Ciudad de México. Fue fundada en 1325 y construida sobre un lago. En 1521 el conquistador Hernán Cortés conquistó la ciudad.

Cuestionario

1. ¿Podría Ud. definir lo que es el muralismo?
2. ¿Por qué dice el autor de este artículo que Pilsen es el pequeño México en Chicago?
3. ¿Por qué se empeñan los muralistas chicanos en afirmar las raíces no europeas?
4. ¿Qué símbolos utilizan en su arte los muralistas de Chicago?
5. ¿Cómo representa el muralista Díaz el progreso?

Práctica de vocabulario

¿Puede ser o no?

1. El águila es un letrero que muestra la importancia de los Estados Unidos.
2. Los árboles tienen raíces.
3. Uso mi clave para entrar en la casa.
4. La maestra se empeña en que los estudiantes trabajen mucho.
5. El muralismo, como arte público, se presta a los objetivos sociales.

Puntos de vista

1. ¿Ha oído Ud. hablar de algunos artistas latinoamericanos que han adquirido renombre internacional como muralistas? ¿Ha visto Ud. algún mural pintado por Diego Rivera? ¿José Clemente Orozco? ¿David Alfaro Siqueiros? Descríbanoslo.
2. Un mural comprende una serie de escenas que se pueden mirar desde diferentes ángulos. Toda la composición debe tener igual fuerza en sus varias partes y transmitir a los peatones el mensaje que lleva. ¿Cree Ud. que este arte se pueda prestar a los objetivos políticos y sociales de las minorías en nuestro país? Justifique su respuesta.
3. Examine Ud. las reproducciones de los murales en las páginas 188 y 194. ¿Qué aspectos le llaman la atención?

Creación

Prepare un informe oral o escrito sobre uno de los siguientes temas.

1. Los murales en los barrios hispánicos de las grandes ciudades en los Estados Unidos
2. Los murales de Diego Rivera
3. Los murales de Orozco y Siqueiros
4. Otros murales que Ud. conoce

Vocabulario activo

Estudie las siguientes palabras y expresiones que aparecen en el poema **nuestro barrio.**

Sustantivos

la acera *sidewalk*	**el suspiro** *sigh*	**la vejez** *old age*
la cruz *cross*	**el polvo** *powder, dust*	

Verbos

barrer *to sweep*	**grabar** *to engrave*	**soplar** *to blow*

NUESTRO BARRIO

Alurista   (México, n. 1947)

nuestro barrio
    en las tardes de paredes grabadas
    los amores de pedro con virginia
    en las tardes
5   barriendo
dust about
    swept away in the wind of our breath
el suspiro de dios por nuestras calles
    gravel side streets of solitude
10   the mobs from the tracks are coming
en la tarde
    mientras don josé barre su acera
    mientras dios respira vientos secos
        en el barrio sopla la vejez de chon
15   y la juventud de juan madura
en la tarde de polvo
    el recuerdo de mi abuelo
    —de las flores en su tumba
    dust
20   polvosas° flores
blowing free to powdered cruces

polvosas llenas de polvo

Cuestionario

1. La mezcla de español e inglés que vemos en este poema es común en la literatura chicana. Criados en los Estados Unidos por padres mexicanos, los chicanos poseen las dos lenguas, y a menudo las mezclan para expresarse. ¿Qué efecto produce esta combinación de idiomas poéticamente?

2. ¿Qué hora del día predomina en el poema? ¿Cómo son las tardes en «nuestro barrio»?

3. ¿Qué ve, o en qué está pensando el poeta? ¿Cómo describe su barrio?

4. ¿Cómo se entremezclan estos elementos: «barriendo», «dust», «wind of our breath», «suspiro de dios y polvosas flores», «blowing free to powdered cruces»? ¿Qué impresión le da?

5. ¿Cómo cambia el tono del poema al introducir el verso «the mobs from the tracks are coming» (v. 10)? ¿Parece amenazar la tranquilidad del barrio?

6. ¿Quiénes son probablemente las personas mencionadas en el poema: don josé, chon y juan? ¿Por qué sus nombres no se escriben con letras mayúsculas? ¿Cree Ud. que son personas verdaderas, o que funcionan más como símbolos? ¿Qué símbolos representarían?

7. ¿Dónde está el poeta al final? ¿En quién piensa?

Temas de reflexión

1. ¿Cuál es el tema central del poema? ¿Qué conexiones ve Ud. entre las ideas del amor (el grafiti de pedro con virginia), las etapas de la vida del hombre (juventud, vejez y el juego de palabras con juan madura) y la meditación final sobre la muerte?

2. ¿Qué importancia tiene el «dust» y el polvo con respecto al tema de la muerte? ¿Qué asociaciones generalmente hacemos entre los dos?

Vocabulario activo

Estudie las siguientes palabras y expresiones que aparecen en la lectura *La dialéctica de «la raza cósmica» y el «melting pot»*.

Sustantivos

el antepasado antecesor	**la pugna** lucha
el conjunto grupo	**el suelo** *soil, land*
el peregrino *pilgrim*	

Verbos

aportar llevar, contribuir	**enfrentar** confrontar
comportarse *to behave*	**forjar** hacer, crear
dejar de *to stop*	**lograr** *to achieve*
superar *to exceed*	

Adjetivos

dotado provisto
inusitado extraño, raro
poderoso *powerful*

Expresiones

a diferencia de *unlike*
llegar a ser *to become*

LA DIALÉCTICA DE «LA RAZA CÓSMICA» Y EL «MELTING POT»

José Manuel Paz Agüeras

El surgimiento° de una poderosa colonia hispanoamericana en los
Estados Unidos, que hoy en día supera los 20 millones de habitantes, va a
darnos la clave° del enigma de cómo puede comportarse un conjunto de
pueblos de origen hispano, actuando como una auténtica comunidad y
5 protegiendo sus intereses comunes.

Es aquí, en la América anglosajona, donde se está produciendo el
fenómeno inusitado de la unión entre los distintos pueblos iberoamericanos
donde, por vez primera, la palabra Hispanidad deja de ser una idea abstracta
para convertirse en una realidad de cada día. Son los mexicanos, los cubanos,
10 los puertorriqueños, los centroamericanos y tantos emigrantes de nuestra
América los que han recuperado el nombre de hispanos y los que han
mantenido en este suelo las tradiciones que sus propios antepasados trajeron a
estos parajes,° mucho antes de la llegada de los primeros colonos británicos.

En los estados de California, Arizona, Nuevo México, Texas, Florida y
15 Nueva York se enfrentan actualmente dos fórmulas antagónicas de adaptación
al medio° norteamericano. Una está constituida por el tradicional proceso de
acculturización con asimilación total de la lengua inglesa y de la «American way
of life», lo que sociólogos de este país han denominado el «melting pot». Otra
es la propuesta por el insigne° escritor mexicano José Vasconcelos* en su
20 obra *La raza cósmica,** es decir, la creación de una raza universal mediante°
la unión de todas las razas que habitan en este continente. Entre el «melting
pot» y «la raza cósmica» hay una diferencia fundamental: esta última es fruto
de una sociedad tradicionalmente mestiza y la primera, no.

Si los resortes° del «melting pot» no han podido lograr la asimilación de
25 las comunidades hispánicas, ello se debe a dos causas importantes. La primera
es el peso de una cultura tradicionalmente mestiza, acostumbrada a asimilar
elementos de otras civilizaciones, pero sin renunciar a lo que en ellas hay de
positivo. La segunda es el hecho de que los hispanos son también americanos.
América es su hogar, su tierra natal, su medio geográfico, a diferencia de lo
30 que ocurre con otros emigrantes llegados de Europa, para los que Estados

surgimiento naci-
miento

clave *key*

parajes lugares

medio *environment*

insigne famoso
mediante *through,
by means of*

resortes *means, re-
sources*

Unidos no era solamente otra nación, sino también otro continente dotado de dimensión distinta, que distorsionaba su propio ámbito vivencial.° Los hispanos llegaron a esta tierra siglos antes que los peregrinos del «Mayflower» y vieron las costas del Pacífico trescientos años antes que tuvieran lugar las

35 expediciones de Lewis y Clark.*

distorsionaba . . . vivencial alteraba su modo de vivir

Quizás una de las principales aportaciones° de los pueblos iberoamericanos al futuro de los Estados Unidos sea precisamente su contribución a la reamericanización del país, al ofrecerle unas tradiciones que son originariamente americanas, a diferencia de los elementos culturales

40 aportados por otros emigrantes: irlandeses, italianos, eslavos o alemanes, que en el pasado han ido forjando esta gran nación.

aportaciones contri-buciones

La dialéctica entre «la raza cósmica» y el «melting pot» se manifiesta en muy diversas circunstancias: en la pugna por el bilingüismo; en la preservación de la estructura fundamental de la familia hispana; en la

45 conservación de usos y costumbres que nos son propios. En defensa de estos intereses se unen mexicanos, cubanos, puertorriqueños y toda la gran familia de pueblos aquí representados, contribuyendo a crear, como he afirmado antes, el primer embrión° de una comunidad auténticamente hispánica.

embrión *embryo*

Es deseable que el sueño de Vasconcelos pueda llegar a ser una realidad

50 en los Estados Unidos y que, finalmente, pueda conseguirse° la gran síntesis americana, para bien de los hombres y mujeres que habitan este vasto continente y para bien de toda la Humanidad.

conseguirse obtenerse

¿Sabía Ud. que...?

* **José de Vasconcelos** (1882–1959) fue un ensayista mexicano de gran renombre. En su ensayo *La raza cósmica* (1925) interpreta el complejo racial y cultural de Hispanoamérica y mantiene la teoría que «la raza cósmica», producto del mestizaje americano, está llamada a enfrentarse con la raza sajona y triunfar como la raza en la que se fundirán todos los pueblos de América.

* **Lewis and Clark** fueron dos exploradores norteamericanos que encabezaron una expedición en 1803–1806 para explorar el territorio del Louisiana Purchase y más allá hasta el Océano Pacífico.

Cuestionario

1. ¿Qué fenómeno se está produciendo en la América anglosajona?
2. ¿Cuáles son las dos fórmulas de adaptación al medio norteamericano?
3. Explique la fórmula del «melting pot» y la teoría de «la raza cósmica». ¿Por qué difieren fundamentalmente las dos fórmulas?
4. ¿Cuál podría ser una de las principales aportaciones de los iberoamericanos al futuro de los Estados Unidos?

Práctica de vocabulario

Estudie Ud. en la lectura anterior el significado de las palabras de la columna B. Reemplace cada palabra o expresión en letra bastardilla en la columna A por el sinónimo de la columna B.

A

_____ 1. Norteamérica es un continente *provisto* de muchos recursos naturales.

_____ 2. Me alegro de que este *grupo* de pueblos actúe como una auténtica comunidad.

_____ 3. Se ve en los centros urbanos de este país la *lucha* por el bilingüismo.

_____ 4. Cada grupo de inmigrantes *contribuyó* a la cultura de los Estados Unidos.

_____ 5. Los *antecesores* de los chicanos eran de México.

_____ 6. Muchas razas y culturas diferentes *crearon* nuestra gran nación.

B

a. pugna (l. 43)
b. conjunto (l. 3)
c. dotado (l. 31)
d. antepasados (l. 12)
e. aportó (l. 40)
f. forjaron (l. 41)

Puntos de vista

En su ensayo *La raza cósmica: Misión de la raza iberoamericana* José Vasconcelos dice que: «En la América española ya no repetirá la Naturaleza uno de sus ensayos parciales, ya no será la raza de un solo color, de rasgos particulares, la que en esta vez salga de la olvidada Atlántida; no será la futura ni una quinta ni una sexta raza destinada a prevalecer sobre sus antecesoras; lo que de allí va a salir es la raza definitiva de la raza síntesis o raza integral, hecha con el genio y con la sangre de todos los pueblos, y, por lo mismo, más capaz de verdadera fraternidad y de visión realmente universal.» ¿Cree Ud. que el sueño de Vasconcelos de «la raza cósmica» pueda ser una realidad? Dé sus propios comentarios.

Vocabulario activo

Estudie las siguientes palabras y expresiones que aparecen en el poema *En la brecha*.

Sustantivos

la brecha *breach*
el cansancio fatiga
el cordero *lamb*
la fiera animal salvaje

Verbos

abatir *to discourage*
batir golpear
embestir (e>i) atacar
latir *to beat*
revolverse (o>ue) agitarse
rugir *to roar*

Adjetivos

desgraciado infortunado
enterrado *buried*

EN LA BRECHA

José de Diego   (Puerto Rico, 1868–1918)

Oh desgraciado, si el dolor te abate,
si el cansancio tus miembros° entumece;°
haz como el árbol seco: Reverdece;°
y como el germen° enterrado: Late.

> miembros *limbs*
> /entumece *benumbs* /reverdece *rejuvenece*
> /germen *semilla*

5 Resurge, alienta,° grita, anda, combate,
vibra, ondula,° retruena,° resplandece . . .
Haz como el río con la lluvia: ¡Crece!
y como el mar contra la roca: ¡Bate!

> alienta *encourage*
>
> ondula *wave* /retruena *thunder*

De la tormenta al iracundo empuje,°
10 no has de balar,° como el cordero triste,
sino rugir, como la fiera ruge.

> iracundo empuje
> *furioso impulso*
> /balar *bleat*

¡Levántate! ¡Revuélvete! ¡Resiste!
Haz como el toro acorralado:° ¡Muge!°
O como el toro que no muge: ¡¡Embiste!!

> acorralado
> *cornered* /muge
> *bellow*

Cuestionario

1. En su poema patriótico *En la brecha*, José de Diego incita al pueblo puertorriqueño a luchar por su independencia. Describa Ud. el estado de ánimo del poeta.
2. ¿A qué le incita a su pueblo? ¿Qué clase de comparaciones emplea para animarlo?
3. ¿Qué tienen en común el árbol, el germen, el río y el mar? ¿Qué efecto produce la acumulación de imperativos en los versos 5 y 6 y al final de los versos?
4. ¿Cómo cambian las imágenes en las últimas dos estrofas? ¿Ve Ud. un movimiento desde la pasividad hacia la acción?
5. ¿Qué importancia tiene la última palabra? ¿Cuál es la diferencia entre el primer imperativo, «Reverdece» (v. 3) y este último, «¡¡Embiste!!» (v. 14)?

Temas de reflexión

1. ¿Cuáles podrían ser algunas de las implicaciones sociales y políticas del poema? ¿Cree Ud. que para José de Diego la literatura puede desempeñar un papel importante en la crítica social?
2. El poema es un soneto, una de las formas más viejas y veneradas de la poesía, empleado originalmente para expresar el amor, las emociones y las ideas sublimes. ¿Qué consigue el poeta al usar esta forma tan tradicional para un tema tan polémico?

3. José de Diego vivió en el siglo XIX y escribió este poema durante la dominación colonial de Puerto Rico por España. En 1898 la isla pasó a manos de los Estados Unidos como resultado de la guerra con España. ¿Qué sabe Ud. de la situación política de Puerto Rico hoy en día? ¿Cree Ud. que el poema todavía tiene actualidad?

Vocabulario activo

Estudie las siguientes palabras y expresiones que aparecen en la lectura *Las salamandras.*

Sustantivos

el anochecer *dusk, nightfall*
el cariño *afecto, amor*
la carpa *tent*
la cera *wax*
la cosecha *crop, harvest*
el lodo *mud*

la madrugada *dawn*
la orilla *edge, shore*
el piso *floor*
el remordimiento *remorse*
el susto *miedo*

Verbos

aplastar *to smash, to flatten*
hallar *encontrar*
parar *to stop*

recobrar *to recover*
recorrer *pasar por*

Adverbio

apenas *hardly*

Expresiones

a lo mejor *quizás*
al oscurecer *at nightfall*
al pie de *at the foot (edge) of*
darle (a uno) asco *disgust*

darle (a uno) ganas *to feel like*
echarse a perder *to be ruined*
rumbo a *en dirección a, hacia*
sentirse a gusto *to feel at ease*

LAS SALAMANDRAS

Tomás Rivera   (Texas, n. 1935)

Lo que más recuerdo de aquella noche es lo oscuro de la noche, el lodo, y lo resbaloso° de las salamandras. Pero tengo que empezar desde el principio para que puedan comprender todo esto que sentí y también de que al sentirlo comprendí algo que traigo todavía conmigo. Y no lo traigo como recuerdo
5 solamente, sino también como algo que siento aún.

Todo empezó porque había estado lloviendo por tres semanas y no teníamos trabajo. Se levantó el campamento, digo campamento porque eso parecíamos. Con ese ranchero de minesora° habíamos estado esperando ya

resbaloso *slipperiness*

minesora *Minnesota*

*Una trabajadora migratoria en compañía de su hijo recoge
frutos en los campos agrícolas de los Estados Unidos.*

por tres semanas que se parara el agua, y nada. Luego, vino y nos dijo que
10 mejor nos fuéramos de sus gallineros° porque ya se le había echado a perder
el betabel.° Luego comprendimos yo y mi 'apá° que lo que tenía era miedo
de nosotros, de que le fuéramos a robar algo o de que alguien se le enfermara
y entonces tendría él que hacerse el responsable. Le dijimos que no teníamos
dinero, ni qué comer, y ni cómo regresarnos a Texas, apenas tendríamos con

gallineros *henhouses*
/se ... betabel *the
beet crop had gone
bad* **/'apá** *papa*

qué comprar gasolina para llegarle a° Oklahoma. Y él nomás° nos dijo que lo
sentía pero que quería que nos fuéramos y nos fuimos. Ya para salir se le
ablandó el corazón° y nos dio dos carpas llenas de telarañas° que tenía en la
bodega,° y una lámpara y kerosín. También le dijo a 'apá que si nos íbamos
rumbo a Crystal Lake en Iowa a lo mejor encontrábamos trabajo en la
20 ranchería que estaba por allí y que a lo mejor no se les había echado a perder
el betabel. Y nos fuimos. En los ojos de 'apá y 'amá° se veía algo original y
puro que nunca les había notado. Era como cariño triste. Casi ni hablábamos
al ir recorriendo los caminos de grava.° La lluvia hablaba por nosotros. Ya al
faltar algunas cuantas millas para llegar a° Crystal Lake nos entró el
25 remordimiento. La lluvia que seguía cayendo nos continuaba avisando que
seguramente no podríamos hallar trabajo y así fue. En cada rancho que
llegamos nomás nos movían la cabeza desde adentro de la casa, ni nos abrían
la puerta para decirnos que no. Entonces me sentía que no era parte ni de
'apá ni de 'amá y lo único que sentía que existía era el siguiente rancho.

30   El primer día que estuvimos en el pueblito de Crystal Lake nos fue mal.
En un charco se le mojó el alambrado° al carro y papá le gastó la batería° al
carro. Por fin un garage nos hizo el favor de cargarla.° Pedimos trabajo en
varias partes del pueblito pero luego nos echaron la chota.° Papá le explicó
que sólo andábamos buscando trabajo pero él nos dijo que no quería
35 húngaros° en el pueblo y que nos saliéramos. El dinero ya casi se nos había
acabado y nos fuimos al oscurecer y paramos el carro a unas tres millas del
pueblo y allí vimos el anochecer. La lluvia se venía de vez en cuando.
Sentados en el carro a la orilla del camino, hablábamos poco. Estábamos
cansados. Estábamos solos. En los ojos de 'apá y 'amá veía algo original. Ese
40 día no habíamos comido casi nada para dejar dinero para el siguiente día. Ya
'apá se veía más triste, agüitado,° creía que no íbamos a encontrar trabajo. Y
nos quedamos dormidos sentados en el carro esperando el siguiente día. Casi
ni pasaron carros por ese camino de grava durante la noche. En la madrugada
desperté y todos estaban dormidos y podía verles los cuerpos y las caras a mi
45 'apá, a mi 'amá y a mis hermanos y no hacían ruido. Eran caras y cuerpos de
cera. Me recordaron a la cara de 'buelito° el día que lo sepultamos.° Pero no
me entró miedo como cuando lo encontré muerto a él en la troca.° Yo creo
que era porque sabía que estaban vivos. Y por fin amaneció completamente.

     Ese día buscamos trabajo todo el día y nada. Dormimos en la orilla del
50 camino y volví a despertar en la madrugada y volví a ver a mi gente dormida,
pero esa madrugada me entró° un poco de miedo. No porque se veían como
que estaban muertos sino porque ya me empezaba a sentir que no era de
ellos.

     Al día siguiente buscamos trabajo todo el día y nada. Dormimos en la
55 orilla del camino y volví a despertar en la madrugada y volví a ver a mi gente
dormida y esa madrugada, la tercera, me dieron ganas de dejarlos a todos
porque ya no me sentía que era de ellos.

     A medio día paró de llover y nos entró ánimo.° Dos horas más tarde

---

llegarle a llegar
hasta /nomás sólo

se . . . corazón tuvo
compasión /tela-
rañas cobwebs
/bodega cellar

'amá mamá

grava gravel

al faltar . . . a a few
miles outside of

se . . . alambrado
the electrical sys-
tem got wet /le . . .
batería ran down
the battery /car-
garla recharge it
/echaron . . . chota
enviaron la policía
/húngaros gitanos

agüitado worn out

'buelito abuelito
/sepultamos buried
/troca camión (del
inglés truck)

me entró sentí

nos . . . ánimo nos
entusiasmamos

encontramos a un ranchero que tenía betabel y a quien, según creía él, no se
le había echado a perder la cosecha. Pero no tenía casas ni nada. Nos
enseñó° los acres de betabel que tenía y todo estaba por debajo del agua,
todo enlagunado.° Nos dijo que si nos esperábamos hasta que se abajara° el
agua para ver si no estaba echado a perder, y si estaba bien el betabel, nos
pagaría bonos° por cada acre que le preparáramos. Pero no tenía casas ni
nada. Nosotros le dijimos que teníamos unas carpas y que si nos dejaba,
podríamos sentarlas en su yarda.° Pero no quiso. Nos tenía miedo. Nosotros lo
que queríamos era estar cerca del agua de beber que era lo necesario y
también ya estábamos cansados de dormir sentados, todos entullidos,° y claro
que queríamos estar debajo de la luz que tenía en la yarda. Pero no quiso y
nos dijo que si queríamos trabajar allí, que pusiéramos las carpas al pie de la
labor de betabel° y que esperáramos allí hasta que se bajara el agua. Y
pusimos las carpas al pie de la labor de betabel y nos pusimos a esperar. Al
oscurecer prendimos la lámpara de kerosín en una de las carpas y luego
decidimos dormir todos en una sola carpa. Recuerdo que todos nos sentíamos
a gusto al poder estirar° las piernas y el dormirnos fue fácil. Luego lo primero
que recuerdo de esa noche y lo que me despertó fue el sentir lo que yo creía
que era la mano de uno de mis hermanos y mis propios gritos. Me quité la
mano de encima y luego vi que lo que tenía en la mano yo era una
salamandra. Estábamos cubiertos de salamandras que habían salido de lo
húmedo de las labores y seguimos gritando y quitándonos las salamandras del
cuerpo. Con la ayuda de la luz de kerosín empezamos a matar las
salamandras. De primero° nos daba asco porque al aplastarlas les salía como
leche del cuerpo y el piso de la carpa se empezó a ver negro y blanco. Se
habían metido en todo, dentro de los zapatos, en las colchas,° al ver fuera de
la carpa con la ayuda de la lámpara se veía todo negro el suelo. Yo realmente
sólo las veía como bultitos° negros, que al aplastarlos les salía leche. Luego
parecía que nos estaban invadiendo la carpa, como que querían reclamar el
pie de la labor.° No sé por qué matamos tantas salamandras esa noche, lo fácil
hubiera sido subirnos al carro. Ahora que recuerdo, creo que sentíamos
nosotros también el deseo de recobrar el pie de la labor, no sé. Sí recuerdo
que hasta empezamos a buscar más salamandras para matarlas. Queríamos
encontrar más para matar más. Y luego recuerdo me gustaba aluzar° con la
lámpara y matar despacio a cada una. Sería que les tenía coraje° por el susto.
Sí, me empecé a sentir como que volvía a ser parte de mi 'apá y de mi 'amá y
de mis hermanos.

   Lo que más recuerdo de aquella noche fue lo oscuro de la noche, el
soquete,° lo resbaloso de las salamandras y lo duro que a veces se ponían
antes de que las aplastara. Lo que traigo conmigo todavía es lo que vi y sentí
al matar la última y yo creo que por eso recuerdo esa noche de las
salamandras. Pesqué° a una y la examiné bien con la lámpara, luego le estuve
viendo los ojos antes de matarla. Lo que vi y sentí es algo que traigo todavía
conmigo, algo puro—la muerte original.

enseñó mostró

enlagunado
cubierto de agua
/se abajara descen-
diera, disminuyera
/bonos bonds,
vouchers /sentar-
las . . . yarda
ponerlas en su pa-
tio (del inglés yard)
/entullidos numb

al . . . betabel at the
foot of the beet
field

estirar stretch

de primero al prin-
cipio

colchas blankets

bultitos pequeños
objetos

como . . . labor as if
they wanted to re-
claim the edge of
the field

aluzar iluminar
coraje rabia, furia

soquete mud

pesqué tomé,
agarré

Cuestionario

1. ¿Cómo se imagina Ud. al narrador de esta historia?
2. ¿En qué época del año ocurrieron estos acontecimientos? ¿Qué tiempo hacía?
3. ¿Por qué el ranchero de Minnesota les pidió que se fueran? ¿Podría Ud. explicar el sentimiento de tristeza de los padres al partir? ¿Por qué les entraron remordimientos?
4. ¿Cuáles fueron algunos de los problemas que tuvieron el primer día?
5. ¿Qué sucedió el día que dejó de llover? ¿Dónde acamparon? ¿Por qué?
6. ¿Qué sorpresa se llevó la familia al despertar? ¿Por qué cree Ud. que pasaron la noche matando salamandras en lugar de subirse al carro?
7. ¿Cómo explica Ud. el sentimiento de alejamiento que día a día se va agudizando en el narrador? Releer los comentarios de las siguientes líneas:

«Entonces me sentía que no era parte ni de mi 'apá ni de mi 'amá y lo único que sentía que existía era el siguiente rancho.» (ll. 28–29)
«No porque (mis padres) se veían como que estaban muertos sino porque ya me empezaba a sentir que no era de ellos.» (ll. 51–53)
«. . . y esa madrugada, la tercera, me dieron ganas de dejarlos a todos porque no me sentía que era de ellos.» (ll. 56–57)
«Sí, me empecé a sentir como que volvía a ser parte de mi 'apá y de mi 'amá y de mis hermanos.» (ll. 94–95)

8. Se dice que esta narración es circular porque el último párrafo es semejante al primero. ¿Cuál es el propósito del autor al usar este recurso literario?

Práctica de expresiones

Estudie Ud. en la lectura anterior el significado de las expresiones de la lista, y después complete las oraciones con una de las expresiones.

se echó a perder (l. 10)   me dan ganas de (l. 56)
le daba asco (l. 82)   al pie de (l. 70)
rumbo a (l. 19)   nos sentimos a gusto (ll. 74–75)
a lo mejor (l. 19)   al oscurecer (l. 36)

1. Los niños se divertían tanto jugando que aún _____ no querían volver a casa.
2. Con la lluvia mi sombrero _____ .
3. Cuando veo películas tristes _____ llorar.
4. Salió de la casa y se fue _____ las montañas.
5. Nosotros _____ en su compañía.
6. Me senté _____ la chimenea.
7. Pienso que _____ se soluciona el problema pronto.
8. A él _____ ver las salamandras aplastadas en el piso de la carpa.

Temas de reflexión

1. ¿Cuáles son algunas de las implicaciones políticas y sociales de este cuento? ¿Qué nos dice sobre la vida migratoria de los trabajadores del campo? ¿sobre las relaciones entre los patrones anglos y los chicanos?
2. ¿Por qué se llama el cuento *Las salamandras*? ¿Qué importancia tienen para el narrador?
3. ¿Qué le parece a Ud. la manera de escribir de Tomás Rivera? ¿Se ha fijado Ud. en la constante repetición de vocablos que emplea? ¿Qué consigue con ello? ¿Le parece que su estilo es literario o más bien conversacional?

Creación

Escriba Ud. un informe sobre uno de los siguientes temas.

1. El idioma de los hispanos en los Estados Unidos (chicanos, puertorriqueños, cubanos). En este cuento el autor ha usado muchas palabras que vienen de la jerga de los hispanos en los Estados Unidos, por ejemplo: **'apá, 'amá, 'buelito, la chota, húngaros, agüitado,** etc. Algunas palabras como **troca** (*truck*) y **yarda** (*yard*) provienen del inglés.
2. Los problemas de los campesinos en los Estados Unidos.
3. La explotación de los indocumentados.
4. La inmigración de los mexicanos, puertorriqueños y cubanos, y su contribución al desarrollo del país.

Vocabulario

GUIDE FOR THE USE OF THIS VOCABULARY

All words that appear in the text are included here, except for elementary vocabulary, common prepositions, pronouns, articles, the cardinal numbers, and exact or very close noun, adjective, and adverb cognates (such as words ending in **-encia, -ción, -ario, -ivo**).

Nouns

Gender is indicated for all nouns by the use of **el** or **la**. Feminine nouns taking the masculine article are indicated by (*f.*). Nouns referring to people are given in the masculine form only unless the feminine has a substantially different spelling. Proper names used in the text that are not cognates are listed. First names and family names are omitted.

Verbs

Stem-changing verbs are indicated by placing the vowel change in parentheses after the verb, such as **volver (o>ue)**.

Verbs used in the text in both the nonreflexive and reflexive are indicated by (**se**) in parentheses following the infinitive. Verbs which substantially change meaning when used reflexively are listed separately. Those words used in the text only as reflexives are listed as such.

We have tried to indicate the prepositions used with verbs where appropriate.

Past participles

Past participles used as adjectives are listed only if their meaning differs from the verb from which they are derived.

Adverbs

Adverbs formed by adding **-mente** are omitted unless their meaning differs from the adjective from which they are derived or if that adjective was not used in the text.

Idioms or phrases

Idioms or phrases beginning with prepositions are listed under the first significant word in the phrase. Idioms beginning with verbs are listed under the verbs.

The meanings given are those that correspond to the text use.

A

abajarse   to go down
abajo   below, down
  para abajo   downwards
abandonar   to leave; to give up
abastecer   to supply
abatir   to afflict, to distress
abdicar   to abdicate
la abeja   bee
ablandarse (el corazón)   to soften, to feel
  compassion
el abogado   lawyer
abolir   to abolish
abrazar   to embrace
el abrazo   embrace, hug
abreviar   to abbreviate
abrigado   warm
el abrigo   coat
  el abrigo de piel   fur coat
abrir   to open
abrumar   to overwhelm
absorber   to absorb
el abuelo   grandfather
aburrirse   to get bored
acá y allá   here and there
acabar(se)   to finish, to end; exhaust, to run out
  of
  acabar con   to destroy
  acabar de   to have just
acalorado   heated
acaramelado   candied
acaso   perhaps
  por si acaso   just in case
acceder   to accede; to accept
el accidentado   victim
la acción   stock
accionar   to drive
el aceite   oil
la aceituna   olive
acentuar(se)   to accentuate
aceptar   to accept
la acequia   irrigation ditch, canal
la acera   sidewalk
acercarse   to approach
acertar [e > ie]   to hit the mark
el acíbar   bitterness
  beber el acíbar   to suffer the bitterness
aclarar   to explain

acomodado   well-to-do
acomodar   to accommodate
acompañar   to accompany, to join
aconsejar   to advise, to counsel
el acontecimiento   event
acordarse de [o > ue]   to remember
acorralar   to corner
acostarse [o > ue]   to lie down; to go to bed
acostumbrar   to accustom
la actitud   attitude
el acto escolar   school activity
actual   present-day; current
la actualidad   present time
  tener actualidad   to be current, up to date; to
  be relevant
actuar   to act
acudir   to come up, to respond
  acudir a   to go to
el acuerdo   agreement
  de acuerdo con, a   according to, in accord
  with
  de mutuo acuerdo   with one accord, in
  agreement
  estar de acuerdo con   to agree with
  ponerse de acuerdo   to agree on
el acumulador   storage battery
acusar   to accuse; to show, to demonstrate
el adagio   adage
adaptar   to adapt
¡adelante!   go ahead!
  en adelante   from now on
el adelanto   advance
además   moreover
  además de   besides, in addition to
adentro   inside
adiestrar   to train
el adiós   farewell, good-bye
la adivinanza   riddle; guess
adivinar   to guess
el adivino   fortune teller
admirar   to admire
adoctrinar   to indoctrinate
adornarse   to be adorned
el adorno   decoration
adosar   to place back to back; to unite
adquirir [i > ie]   to acquire
el advenedizo   newcomer
el advenimiento   advent, arrival
la advertencia   warning

advertir [e > ie]   to warn
el **afán**   eagerness, zeal
afectar   to affect
el **afecto**   affection
afianzar   to prop up
afirmar   to assert; to emphasize; to declare
afrontarse   to bring face to face
las **afueras**   outskirts
agacharse   to crouch
agarrar   to hold; to grab; to take hold of
el **agente publicitario**   advertising agent
agitar(se)   to shake; to be agitated
agobiar   to oppress, to exhaust
agotarse   to become exhausted; to run out of
agradable   pleasing
agrícola   agricultural
agruparse   to cluster
el **agua** (f.)   water
   hacerse agua la boca   to make one's mouth
      water
el **aguacate**   avocado
aguantar   to bear, to tolerate
aguardar   to wait
agudizarse   to get worse
agudo   sharp, acute
el **águila**   eagle
agüitado (slang)   downcast, discouraged
la **aguja**   needle
el **agujero**   hole
aguzar (el sentido)   to sharpen
ahí   there
   de ahí   hence
el **ahijado**   godchild
ahorrar(se)   to save (money); to save oneself
      (troubles, etc.)
aislar   to isolate
el **ajedrez**   chess
ajeno   extraneous, foreign, another's
el **ajetreo**   bustle, fuss
el **ajo**   garlic
el **ajonjolí**   sesame
el **ala** (f.)   wing
la **alabanza**   praise
el **alambrado**   electrical system, wire netting
el **álamo**   poplar
alargar   to enlarge, to lengthen, to stretch; to
      hand (something) to someone
el **alarido**   outcry, shout
el **alba** (f.)   dawn

el **alboroto**   agitation, disturbance
la **alcachofa**   artichoke
el **alcalde**   mayor
el **alcance**   reach, scope
   al alcance de   within reach of
   tener al alcance   to have at hand
la **alcancía**   money box, bank
alcanzar   to achieve; to reach
   alcanzar a   to manage to
   alcanzar la felicidad   to find happiness
la **aldea**   village
alegarse   to be alleged, to be affirmed
alegrar(se)   to cheer, to gladden; to be glad
la **alegría**   joy
alejado   distant
el **alejamiento**   elongation, separation
alejar(se)   to move away
el **alemán** (n., adj.)   German
alentar [e > ie]   to cheer up
el **alero**   eaves
el **alfil**   bishop
la **algazara**   din, uproar
   algunas cuantas   a few
las **alhajas**   jewelry; jewels
el **aliciente**   incentive
el **aliento**   breath
alimentar(se)   to feed; to feed oneself
el **alimento**   food
el **alma** (f.)   soul
el **almacén**   warehouse; store; department store
la **almendra**   almond
la **almohada**   pillow
el **almuerzo**   lunch
el **alpiste**   birdseed
alquilar   to rent
el **alquiler**   rent
alrededor de   around
los **alrededores**   surroundings
el **altavoz**   loudspeaker
alto   high
la **altura**   height
el **alumbrado**   lighting system
alumbrar   to light, to illuminate
alunar   to land on the moon
el **alza** (f.)   rise, increase
el **alzamiento**   uprising
allá   there
   el más allá   the other world
   más allá   beyond

el **ama de casa** (*f.*) housewife, homemaker
amable amiable, kind
amanecer to dawn; to appear at dawn
la **amapola** poppy
amar to love
amargo bitter
la **amargura** bitterness
amarillo yellow
amarrar to tie
ambicionar to be eager for
ambiental environmental
el **ambiente** environment
el **ámbito vivencial** way of life
ambos both
la **amenaza** threat
amenazar to threaten
amical friendly
la **amistad** friendship
amontonarse to pile up
amortizar to pay off
ampliar to widen
amplio ample
la **ampolleta** vial
el **analfabetismo** illiteracy
analizar to analize
ancho wide
el **anciano** old man
anclar to anchor
andar to walk
  andar angustiado to be distressed
el **ángulo** angle
el **ángulo recto** right angle
la **angustia** anguish
anhelante eager, yearning
anhelar to crave; to yearn
el **anillo** ring
animar to encourage
  animarse a to feel encouraged to
el **ánimo** mind, spirit; strength
  entrarle ánimo (**a uno**) to feel encouraged, to take heart
el **anochecer** dusk, nightfall
el **ansia** (*f.*) eagerness; anxiety
ansioso anxious
el **antepasado** ancestor
anterior previous
anticuado antiquated, out of fashion, old-fashioned
antiguo old

anular to annul
anunciar to advertise; to announce
el **anuncio** advertisement; announcement
añadir to add
el **año** year
  año tras año year after year
apagado subdued
apagar to turn off, to put out
el **aparato** appliance
aparecer to appear
apartarse to move away
aparte de besides
apasionar to impassion
apático apathetic, indifferent
el **apellido** surname, last name
apenas hardly
la **apertura** opening
aplastar to smash
aplicar(se) to apply; to be applied
apoderarse de to seize; to take control of
apolillado moth-eaten
apoltronado lounging
aporrear to beat, to club
la **aportación** contribution
aportar to contribute
apoyar to support; to lean against
el **apoyo** support
apreciar(se) to appraise; to appreciate; to be appreciated, observed
aprender to learn
el **aprendiz** apprentice
aprestarse a to get ready to
apretar [e > ie] to press
el **apretón** squeeze
aprisionar to imprison
aprobar [o > ue] to approve
el **aprovechamiento** utilization
aprovechar(se) to take advantage of
aproximarse to approximate
apuntar a to point to
apurar(se) to hurry (up)
el **apuro** haste, urgency
arcano secret (*adj.*)
el **archivo** archive, file
arder to burn; to glow
la **arena** sand
argüir to argue for
armar to arm
la **armonía** harmony

armonioso harmonious
el arnés harness
arraigar to root
arrancar to pull out
arrastrar to drag
arrebatarse to be overcome
arreglarse to settle; to come to an agreement
el arreglo grooming
hacer los arreglos to make the arrangements
arremangar la camisa to roll up the sleeves
el arresto imprisonment, detention
arriba up
de arriba a abajo from top to bottom
para arriba upwards
arribar a to arrive at
arrojar to throw; to throw out
arrojar contra to hurl against
el arroz rice
arrugar to crumple
arruinar to ruin
las artesanías crafts
el asador spit
la ascendencia ancestry
ascender [e > ie] to ascend
el ascensor elevator
el asco disgust
dar asco to disgust
darle a uno asco to turn one's stomach
asediar to besiege
asegurar to secure, to fasten; to affirm, to assert
asegurarse de to make sure
asentarse [e > ie] to settle
el aseo cleanliness
asesinar to assassinate
asestar to deal (a blow)
el asiento seat
tomar asiento to be seated
el asilo asylum
asimilar to assimilate
asir(se) to grab; to cling to
la asistencia welfare
asistir a to attend
asnal donkey (adj.)
asociarse con to be associated with
asomar(se) to show, to appear; to be near
asombrar(se) to amaze, to astonish; to be amazed, to be astonished
el asombro astonishment
la aspereza ruggedness

la aspiradora vacuum cleaner
aspirar a to aspire
el asunto affair, matter, issue
asustar to scare
el ataque attack
el ataque de nervios nervous breakdown
atar to tie
atender [e > ie] a to take care of
el ateo atheist
aterrar to terrorize
aterrizar to land
aterrorizar to terrorize
atesorar to treasure up; to hoard up
la Atlántida Atlantis
atolondrado giddy
el atractivo charm; inducement
atraer to attract, to pull
atrapar to catch
atrás in the back; behind
hacia atrás backwards
volver para atrás to come back, to return
atravesar to go through; to cross
atreverse a to dare to
atrofiar to atrophy
el atuendo pomp; garb
aturdir to stun
el aula (f.) classroom
aumentar to increase
el aumento raise
aunque although; even though
áureo golden
ausentarse to leave; to be absent
la autocrítica self-criticism
el autodidacta self-taught person
autorizar to authorize
el avance advance
avanzar to advance
avasallar to subjugate
la avena oatmeal
aventurar to venture
averiguar to find out
la avidez avidity, greediness
avieso mischievous
avisar to warn
el aviso announcement
el ayo tutor
la ayuda help
ayudar to help; to aid
el Ayuntamiento City Hall

el azadón   hoe
el azúcar   sugar
   azucarar   to sweeten
   azul marino   navy blue
   azuzar   to incite

B
el bachiller   bachelor
la bagatela   trinket
la bahía   bay
el bailarín   dancer
   bajar   to come down
   bajo   low; under
los bajos   downstairs
la bala   shot put
   balar   to bleat
el balazo   gun shot
la balsa de totora   raft made of reed
la bandeja   tray
el banquero   banker
   bañarse   to bathe
el baño   bathroom
la baraja   game of cards; deck of cards
      tallar la baraja   to shuffle a deck of cards
la barandilla   railing
   barato   cheap, inexpensive
la barba   beard
   barbudo   bearded
el barco   ship
el barquillo   thin rolled wafer
   barrer   to sweep
el barril   barrel
el barrio   neighborhood
el barro   clay
el barrote   iron bar
   basarse   to be based on; to rely on, to base one's
      judgment on
   bastar   to suffice, to be enough
el bastón   cane
la batalla   battle
      librar una batalla   to engage in a battle
   batir   to beat
   bautizar   to baptize
el beato   devout
   beber   to drink
la bebida   drink
las Bellas Artes   Fine Arts
la belleza   beauty
   bello   beautiful

   bendecir   to bless
la bendición   blessing
el bendito   (n., adj.)   saint; blessed
   beneficiarse   to benefit from
el beneficio   benefit
el berro   watercress
   besar(se)   to kiss
el beso   kiss
la bestia   beast
el betabel   beet crop
el betún   shoe-blacking
la bicicleta   bicycle
   bien   all right, well
      más bien   rather
      si bien   if
   bienamado   beloved
las bienes raíces   real estate
el bienestar   well-being; welfare, prosperity
el bienhechor   benefactor
el bigote   moustache
el billete   ticket; bill
el bistec   beef steak
la boca   mouth
el boceto   sketch
la boda   wedding
la bodega   cellar; grocery store (Cuba)
la boina   beret
la bola   ball
el bolsillo   pocket
   bombardear   to bombard
el bombardeo   bombing
el bombero   fireman
el bombón   candy
la bondad   goodness
el bono   bond, voucher
   bordar   to embroider
a bordo   on board
   borrar   to erase
el borrico   ass
   borroso   uninteresting
el bosque   forest
la bota   boot
la botella   bottle
el bote   bounce
      dar botes   to bounce
la botica   drugstore
el boticario   druggist
la brasa encendida   live coal
   bravo   wild, fierce

el **brazo**   arm

el **brebaje**   drink, beverage

la **brecha**   breach; gap

breve   short, brief

brillar   to shine

el **brinco**   jump

brindar(se)   to offer; to toast, to drink to
        someone's health

el **broche**   fastener

la **broma**   joke, jest

brotar   to bud

la **brujería**   witchcraft

el **brujo**   sorcerer

el **budín**   pudding

el **buey**   ox

la **buhardilla**   garret

el **bulto**   bulk

bullicioso   noisy

la **burbuja**   bubble

la **burla**   mockery, scoffing

burlar   to mock, to deceive; to outwit

burlarse de   to make fun of

el **burro**   ass, donkey

el **buscador**   searcher

buscar   to look for, to search

en busca de   in search of

la **búsqueda**   search

en búsqueda de   in search of

el **buzo**   diver

C

el **caballo**   horse

a caballo   on horseback

el caballo-vapor   horsepower

el **cabello**   hair

caber   to fit

la **cabeza**   head

cabizbajo   crestfallen

el **cabo**   extreme; cape

al cabo de   after, at the end of

llevar a cabo   to carry out

el **cacahuate**   peanut

el **cacao**   chocolate seed

el **cacaotero**   chocolate tree

la **cacería**   hunting party; quantity of dead game

el **cacique**   Indian chief

la **cadena**   chain

la **cadera**   hip

caer(se)   to fall (down)

dejar caer   to drop

el **cafetero**   owner of a cafe

la **caída**   fall

la **caja**   box; cash register

el **cajón**   large box; drawer

la **calabaza**   pumpkin

la **calavera**   skull; satiric poem

el **calcetín**   sock

calcular   to calculate

la **calefacción**   heating

el **calendario**   calendar

calentar(se) [e > ie]   to heat; to warm; to get
        warm

la **calidad**   quality

en calidad de   as, in the capacity of

cálido   warm

caliente   hot

calificar   to judge; to rate; to grade

calmar   to calm, to quiet; to mitigate

el **calor**   warmth

la **calzada**   avenue; sidewalk

el **calzado**   footwear

calzarse los zapatos   to put one's shoes on

la **cámara**   chamber, house; camera

en cámara lenta   in slow motion

el **camarero**   waiter

el **camarón**   shrimp

cambiar   to change

en cambio   on the other hand; in turn

sufrir cambios   to undergo changes

el **camello**   camel

el **caminante**   traveler, walker

caminar   to walk

la **camisa**   shirt

la **camiseta**   T-shirt; shirt

el **camisón de noche**   night shirt

el **campamento**   camp

la **campanada**   ringing of a bell

la **campanilla**   little bell

la **campaña**   campaign

el **campesino**   peasant

el **campo**   field; countryside

la **canción**   song

la **canela**   cinnamon

el **cansancio**   tiredness, fatigue

cansar   to tire

el **cantante**   singer

cantar   to sing

el **cántaro**   large, narrow-mouthed pitcher

la **cantidad** amount; quantity
la **cantina** bar room, saloon
el **canto** song
la **caña de azúcar** sugar cane
el **cañadón** large glen
el **cañizo** pipe
el **caño** pipe
el **cañón** cannon
la **capa** cover
  capacitado qualified, able
  capacitar to enable
  capaz capable
el **capítulo** chapter
  captar to catch, to capture
la **cara** face
el **carapacho** shell
  carcomer to gnaw; to consume or impair by
    degrees
el **cardo** thistle flower
  carecer de to lack
el **cargador** carrier
el **cargamento** shipment
  cargar to charge; to carry
el **cargo** position
    hacerse cargo de to take charge of
  caribeño Caribbean (*adj.*)
la **caricia** caress
el **cariño** affection
la **carne** meat; flesh
    ponerse la carne de gallina to get goose
      bumps
  caro expensive
la **carpa** tent
la **carrera** race; career
la **carretilla** small cart
el **cartel** poster
el **cartero** postman
la **casa** house; home; firm
    la casa de empeños pawnshop
    la Casa de Juntas City Council
    la casa productora manufacturing concern
    la casa-remolque trailer
el **casamiento** marriage
  casarse to get married
    casarse con to marry
el **cascote** rubbish
  casero homeloving
el **caserón** big house
  casi almost; nearly; hardly

el **caso** history
    darse el caso to suppose; to happen
    en caso de que in case
la **casona** big house
  castaño brown
  castigar to punish
el **castigo** punishment
la **casualidad** chance
    por casualidad by chance
la **casuca** old house
el **catastro** census
la **causa** cause
    a causa de on account of, due to
  causar to cause
la **cavilación** cavilling; quibbling
la **cazuela** stewing pan, crock
la **cebolla** onion
  ceder to yield, to submit; to give
  celebrar(se) to celebrate; to take place, to be
    celebrated
  célebre celebrated; famous
  celoso jealous
la **cena** dinner
  cenar to dine
la **ceniza** ash
la **central** power plant
  centrarse to be centered around
el **centro** center; downtown
    el centro nocturno nightclub
la **cera** wax
  cerca near
    de cerca closely
  cercano near, close by
  cerciorarse de to ascertain
el **cerdo** pig
el **cerebro** brain
  cerrar [e > ie] to close
el **cerro** hill
la **certeza** certainty, assurance
  cesar de to cease, to stop
la **cicatriz** scar
el **ciclo** cycle
el **cielo** heaven
el **científico** scientist
el **cierre** closing
  cierto true; certain
    estar cierto to be sure
la **cifra** figure, number
el **cigarrillo** cigarette

el **cigarro**   cigar
el **cilantro**   coriander
la **cima**   top
el **cine**   movie theater
el **cinturón**   belt, sash
el **cisne**   swan
la **cita**   quotation; appointment
  citar   to quote
la **ciudad**   city
la **ciudadanía**   citizenship
el **ciudadano**   citizen
  ciudadano   civic
  clamar   to cry out for
la **claridad**   brightness
  claro   clear; light; of course
la **clase**   kind
    de toda clase   of every kind
la **cláusula**   clause
la **clave**   code word; key (code or clue)
el **clavo**   clove
  cobarde   coward
el **cobrador**   collector
  cobrar   to get; to collect (money)
  cocer [o > ue]   to cook
la **cocina**   kitchen
  cocinar   to cook
el **coche de línea**   cab
la **codicia**   covetousness
  codiciar   to covet
el **cofre**   coffer, trunk
  coger   to take, to grab
el **cohete**   firework; rocket
  cohibir   to restrain, to inhibit
  coincidir   to coincide
el **cojo**   cripple
la **cola**   tail; line
    hacer cola   to wait in line
  colaborar   to collaborate
  colar [o > ue]   to pass through; to strain
la **colcha**   blanket
  coleccionar   to collect
el **colega**   colleague
el **colegial**   student
el **colegio**   school
la **cólera**   anger
  colgar [o > ue]   to hang
la **colina**   small hill
la **colmena**   beehive
  colocar   to place, to put

colocar en   to get placed
el **colono**   settler
el **colorado**   red-faced man
  colorido   colorfulness
la **comarca**   territory, region
  comarcano   regional
  combatir   to combat
  combinar(se)   to combine
el **comedor**   dining room
  comentar   to comment
el **comentario**   comment
  comenzar [e > ie]   to begin, to start
    comenzar por   to start by, with
  comer(se)   to eat; to eat up
  comestible   edible
  cometer   to commit
la **comezón**   itch
    producir comezón   to itch
la **comida**   food
el **comienzo**   beginning
    a comienzos de   at the beginning of
    al comienzo   at the beginning
    dar comienzo a   to begin
  comisionar   to commission
  cómodo   comfortable
el **compadre**   godfather and father of a child, each
      with respect to the other
  compararse a   to compare itself to
  compartir   to share
la **competencia**   competition
  competir [e > i]   to compete
  complejo   complex
  complementarse   to complement
el **comportamiento**   behavior
  comportarse   to behave
la **compra**   shopping; purchase
    ir, salir de compras   to go shopping
el **comprador**   buyer
  comprar   to buy
  comprender   to understand; to comprise, to
      include
  comprobar [o > ue]   to prove, to verify
de **común**   collectively
  comunicar(se)   to communicate
  concebir [e > i]   to conceive
el **concejal**   a member of a council; councillor
  concentrar(se)   to concentrate
la **conciencia**   consciousness
    cobrar conciencia   to realize

concientizar   to raise one's consciousness; to make one aware
concluir(se)   to decide finally, to determine; to end
el concurso   contest
el conde   count
condenar   to condemn
condicionar   to condition
conducir a   to guide, to lead to; to conduce
conectar   to connect
el conejo   rabbit
confesarse   to confess
   confesarse vencido   to admit defeat
la confianza   confidence; familiarity
   en confianza   between the two of us
conformarse a   to comply with
   estar conforme   to agree
confrontar   to confront
confundir   to confuse; to confound
la congruencia   affinity
conjuntamente   together
el conjunto   group
el conjuro   conjuration, entreaty
conllevar   to aid; to support
conmover [o > ue]   to move, to touch
conocer   to know
   conocer por   to know as
el conocimiento   knowledge
conquistar   to conquer
consagrar   to consecrate; to authorize
consciente de   conscious of
la conscripción   (military) draft
conseguir(se) [e > i]   to achieve; to obtain
el consejo   advise, counsel
la conserva   preserve
conservar(se)   to preserve, to conserve
considerar(se)   to consider; to be considered; to take into consideration
consistir en   to consist in
el consorcio   consortium, partnership, association
constituir   to constitute
la construcción   building, structure
construir   to construct, to build
el consuelo   consolation
consultar   to consult
consumir(se)   to consume; to be consumed
el consumo   consumption
el contador eléctrico   meter
contar(se) [o > ue]   to tell; to be told

contar con   to count on, to rely on
   contar entre   to be among
contener [e > ie]   to contain
contenido   moderate, restrained
contentarse con   to be content with
contento   glad
el contertulio   belonging to the same social circle
contestar   to answer
la contienda   contest, dispute; strife, struggle
continuar   to continue; (aux.) to keep
el contorno   contour, outline
contradecir [e > i]   to contradict
contraindicado   unadvisable
el contrario   contrary; opposite
   al contrario   on the contrary
   por el contrario   on the contrary
contrarrestar   to counteract
contrastar   to contrast
contratar(se)   to hire; to get hired
el contratiempo   setback, misfortune
controvertido   controversial
convencer(se)   to convince (oneself)
conveniente   to be proper
convenir [e > ie]   to be becoming, to be suitable
   convenir en   to agree on
converger   to converge
convertir(se) [e > ie] en   to convert; to become
la convivencia   act of living together
los cónyuges   husband and wife
la copa   glass; vase; drink
el coraje   courage; anger
   tenerle coraje (a algo)   to be angry at something
el corazón   heart
la corbata   necktie
el cordero   lamb
la cordillera   mountain chain
el coro   chorus
la corona   crown
la corporeidad   material and bodily substance
el corral   poultry yard
la corrección   correctness
el corredor   runner; hall
corregir [e > i]   to correct
el correntón de aire   draft
el correo   mail
correr   to run
la correspondencia   mail
corresponder   to correspond

correquile a uno   to be one's turn; to be
   one's duty
la **corrida**   bull fight
   corriente   common
la **corriente**   current, stream
la **cortada**   cross street
   cortar(se)   to cut; to be cut
el **corte**   gap; type
   corto   short
la **cosecha**   crop, harvest
   cosechar   to harvest
la **costa**   cost, expense; cost
   a costa de   at the expense of
   a toda costa   at all costs
el **costado**   side
   de costado   sideways
   costar [o > ue]   to cost
   costarle a uno   to have a hard time (doing
      something)
   costear   to pay the cost of
la **costumbre**   custom; tradition; habit; manner
   tener la costumbre de   to be in the habit of
la **costurera**   dressmaker
   cotidiano   daily
la **coyuntura**   joint
el **cráneo**   skull
   crear   to create
      estar por crearse   about to be created
   crecer   to rise, to swell; to grow
las **creces**   growth, increase; excess, extra
   con creces   amply, in abundance
el **crecimiento**   development
la **creencia**   belief
   creer   to believe, to think
el **crepúsculo**   twilight
el **criado**   servant
la **crianza**   raising; upbringing
   criar(se)   to raise, to bring up; to be brought up
la **criatura**   child
el **cristal antibalas**   bullet-proof glass
la **crítica**   criticism
   criticar   to criticize
la **crónica**   chronicle
el **cruce**   crossing
la **cruz**   cross
   cruzar   to cross
la **cuadra**   (street) block; stable
   cuadrado   square
el **cuadro**   picture, painting

cual si   as if
cualquier   any
cualquiera   anyone
cuando   when
   de cuando en cuando   from time to time
cuanto   how much; all that
   cuanto más. . .más   the more. . .the more
   en cuanto   as soon as
   en cuanto a   with regard to
   unos cuantos   a few
el **cuartel**   barracks
   cuarto   fourth
el **cuarto**   room; quarter
el **cubilete**   glass; mug
   cubrir   to cover
la **cuchara**   tablespoon
la **cucharilla**   teaspoon
el **cuchillo**   knife
el **cuello**   neck
el **cuenco**   bowl
la **cuenta**   bill; account
   darse cuenta de   to realize
   la cuenta corriente   checking account
   la cuenta de ahorros   savings account
   tener en cuenta   to take into account, to have
      in mind
   tomarse en cuenta   to take into consideration
el **cuento**   short story
la **cuerda**   cord
el **cuero**   leather
el **cuerpo**   body
la **cuestión**   matter
el **cuestionario**   questionnaire; list of questions
la **cueva**   cave
el **cuidado**   care
   con mucho cuidado   carefully
   tener cuidado   to be careful
   cuidadoso   careful
   cuidar   to take care of
      cuidarse de   to make sure to
la **culebra**   snake
   culminar   to culminate
la **culpa**   guilt
   cultivar   to cultivate
el **cumpleaños**   birthday
   cumplidor   reliable
   cumplirse   to become a reality, to be fulfilled
   curarse   to recover (from an illness)
el **curioso**   busybody

cursar   to study

Ch

el **chaleco**   vest
la **chaqueta**   long jacket
el **charco**   puddle
charlar   to talk, to chat
el **chicano**   Mexican-American
el **chícharo**   pea
chico   small, little
la **chimenea**   chimney; fireplace
el **chiquillo**   kid
la **chispa**   spark
el **chiste**   joke
chocar   to strike, to collide
el **choque**   clash; accident; shock
la **chota**   police [*slang*]
   echar la chota   to call the police [*slang*]
chupar   to absorb
el **chupete**   lollipop, pacifier
el **chupinazo**   fireworks that start the festivities in
   Pamplona

D

dañarse   to damage; to injure oneself
el **daño**   damage; hurt
   sufrir daño   to get hurt
dar(se)   to give; to offer; to grow
   dar por   to offer for, to sell for
   dar rienda suelta a   to give free rein to
datar   to date
el **dato**   fact, data
deambular   to walk, to promenade
debajo de   underneath
debatirse   to debate
deber   to have to; ought; must; should
   deberse a   to be due to
el **deber**   duty
debido a   due to
la **debilidad**   weakness
la **decena**   tenth
el **decenio**   decade
decidir   to decide
   decidirse a   to decide upon, to make up one's
   mind
decir(se) [e > i]   to tell; to say; to be said; to say
   to oneself
   es decir   that is to say
   querer decir   to mean

declarar   to declare, to assert; to order
decretar   to decree, to order
dedicar   to dedicate
el **dedo**   finger
deducir   to deduce, to conclude
defender [e > ie]   to defend
definir   to define
la **dehesa**   pasture
dejar   to leave; to let; to let oneself
   dejar de   to stop, to cease, to quit; to fail to
el **delantal**   apron, smock
delante   in front
   pasar por delante   to walk by
la **delicadeza**   delicateness
la **delicia**   delight
demás   rest
   los demás   the others, the rest
   por lo demás   as for the rest, apart from this
demasiado   overly; too; too much
demostrar [o > ue]   to demonstrate; to show
denigrar   to denigrate
denominar   to denominate
dentado   toothed
dentro de   inside, in; within
denunciar   to denounce
el **departamento**   apartment
depender de   to depend on
el **dependiente**   store clerk
deponer   to depose
el **deporte**   sport
depositar en   to deposit, to put
derecho   right; straight ahead
el **derecho**   right
   tener derecho a   to have the right to
derivar   to derive
derramar   to spill
   derramar lágrimas   to cry
derretirse [e > i]   to melt
el **derroche**   display
derrotar   to defeat
desafiar   to challenge
desaforado   huge; disorderly
desaliñar   to muss
el **desaliño**   slovenliness, untidiness
desanimarse   to become discouraged
desaparecer   to disappear
desarmar   to disarm
el **desarme**   disarmament
desarrollar(se)   to develop

el **desarrollo**   development
   en desarrollo   developing
desarrugar   to unwrinkle
desayunar   to have breakfast
desbancar   to beat
descalzo   barefooted
descansar   to rest
el **descanso**   rest
descargar   to discharge
descender [e > ie]   to descend
el **descenso**   descent
descifrar   to decipher, to figure out
descolgar [o > ue]   to take down
descomponerse   to decompose; to break down
descomunal   colossal, huge; uncommon
desconcertar [e > ie]   to disconcert
la **desconfianza**   distrust
desconfiar   to distrust, to lose confidence
desconocer   not to know, to ignore
desconocido   unknown
describir   to describe
el **descubridor**   discoverer
el **descubrimiento**   discovery
descubrir(se)   to discover; to be found out
descuidado   slovenly, dirty
deseable   desirable
desear   to wish, to desire
desembarcar   to disembark
desempeñar un papel   to play a role
el **desenlace**   end, unfolding
desenvolverse [o > ue]   to take place, to develop; to develop and grow
el **deseo**   desire
el **desequilibrio**   imbalance
el **desfallecimiento**   discouragement; weakness
desfamiliarizar(se)   to defamiliarize
el **desfile**   parade
desgarbado   ungainly, uncouth
desgarrar   to rend
la **desgracia**   misfortune, mishap
el **desgraciado**   unfortunate
deshacerse   to get rid of
designar   to designate
deslumbrar   to dazzle
el **desmayo**   fainting spell
desnucar   to break the neck of
desnudar   to strip; to undress
la **desnudez**   nakedness
desnudo   naked

desocupado   unoccupied
despachar   to sell; to dispatch
despacio   slow, slowly
despectivo   scornful; pejorative
despedazarse   to break, to fragment
despedir [e > i]   to say good-bye; to dismiss
despegar   to open (the eyes)
desperezarse   to stretch one's limbs
despertar(se) [e > ie]   to stir; to wake up
despiadado   cruel, pitiless, unmerciful
el **despliegue**   display
los **despojos**   spoils; remains
despreciar   to despise, to slight, to scorn
el **desprecio**   scorn, contempt
desprenderse   to loosen, to detach
   desprenderse de   to be deduced from
destacar   to point out
destapar   to uncover
destartalado   ramshackle
desteñido   faded
desterrar [e > ie]   to eliminate; to banish
destinar   to destine
el **destinatario**   addressee
el **destino**   destiny; destination
   con destino a   bound for
destrozar   to destroy
destruir   to destroy
desvanecerse   to vanish, to evanesce
desvestir [e > i]   to undress
desviarse   to wander off
el **detalle**   detail
detener(se) [e > ie]   to stop
determinado   definite
determinar   to determine
detestar   to detest
detrás de   behind
la **deuda**   debt
devolver [o > ue]   to return, to send back
devorar   to devour
el **día** (*m.*)   day
   día a día   day by day
   el Día de la Raza   Columbus Day
   el día feriado   holiday
   el día menos pensado   one of these days
   pasar el día   to spend the whole day
diariamente, a diario   daily
el **diario**   newspaper
dibujar   to draw
el **dibujo**   drawing

dictaminar to pass judgment
dictar(se) to set rules; to be offered
la dicha fortune
dicho above-mentioned
el dicho saying
dichoso happy
el diente de ajo clove of garlic
la diferencia difference
   a diferencia de unlike
diferenciarse to be differentiated, to be different
diferir [e > ie] to differ
difundir(se) to broadcast; to spread out
el difunto dead person
la difusión broadcast
digno worthy
   digno de confianza reliable
Dinamarca Denmark
el dinero money
   pasarle dinero (a alguien) to give an
      allowance
el dios god
el diosecillo minor god
el dique dike
la dirección administration; way; address
   en dirección a towards
el dirigente leader
dirigir to direct, to manage
   dirigirse a to be heading to; to address
   ir dirigido a to be addressed to
discutir to discuss
el disfraz disguise
disfrazarse to disguise
disfrutar to enjoy
el disgusto annoyance, unpleasantness; displeasure
disiparse to disappear, to dissipate
disminuir to diminish
dispersar to disperse
disponer to dispose
   disponer de to have available
disponible available
dispuesto a willing to
disputar to dispute
la distancia distance
   salvar la distancia to overcome a difficulty; to
      bring together
distanciar to move away
distinguir(se) to distinguish
distinto different
distorsionar to distort

distraer to distract
distribuir to distribute
divertir(se) [e > ie] to amuse; to have a good
   time
dividir to divide
   dividirse en to be divided in
doblar to turn the corner; to fold
doblemente twice as
el docente teacher, instructor
dolerle [o > ue] to suffer, to hurt
el dolor grief, pain
dolorido aching
doloroso painful
domesticar to domesticate
dominar to dominate
el dominio mastery
el don gift
la doncella maid
dorado golden
dormir(se) [o > ue] to sleep; to fall asleep
la dosis dose
dotado de endowed with, provided with
drogarse to get drugged; to take drugs
la duda doubt
   despertar dudas to raise doubts
   sin duda doubtless
el dueño owner
el dulce candy
duplicar to double; to duplicate
durante during; for
durar to last
duro hard; duro

E

economizar to economize, to save
echar to put, to drop; to throw; to pour
   echar a + inf. to start to
   echar afuera to throw out
   echarse a perder to be ruined
la edad age
   la Edad Media Middle Ages
el edificio building
editar to edit
educar(se) to educate; to get educated
efectuar los pagos to make payments
eficaz effective
el egresado graduate
ejecutar to execute
el ejemplar model; copy

ejercitarse   to exercise
el **ejército**   army
elaborarse   to be elaborated
la **elección**   choice; election
elegir   to choose, to select; to elect
elevado   high
elevar   to raise
eliminar   to eliminate, to suppress
el **elogio**   eulogy, praise
embalar   to pack
embarazada   pregnant
el **embarazo**   pregnancy
embarcarse   to embark
sin **embargo**   however; nevertheless
el **embate**   impetuous attack
embestir   to charge, to attack
el **embotellamiento de tráfico**   traffic jam
el **embrión**   embryo
embrujar   to bewitch
emigrar   to emigrate
la **emisión**   issuance; broadcast; emission
emitir   to emit
emocionar   to move, to stir
empanizado   breaded
empapado   wet
emparejar   to pair, to match
el **empellón**   push, shove
empeñar   to pawn
empeñarse en   to insist on
el **empeño**   determination
empezar [e > ie]   to begin
empinar el codo   to get drunk
empinarse   to tiptoe
el **empleado**   employee
emplear(se)   to employ; to be employed, used
emprender   to undertake
la **empresa**   company; enterprise, undertaking
empujar   to push
el **empuje**   thrust
emular   to imitate, to copy
enamorado   in love
el **enano**   dwarf
encabezar   to head; to lead
encantar   to love; to enchant
el **encanto**   charm
encaramarse   to climb up
el **encargado**   person in charge
encargar(se)   to ask, to request; to put in charge
encargar a   to commission

encarnizado   bloodshot
encastado   of good breed
encender [e > ie]   to light; to turn on, to light up
encerrar(se)   to lock; to lock oneself in
el **encierro**   the driving of the bulls into the penfold
encima   above
quitarse de encima   to shake off
tirarse encima   to spill on oneself
encontrar(se) [o > ue]   to find; to be located; to find oneself
encontrarse con   to run into
encubrir   to hide, to conceal
el **encuentro**   encounter; meeting
la **encuesta**   survey, poll
el **encuestado**   interviewee; person polled
enchufar   to plug in
enderezar   to straighten
el **enemigo**   enemy
enfermarse   to get sick
la **enfermedad**   sickness, disease
enfermo   sick
enfocar   to focus
enfrentar, enfrentarse a   to face
enfrente (de)   in front (of)
enfriar   to cool
enfundar   to put on
engalanarse   to be adorned
engañar   to deceive
engordar   to fatten
enlagunar   to cover with water
enlazar   to connect, to link
enlodar   to cover with mud
enojar(se)   to anger; to get angry
el **enojo**   anger
enorgullecerse de   to be proud of
enriquecer(se)   to get rich
ensangrentado   bloody
el **ensayista**   essayist
el **ensayo**   essay; act, deed
la **enseñanza**   education
la enseñanza elemental (primaria)   elementary school
la enseñanza media (secundaria)   secondary school
la enseñanza superior (universitaria)   higher education
enseñar   to teach; to show
ensordecer   to deafen
el **ensueño**   daydream

entender(se)   to understand; to understand each
   other
enterarse de   to find out
entero   complete, entire
enterrar [e > ie]   to bury
el entierro   burial, funeral
entonar   to intone
entonces   then; as a result
la entrada   beginning; down payment; entrance
entrañable   profound; intimate
entrar   to go in, to enter; to get in
entre   between; among
   entre sí   to himself; among themselves
entrecortado   faltering
entregar(se)   to devote; to deliver; to be given
entrelazarse   to interlace
entremezclarse   to intermingle
entretener [e > ie]   to entertain
entrever   to catch a glimpse of
   dejar entrever   to hint; to suggest
entrevistar   to interview
entristecer   to make sad
entullido   numb
entumecer   to make numb
enumerar   to enumerate
el envenenamiento   poisoning
envenenar   to poison
enviar   to send
la envidia   envy
envidiar   to envy
el envío   shipping
enviudar   to become a widower (or widow)
la envoltura   wrapping, covering
envolver [o > ue]   to cover
el equilibrio   balance
la equivocación   mistake
equivocado   wrong
erguir [e > ue]   to straighten up
el erudito   scholar
esbozar   to sketch out
el esbozo   sketch
la escala   scale; stop
   en gran escala   on a large scale
la escalera   ladder
el escalofrío   chill
el escalón   step
escandalizar   to scandalize
la escapada   outing
escapar   to escape

dejar escapar   to let go
escapársele a uno   to let slip
el escapulario   scapulary, religious object
escarmenar   to comb wool
escaso   scarce
la escena   scenery; scene; stage
escenificar   to stage
escoger   to choose
escolar   school (adj.)
esconderse   to hide
escribir   to write
el escritor   writer
el escritorio   desk
la escritura   handwriting; writing
escrutar   to examine
escuchar   to hear; to listen
el escultor   sculptor
escupir   to spit
esforzarse [o > ue]   to strive; to exert oneself
el esfuerzo   effort
el esguince   twist of the body
el eslavo (n., adj.)   Slav, Slavic
eso   that
   a eso de   about
   eso sí   definitely
   por eso   because of that; therefore
el espacio libre   open space
la espalda   back
   de espaldas   backwards
espantar   to scare, to frighten
el espanto   terror, fright
espantoso   frightening, terrifying
el español (n., adj.)   Spaniard; Spanish
esparcir   to spread
la especia   spice
en especial   especially
especializarse en   to specialize in
la especie   kind; species
   una especie de   a kind of
el espectáculo   spectacle, show
especular   to speculate
el espejo   mirror
la esperanza   hope
esperar(se)   to wait, to wait for; to hope; to be
   expected
la espiga de grano   ear of grain
la espinaca   spinach
el espinazo   spine
el espiritista   spiritualist

el **espíritu en pena**   suffering soul
la **esposa**   wife
el **esqueleto**   skeleton
el **esquema**   sketch, outline
la **esquina**   corner
　establecer(se)   to establish; to settle
el **estado**   state; social level
el **estado anímico**   state of mind
los **Estados Unidos**   United States
　estadounidense   American (from the United
　　States)
　estallar   to explode, to break out
la **estampa**   scene, picture
el **estancamiento**   stagnation
el **estandarte**   banner
el **estanque**   pond
el **estante**   shelf
　estar   to be
　　estar a favor de   to be in favor of, to be for
　　estar por   to be about to; to be in favor of
la **estatuilla**   small statue
la **estera**   (door) mat
　esterilizar   to sterilize
el **esteta**   aesthetician
la **estiba**   load
　estilizar   to stylize
el **estilo**   style
　estimar(se)   to esteem; to judge, to think; to
　　estimate; to be estimated
　estirar   to stretch; to stretch out
　Estocolmo   Stockholm
　estofar   to stew
el **estrato**   layer
　estrechar   to squeeze, to press
　estrecho   narrow
la **estrella**   star
　estremecerse   to tremble
　estrenar   to do or use something for the first time
la **estrofa**   strophe, stanza
　estropear   to damage, to ruin, to spoil
el **estrujón**   pressing
el **estuche**   case
　estudiar   to study
　　el estudio de campo   field study
la **estupefacción**   stupefaction
　estupefacto   stupefied, dumbfounded
la **etapa**   period; stage
la **etiqueta**   label; formality
　evento   event

　en el mismo evento   at the same time
　evitar   to avoid
　evocar   to evoke
　exagerar   to exaggerate
　exaltar   to exalt
　examinar   to examine
　exceder   to excede
la **excelencia**   excellence
　　por excelencia   par excellence
　excelso   lofty, sublime
　excitante   stimulant
　exhibirse   to be exhibited
　exigir   to require, to demand
el **exiliado**   exile
　existir   to exist
el **éxito**   success
　experimentar   to experiment
　explicar   to explain
　explicativo   explanatory
el **explorador**   explorer
　explorar(se)   to explore; to be explored
　exponer   to expound; to expose
　exportar   to export
　expresar(se)   to express; to express oneself
　extender(se) [e > ie]   to extend
　extraer   to extract
el **extranjero**   foreign
　extrañar   to find strange; to miss; to surprise
　extraño   foreign; strange
el **extremo**   extremity

F
la **fábrica**   factory
el **fabricante**   manufacturer
　fabricar   to manufacture
la **facilidad**   ease
　　las facilidades de pago   easy payments
la **facultad**   school, university division
la **fachada**   facade
la **falda**   skirt
la **falta**   lack
　　a falta de   for want of
　　hacer falta   to be necessary; to lack, to be
　　　lacking
　faltar   to be left; to be missing; to lack
　　no faltar más   that is the limit
　　no faltar quien   there is always someone
la **falla**   failure; mistake
　fallecer   to die

la **fama**   fame

    tener fama de   to be known to be, to be considered to be

el **fandango**   happy dance

el **fantasma**   phantom, ghost

el **fardo**   load (of coins)

el **farmacéutico**   pharmacist

el **faro**   lighthouse

la **faz**   face

la **fecha**   date

    fechar   to date (time)

la **felicidad**   happiness

    felicitar   to congratulate

    feliz   happy

el **fenómeno**   phenomenon

    feo   ugly

la **feria**   fair

    feroz   ferocious

    fertilizar(se)   to fertilize

    festejar(se)   to celebrate, to honor

el **festejo**   festivity, celebration

la **fibra**   fiber

la **fiebre**   fever

el **fiel**   devout Christian

el **fieltro**   felt

la **fiera**   wild animal, beast

la **fiesta**   feast; party; holiday

    la fiesta patronal   patron saint's celebration

    fijar(se)   to fasten; to establish; to notice

    fijo   fixed; steady

    mirar fijo   to stare

la **fila**   line, row

las **Filipinas**   Philippines

el **filo**   cutting edge

el **filón**   gold mine; vein

el **fin**   purpose; end

    a fin de   in order to

    al fin de   after

    dar fin (a)   to end

    en fin   in short

    para fines de   in order to, for the purpose of

    por fin   finally

    tener como fin   to have as an objective

    finalizar   to finish

la **finca**   farm

    fingir   to fake, to pretend

    fino   thin; fine

la **firma**   signature; signing

    firmar   to sign

la **física**   physics

    físico   physical

la **fisonomía**   physiognomy

    flaco   skinny

la **flauta**   flute

    flemático   slow

la **flor**   flower

    florecer   to flourish

el **florecimiento**   flourishing; flowering

    fluir   to flow

el **folleto**   brochure; manual

    fomentar   to foment; to foster, to promote

la **fontana**   fountain

el **forastero**   foreigner

    forjar   to forge, to build, to create

la **forma**   form, shape; way

    no haber forma de   to be no way of

    formado   fully developed

    formarse   to be formed

    formularse   to be formulated

    forrar   to cover; to line

la **fortaleza**   fortress

la **fortuna**   happiness

    forzar [o > ue]   to force

    forzoso   necessary, unavoidable

la **fosa**   grave

la **foto**   picture, photograph

el **fracaso**   failure

la **francachela**   wild party

    franquear   to clear; to disengage; to exempt

el **frasco**   bottle

la **frase**   saying; sentence; phrase

la **fraternidad**   brotherhood

    con frecuencia   frequently

    frecuentar   to frequent

la **frente**   forehead

    de frente   face forward

    frente a   across from; in front of

    fresco   cool; fresh

    hacer fresco   to be cool

    tomar el fresco   to go out for some fresh air

el **frijol**   bean

    frío   cold

la **fruición**   enjoyment

    frustrarse   to thwart (a business deal); to become frustrated

el **fruto**   produce; result

el **fuego**   fire

la **fuente**   source

fuera outside

   fuera de lo común uncommon, extraordinary

   hacia fuera outward

fuerte strong; loud

la **fuerza** force; strength

   a la fuerza by force

   hacer fuerza to pull

la **fuerza motriz** motivating power

el **fumador** smoker

  fumar to smoke

la **función** performance; function

el **funcionamiento** functioning

 funcionar to work, to function

 fundar to found

 fundirse to merge, to fuse

 funesto ill-fated

el **fusil** rifle

el **fusilamiento** shooting, execution

 fusilar to execute

G

el **gabinete** cabinet

el **galpón** shed

la **galleta** cookie; cracker

la **gallina** hen

el **gallinero** henhouse

la **gamuza** chamois (a kind of leather)

la **gana** desire

   con todas las ganas with all one's might

   dar ganas de to feel like

el **ganado** cattle; herd

la **ganancia** earning, profit

 ganar to earn; to win

   salir ganando to come out a winner

la **ganga** bargain

el **garage** gas station

la **garantía de fabricación** manufacturer's guarantee

 garantizar to guarantee

el **garbanzo** chick pea

la **garganta** throat

la **gaseosa** soda

 gastar to spend; to run down (a battery)

el **gato** cat

 general general, common

   por lo general generally

 generalizar(se) to generalize; to become generalized

 generar to generate

el **género** gender

 génico genetic

el **genio** character, disposition; genius

la **gente** people

el **gerente** manager, director

el **germen** seed

 gesticular to gesticulate

la **gestión** step, measure

el **gesto** gesture

 gigantesco gigantic

 Ginebra Geneva

 girar to revolve; to rotate

el **girasol** sunflower

el **giro** check, money order

el **globo** balloon

 glotón glutton

 gobernar to govern, to control

el **gobierno** government

la **golondrina** swallow (bird)

la **golosina azucarada** candy

el **golpe** blow; stroke

   de golpe suddenly, unexpectedly

 golpear to hit

 gordo fat

el **gordo** first prize (in lottery)

el **gorro** bonnet

la **gota** drop

 gozar de to enjoy

el **grabado** picture; engraving

el **grabador** engraver

 grabar to record; to engrave

 gracias a thanks to

 gracioso witty, funny

la **grada** stair

el **grado** degree

 graduarse to graduate

la **gragea** bonbon

 gran great; important

 grande large; big

el **grano** grain, bean

   el grano de uva a grape

la **grasa** fat

 gratis free

la **grava** gravel

el **gremio** trade union, union

 griego Greek

 gris gray; gloomy

 gritar to scream

el **grito** scream

grueso thick
gruñón grumbler
el **guante** glove
el **guapetón** big bully
guapo bully; attractive, handsome
guardar to put away; to guard
la **guardería** child-care center
el **guardia** policeman
  montar guardia to guard
el **guatemalteco** (*n., adj.*) Guatemalan
la **guayaba** guava
la **guerra** war
guiar to lead; to guide
el **guiso** stew
el **guitarrista** guitar player
gustarle (a uno) to like
el **gusto** pleasure; taste
  al gusto as one likes it
  el gusto de vivir the joy of living
  estar a gusto to feel comfortable, to like
  sentirse a gusto to feel at ease

H

el **habano** famous Cuban cigar
la **habichuela** bean
hábil skillfull
la **habilidad** talent
la **habitación** room
habitar to inhabit, to live
el **hábito** custom
el **habla** speech
hablar to talk; to speak
hacer(se) to do; to make; to become; to be made
  hacer de to serve as
hacia about, near
la **hacienda** farmstead
el **hacha** ax
hachar to ax, to chop
hallar to find
el **hallazgo** discovery; thing found
el **hambre** (*f.*) hunger
hambriento hungry
harapiento tattered
el **harapo** rag
la **harina** flour
  la harina de maíz corn meal
hasta until; up to
  hasta qué punto to what extent
la **hazaña** feat, great deed

la **hebra** thread
la **hectárea** hectare, measure of surface
el **hechicero** wizard, sorcerer, enchanter
el **hecho** fact; event
  de hecho in fact
  hecho de made (out) of
la **helada** frost
la **hembra** female
heredar to inherit
el **heredero** inheritor
la **herida** wound
  herir [e > ie] to wound
  hermoso beautiful
  hervir [e > ie] to boil
el **hielo** ice
el **hierro** iron
hilar to spin
el **hilo** thread
el **himno nacional** national anthem
la **historieta** tale, story; comic strip
el **hogar** home
  hogareño pertaining to the home
la **hoja** leaf
el **holán** cambric
el **hombro** shoulder
el **homenaje** hommage
  hondo deep
  honrado honest
  honrar to honor
la **hora** hour
  a todas horas at all times
  a última hora at the last minute
el **horario** schedule
  hornear to bake
la **hornilla** stove
el **horno** oven
  horrendo horrible
  horrorizar to horrify
  hoy today
  de hoy en adelante from now on
  hoy (en) día today, presently; nowadays
hueco hollow, empty
la **huella** trace, mark
la **huerta** vegetable garden
el **hueso** bone
el **huevo** egg
huir to flee
humear to steam
húmedo damp

humillar   to humble
el **humo**   smoke; fumes
el **hundimiento**   collapse
hundir   to sink (into)
el **húngaro**   Hungarian (used as synonym for *gypsy*)
huraño   shy, unsociable
de **hurtadillas**   on the sly, secretly

I

el **iberoamericano** (*n., adj.*)   Spanish-American
identificarse   to identify oneself
el **idioma**   language
la **iglesia**   church
ignorar   to ignore, not to know
igual   same; equal
  al igual que   just like
igualador   equalizing
la **igualdad**   equality
iluminar   to illuminate; to light up
imaginarse   to imagine
imitar   to imitate
impedir [e > i]   to hinder, to prevent
imperar   to rule, to reign
el **imperio**   empire
implantar   to implant
implicar   to imply
implorar   to implore
imponer(se)   to impose; to dominate
la **importancia**   importance
  darse importancia   to put on airs of importance
importar   to concern
  sin importar(le)   without caring much
la **imprenta**   press; mark
imprescindible   indispensable
impresionar   to impress
imprimir   to impart; to print
el **impuesto**   tax
impulsar   to impel
inaugurar   to inaugurate
incapaz   incapable; unable
el **incendio**   fire
la **incertidumbre**   uncertainty
incitar   to incite
incluir   to include
incluso   even
inconcebible   unconceivable
incontable   countless
incorporar   to embody

incorporarse a   to join
incrustar   to incrust
inculcar   to inculcate
la **indagación**   investigation
la **indicación**   direction, instruction
indicar   to indicate
el **índice**   index finger
indígena   native
el **indígena**   Indian, native
la **indigencia**   poverty
indigno   unworthy
indiscutido   undisputed
el **indocumentado**   illegal alien
indómito   untamable, wild
indudable   doubtless; unquestionable
ineludible   inescapable
infeliz   unhappy, unfortunate
  el pobre infeliz   poor devil
infiltrarse   to infiltrate
influenciar   to influence
el **informe**   report
infortunado   unfortunate
infringir   to infringe
la **ingeniería**   engineering
el **ingeniero**   engineer
el **inglés** (*n., adj.*)   Englishman; English
la **ingravidez**   weightlessness
ingresar   to enter, to join
el **ingreso**   income
inhibir   to inhibit
iniciar   to start
la **inmobiliaria**   real estate
la **inquietud**   disquiet, unrest
el **inquilino**   tenant
el **inquisidor**   inquisitioner
inseguro   insecure
insensato   foolish, stupid
insigne   famous, renowned
insoportable   unbearable
inspirar a   to inspire to
instalar   to install
el **instante**   instant, moment
  en un primer instante   at first
instruir   to instruct, to educate
insular   island (*adj.*)
integrar   to integrate
íntegro   entire
intentar   to try, to attempt
el **intento**   effort

el **intercambio**   exchange
interesar   to interest
  interesarse en, por   to take an interest in
interpretar   to interpret
la **interrogante**   question
interrumpir   to interrupt
intervenir [e > ie]   to intervene
intimidar   to intimidate
intranquilizar   to make uneasy, to worry
intrigar   to intrigue
introducir   to introduce; to put in
inusitado   unusual
invadir   to invade
invasor   invading
la **inversión**   investment
invertir [e > ie]   to invest
la **investigación**   research
el **invierno**   winter
el **invitado**   guest
invitar   to invite
invocar   to invoke
la **inyección**   injection, shot
ir(se)   to go; to leave; to go away
  irle mal a uno   to do badly
iracundo   irate, wrathful
Irlanda   Ireland
el **irlandés** (*n., adj.*)   Irishman; Irish
la **isla**   island
izquierdo   left

J

la **jabalina**   javelin
jalar   to pull
jamás   never
Japón   Japan
el **jardín**   garden
la **jarra**   jug, jar, pitcher
la **jaula**   cage
el **jefe**   head (leader); chief; boss
la **jerarquía**   hierarchy
la **jerga**   jargon, slang
la **jerigonza**   gibberish
el **jíbaro**   Puerto Rican peasant
la **jícara**   cup
  dar un jicarazo   to poison someone
el **jitomate**   tomato
la **jornada**   day's journey; day
joven   young

jubilarse   to retire
el **júbilo**   joy
el **judío** (*n., adj.*)   Jew; Jewish
el **juego**   game
  el juego de azar   game of chance
  el juego de palabras   play on words
la **jugada**   play
el **jugador**   player
jugar [u > ue]   to play
el **jugo**   juice
el **juguete**   toy
junto a   next to
junto con   along with
juntos   together
justamente   exactly
justificar   to justify
justo   fair
juvenil   youthful
la **juventud**   youth

L

el **laberinto**   labyrinth
el **labio**   lip
la **labor**   work
  la labor de betabel   beet field
labrar   to till, to cultivate; to plow
el **labriego**   peasant
ladear   to bend, to lean
ladino   crafty, cunning
el **lado**   place; side
  de un lado a otro   from place to place
  por su lado   for his/her/their part
el **ladrón**   thief
el **lago**   lake
la **lágrima**   tear
la **laicización**   secularization
la **lámpara**   light
la **lana**   wool
languidecer   to languish
el **lanzamiento**   throwing
lanzar(se)   to throw; to launch (a compaign); to throw oneself
el **lápiz**   pencil
largo   long
  a lo largo de   along
  de largo   long
  pasar de largo   to pass by
la **lata**   tin can

latir to beat
el lazo tie
el lector reader
la lectura reading
la leche milk
leer to read
legislar to legislate
la legua league (measurement)
la legumbre vegetable
la lejanía distance, remoteness
lejano far
lejos far
la lengua language
la lenteja lentil
lento slow
la leña firewood
la letra bill; handwriting; letter
    las letras letters; literature
el letrero sign (poster)
levantar(se) to raise; to get up; to rise; to break
    (a camp)
leve light
la ley law
la leyenda legend
la liberacionista feminist
liberar to free
la libertad freedom
libre free
el libro book
el liceo secundario secondary school
el licor liquor
la licuadora blender
licuar to blend
la liebre hare
el lienzo canvas
ligar to bind, to tie
limitarse a to limit to
el limpiabotas bootblack
limpiar to clean
la limpieza cleanliness; cleaning
listo ready
liviano light
el lobo wolf
lóbrego dark, dismal; gloomy
el local place
localizar to locate
el loco crazy
    volverse loco to go crazy

el locutor announcer
el lodo mud
lograr(se) to manage; to achieve, to succeed in;
    to be obtained
la luciérnaga firefly
lucir to light up; to show off
la lucha struggle
luchar to fight
luego then
el lugar place
    dar lugar a to give rise to
    en lugar de instead of
    sin lugar a without
    tener lugar to take place
el lugareño villager
la luna de miel honeymoon
luto mourning
la luz light
    dar a luz to give birth

LL
la llama flame
el llamado calling
llamado so-called
llamar(se) to call; to be called
    estar llamado a to be destined to, to be called
        to
    llamar la atención to attract one's attention; to
        scold
el llanto tears
la llegada arrival
    a la llegada de at the arrival of
llegar to arrive
    llegar a to reach; to come to
    llegar a ser to become
llenar to fill, to fill up
llevar(se) to wear; to lead; to bring; to carry;
        to take; to arrive at a conclusion
    llevar consigo to carry; to imply
    llevar puesto to carry, to wear
    llevarse bien to get along
llorar to cry
llover [o > ue] to rain
la lluvia rain

M
la macarela mackerel
la madera wood

la **madrugada**   dawn

madrugar   to get up early

madurar   to mature

la **madurez**   maturity

maduro   ripe

la **magia**   magic

la **magulladura**   bruise

el **maíz**   corn

la **maldad**   wickedness

el **maleficio**   spell

la **maleta**   suitcase

malsano   unhealthy

el **maltrato**   mistreatment

la **manada**   herd

el **manantial**   spring, source

la **mancha**   spot

manchar   to spot

mandar   to send

el **mandato**   order

manejar(se)   to handle; to get around

el **manejo**   control

la **manera**   manner, way

a maneras de   like

de manera que   so that

de manera tal   in such a way

la **manga**   sleeve

manifestar(se) [e > ie]   to manifest, to express; to show; to become manifest

la **maniobra**   operation

la **mano** (f.)   hand

caminar de la mano   to go hand in hand

cogidos de la mano   hand in hand

darse la mano   to shake hands

pasar a manos de   to be handed over

la **manopla**   mitten

la **mansedumbre**   meekness, gentleness

manso   gentle

la **manta**   heavy shawl

la **manteca**   lard

la **mantención**   maintenance

mantener(se) [e > ie]   to keep, to protect; to remain

la **mantequilla**   butter

el **manto**   cape

la **manzana**   apple

mañana   tomorrow

la **mañana**   morning

por la mañana   during the morning

mañanero   morning (adj.)

el **maquillaje**   makeup

la **máquina**   machine

la máquina de escribir   typewriter

el **mar**   sea

maravillar(se)   to marvel; to be struck with wonder

maravilloso   wonderful; magical; marvellous

la **marca**   scar; brand

marcado   acute, deep; marked

marcar   to mark; to set

la **marcha**   walk

el **marchante**   merchant

marchar(se) a   to leave, to go

marginar   to alienate

el **marido**   husband

el **marino**   sailor

la **mariposa**   butterfly

Marte   Mars

mas   but

más   more

la **masa**   mass

mascar   to chew

matar   to kill

la **materia**   subject

en materia de   as regards, in the matter of

matricular(se)   to matriculate

el **matrimonio**   marriage

contraer matrimonio   to get married

la **matrona**   matron

mayor   greatest; older

los **mayores**   adults

la **mayoría**   majority

la **mayúscula**   capital letter

el **mecanógrafo**   typist

mecer   to rock

a **mediados de**   in the middle of

la **medianoche**   midnight

mediante   through, by means of

el **médico**   doctor

la **medida**   measure

a medida que   as, according as, at the same time as, while

en la medida en que   to the degree that

medio   half

el **medio**   mean; middle; way; fare; environment

el medio ambiente   surroundings, environment

el mismo medio   the very middle

en medio de   in the middle of

por medio de   through, by means of

el **mediodía**   midday
los **medios de comunicación**   mass media
   medir [e > i]   to measure
   meditar   to meditate
la **mejilla**   cheek
   mejor   better, best
      a lo mejor   perhaps, maybe
el **mejoramiento**   improvement
   mejorar   to improve
   mencionar   to mention
el **menguante**   end; decrease
   menor   minor
el **menor**   youngest
   menos mal   at least, fortunately
el **mensaje**   message
   mentalizar   to get psychologically prepared
la **mente**   mind
   mentir [e > ie]   to lie
el **mentiroso**   lier
el **mentón**   chin
   menudo   common; small
      a menudo   often; frequently
el **mercado**   market
   merecer   to deserve, to merit; to be entitled to
el **mes**   month
la **mesa**   table
la **meseta**   plateau
la **meta**   goal
   meter(se)   to put, to introduce; to be put in
      meterse en   to get into
el **metro**   meter; subway system
la **mezcla**   mixture
   mezclar   to blend; to mix
      verse mezclado   to get involved
el **miedo**   fear
      darle miedo (a uno)   to get scared
      pasar, tener miedo   to be afraid
la **miel**   honey
el **miembro**   member; limb
   mientras (que)   while
el **milagro**   miracle
   milagroso   miraculous
la **milla**   mile
el **millar**   thousand
   millonario   millionaire
   minar   to undermine
   mirar   to look at; to see
el **mirlo**   blackbird
la **misa**   mass

la **mitad**   middle; half
el **mito**   myth
la **moda**   fashion
      estar de moda   to be in style
   modernizar   to modernize
   modestia aparte   all modesty aside
   modesto   poor
   modificar   to modify
el **modo**   way; mode
      de algún modo   in some way
      de tal modo   in such a way
el **módulo**   booth
   mojarse   to get wet
el **molde**   mold
   moler [o > ue]   to grind
   molestar   to bother, to annoy
      molestarse en   to bother oneself to
el **molino de viento**   windmill
el **momento**   moment
      en el momento presente   currently, presently
      en ningún momento   at no time
      en todo momento   at all times
      ni por un momento   not for a moment
la **moneda**   coin
la **monja**   nun
la **montaña**   mountain
el **monte**   mountain
el **montón**   pile, heap
      un montón de   a lot of; a bunch of
la **morada**   home, place
el **morador**   inhabitant, dweller
la **moraleja**   moral
   moralizar   to moralize
   morar   to live
la **morcilla**   gag
   morder [o > ue]   to bite
   moreno   brunet; dark brown
   morir [o > ue]   to die
la **mosca**   fly
el **mostrador**   counter
   mostrar(se) [o > ue]   to show; to show itself to be
   motivar   to cause
el **motivo**   motive
      con motivo de   by reason of; on the occasion
      of
   mover(se) [o > ue]   to shake; to move
   movilizar   to movilize
el **movimiento**   motion
   mudar(se)   to move (to change residence)

los **muebles**   furniture
el **muérdago**   mistletoe
la **muerte**   death
  mugir   to bellow
  mugriento   dirty, filthy
el **mulo**   mule
  multiplicar(se)   to multiply
el **mundo**   world
    todo el mundo   everyone
el **muñeco**   doll
el **muñón**   stump
la **muralla**   wall
  murmurar   to mutter, to murmur
el **muro**   wall

N

  nacer   to be born
la **nadería**   trifle
la **nalgada**   spanking
la **naranja**   orange
las **narices**   nostrils
la **natación**   swimming
  natal   native
la **naturaleza**   nature
    por naturaleza   by nature
la **navaja**   (razor) blade
  necesitar(se)   to need; to be needed
el **necio**   fool
  negarse a   to refuse to
el **negociante**   businessman
el **negocio**   business; business deal
  neoyorquino   New Yorker
  nervudo   strong
  netamente   out-and-out, outright
la **nevera**   refrigerator
el **nido**   nest
la **niebla**   fog
el **nieto**   grandchild
la **nieve**   snow
la **niñez**   childhood
el **niño**   child
    el niño de pecho   baby
el **nivel**   level
la **noche**   night
    darse las buenas noches   to say good night
    de la noche a la mañana   overnight
  nombrar   to name; to appoint
el **nopal**   prickly pear
  notar   to notice

la **noticia**   news
el **noticiario**   news program
el **noticioso**   news program
  noveno   ninth
el **novio**   boyfriend; fiancé
la **nube**   cloud
el **nudo**   knot
  nuevo   new
el **número**   number; amount
  numeroso   large
  nunca   never (before)
  nutrirse   to nourish; to get full of (ideas, etc.)

O

  obedecer   to obey
el **obispo**   bishop
el **objetivo**   objective; goal
  obligar a   to obligate, to force
la **obra**   work; deed
el **obrero**   worker
  obsequiar   to present, to give; to treat
  observar(se)   to observe; to be observed
  obsesionar   to obsess
no **obstante**   nevertheless
  ocasionar   to occasion, to cause
  ocultar   to hide
  ocupar   to occupy
    ocuparse de   to take care of
  ocurrir   to happen
  odiar   to hate
el **odio**   hatred
  ofender   to offend
la **oferta y la demanda**   supply and demand
el **oficinista**   clerk, office worker
el **oficio**   office, occupation; craft
  ofrecer   to offer
el **ofrecimiento**   offering
  oír   to hear
    oír hablar de   to hear about
el **ojo**   eye
    ver con otros ojos   to see in a different light
la **oleada**   surge wave
el **óleo**   oil painting
  oler [o > hue]   to smell
la **oliva**   olive
el **olor**   odor
  olvidar(se) de   to forget
la **olla**   pot
  omitir   to omit

el ómnibus   bus
la onda   wave
    ponerse en onda con   to get in touch with
  ondear   to wave
  ondular   to wriggle, to be in constant motion
la onza   ounce
  opinar   to have an opinion; to pass judgment
  oprimir   to oppress
  optar por   to choose to
el opuesto   opposite side
la oración   sentence; prayer
el orbe   world
el orden   order
el ordenamiento   ordering
la oreja   ear
el orgullo   pride
  orgulloso   proud
la orilla   edge, shore
el oro   gold
  orondo   pompous
  osado   bold
  oscilar (entre)   to fluctuate
el oscurecer   sunset; nightfall
    al oscurecer   at nightfall
  oscuro   dark
el otoño   fall
  otorgar   to grant, to confer
  otro   another; other
la oveja   sheep

P
el pabellón   pavilion
el padrino   godfather
  pagar(se)   to pay; to pay for
la página   page
el país   country
el paisaje   landscape
la pajarera   bird cage
el pájaro   bird
la pala   shovel
la palabra   word
el paladar   palate
la palidez   paleness
  pálido   pale
el palillo   stick
la palmera   palm
el palo   stick
    darse un palo   to have a drink [slang]
  palpar   to touch, to feel

  palpitar   to palpitate
  palúdico   malarial
el pan   bread
    el pan integral   whole wheat bread
la pantalla   screen
el pantalón   pants, trousers
el pañuelo   handkerchief
la papa   potato
el papel   role; paper
el paquete   package
el par   pair
    un par de horas   two hours; a few hours
la parada   stop
el paradero   whereabouts
  parado   standing, stopped
el paraje   place, spot
  parar   to stop
  parecer(se)   to seem; to be like; to look alike
    parecerle (a uno)   to seem
    parecerle mal (a uno)   not to seem right
la pared   wall
la pareja   couple
  parentesco   family relationship
el pariente   relative
    el pariente próximo   next of kin
el párrafo   paragraph
la parte   place; part
    formar parte de   to be part of
    por parte de   on behalf of
    por otra parte   on the other hand
    volver a ser parte   to become part again
la parte posterior   back
  participar   to participate
  particular   particular; private
la partida   departure
el partidario   partisan
    ser partidario   to favor, to follow (a political party, etc.)
el partido   party
  partir   to cut
    a partir de   beginning with, since; from
el pasadía   picnic
el pasado   past
el pasaje   fare
el pasajero   passenger
  pasar   to pass; to go by; to spend (time); to be taken over; to happen
    pasar a ser   to become
el paseo   path; trip; walk

la **pasividad**   passiveness

el **paso**   pace; step; passage
    a cada paso   at every step, every time
    dar paso a   to give way to

el **pasto**   grass

el **pastor**   shepherd

la **pastora**   shepherdess

el **pataleo**   foot stamping

patentar   to patent

la **patria**   homeland

patrio   belonging to the homeland

el **patrón**   boss; model; pattern; owner

el **patrono**   boss

el **payaso**   clown

la **paz**   peace
    dejar en paz   to leave alone, in peace

el **peatón**   pedestrian

el **pecador**   sinner

el **pecho**   chest

el **pedazo**   piece
    hacer pedazos   to break into pieces

pedir [e > i]   to ask
    pedir prestado   to borrow

pegado   close to

pegar(se)   to stick

el **peinado**   hairdo

peinar   to comb

pelado   poor

pelar   to peel

el **peldaño**   step

la **pelea**   fight

pelear   to fight

la **película**   movie
    la película del oeste   western (movie)

el **peligro**   danger
    poner en peligro   to endanger

peligroso   dangerous

el **pelo**   hair
    cortarse el pelo   to get a haircut

el **pellejito**   bits of skin

el **pellejo**   skin

la **pena**   sorrow
    a duras penas   hardly; with great difficulty
    valer la pena   to be worthwhile; to be worthy
      of consideration

el **penacho**   crest; tuft, plume

pendenciero   quarrelsome

penetrar   to penetrate

el **pensamiento**   thought

pensar [e > ie]   to think; to intend

pensativo   pensive, thoughtful

penúltimo   next to last

la **peña**   rock, boulder

el **peón**   (chess) pawn

peor   worst

el **pepino**   cucumber

pequeño   small

el **percance**   mischance, misfortune

percibir   to perceive

perder [e > ie]   to lose; to waste

la **pérdida**   loss

el **perdón**   forgiveness, pardon
    pedirle perdón (a alguien)   to ask for
      forgiveness, pardon

perdurable   long-lasting

perdurar   to last

peregrinar   to peregrinate; to go on a pilgrimage

el **peregrino**   pilgrim

perezoso   lazy

el **perfil**   profile

perforar   to dig

el **periódico**   newspaper

el **periodista**   journalist

la **peripecia**   incident; sudden change of fortune

perjudicarse   to damage oneself

permanecer   to remain

permitir   to allow

perpetuo   perpetual

la **perplejidad**   perplexity

el **perrillo**   a kind of machete

el **perro**   dog

perseguir [e > i]   to persecute

el **personaje**   character; person of importance

el **personal**   personnel

pertenecer   to belong

la **pesadez**   heaviness

la **pesadilla**   nightmare

pesado   heavy

la **pesadumbre**   sorrow

el **pescado**   fish

pescar   to catch; to fish

pese a   in spite of

la **peseta**   Spanish coin

pésimo   very bad, abominable

el **peso**   Mexican money; strength; weight

la **petición**   request

petrificar   to petrify

picar   to bite, to sting

picarle la curiosidad (a alguien)   to arouse
  one's curiosity
el **pie**   foot; edge
  a pie   on foot
  al pie de   at the foot (edge) of
  al pie de la letra   to the letter
  de pie   standing
  ponerse de pie   to stand up
la **piedra**   rock
la **piel**   skin
el **piel roja**   Indian (redskin)
la **pierna**   leg
la **pieza**   piece; player; room
la **pimienta**   pepper
la **pincelada**   brush stroke
  pintar   to paint
el **pintor**   painter
  pintoresco   picturesque
la **pintura**   paint
la **pipa**   pipe
el **piso**   floor; apartment
la **pizarra**   blackboard
la **plaga**   plague
  planear   to plan
el **plano**   street map; plan
la **planta**   floor; plant
    la planta baja   ground floor, main floor
  plantar   to plant
el **planteamiento**   exposition; posing of a question
  plantear   to pose, expound
  plasmar   to mold
la **plata**   silver; money
    levantarse la plata   to raise money
el **plátano**   plantain
el **plato**   plate; dish
la **playa**   beach
la **plaza**   square
el **plazo**   term; time limit
  plegar(se) [e > ie]   to fold up; to fold
  pleno   full
    en pleno   in the midst of
el **plomo**   lead
la **pluma**   feather
  plumerear   to feather dust
la **población**   population; town
  poblano   provincial
  poblar [o > ue]   to populate
  pobre   poor
la **pobreza**   poverty

la **pócima**   potion
  poco   a little; few; a little bit
    a poco de esto   not long after
    poco a poco   little by little
    poco más   a little more
    por poco   almost
    tan poco   so little
el **poder**   power
  poderoso   powerful
la **poesía**   poetry
  polémico   controversial
la **polera**   turtleneck
la **política**   policy
el **polvo**   dust
la **pólvora**   gun powder
  polvoso   full of dust
la **pollera**   skirt
el **pollo**   (fig.) young person; chicken
la **ponchera**   punch bowl
  poner   to put
    ponerse a   to set out to, to begin to
  popularizar   to popularize
el **por ciento**   percent
el **porcentaje**   percentage
  por ende   therefore
el **porrazo**   clubbing
el **portarretrato**   picture holder
el **portero**   doorkeeper
el **portón**   gate
  posar   to rest
el **poseedor**   owner
  poseer   to possess
  posible   possible
    en lo posible   if possible
  posterior   subsequent
el **postre**   dessert
el **potrero**   pasture
el **pozo**   well
  practicar(se)   to exercise; to be practiced
la **pradera**   meadow
el **prado**   meadow
  preciar   to esteem, value
el **precio**   price
el **precipicio**   precipice
  preciso   specific; necessary
  precoz   precocious
  predecir [e > i]   to predict
  predicar   to preach
  predilecto   favorite

predominar   to predominate
prefabricar   to prefabricate
preferir [e > ie]   to prefer
el **pregón**   public announcement (by town crier)
la **pregunta**   question
   hacer una pregunta   to ask a question
preguntar(se)   to ask; to wonder
premiar   to reward; to confer a prize
el **premio**   reward, prize
prender   to catch; to turn on
preocupar(se)   to worry
   preocuparse de   to take care of
   sin preocuparse gran cosa   without worrying much
preparar   to prepare
la **presa**   capture, seizure
   hacer presa   to seize
   sentirse presa de   to be caught in the grip of
el **presagio**   omen
prescindir   to do without; to leave aside; to disregard
preservar   to preserve
presidir   to preside over
la **presión**   pressure
presionar   to pressure
el **preso**   prisoner
prestar   to lend; to borrow
   prestarse a   to lend itself to
pretender   to pretend
prevalecer   to prevail
prevenir [e > ie]   to prevent
primer(o)   first
el **primero**   first one; former; leading
   a primeros de   at the beginning of
   de primero   for the first time
el **primo**   cousin
principal   main
el **príncipe**   prince
principiar   to begin
el **principio**   principle; beginning
   a principios de   in the early days (years) of
   en un principio   in the beginning
la **prisa**   hurry
   tener prisa   to be in a hurry
la **prisión perpetua**   life imprisonment
privarse de   to be deprived of
proceder a   to proceed to
el **procedimiento**   proceeding
el **prócer**   hero

el **proceso**   suit, lawsuit; process
proclamarse   to be proclaimed
producir(se)   to produce; to bring about; to develop; to take place
profundo   deep
el **progenitor**   father
la **programación**   programming
programar   to program
progresar   to progress
prohibir   to prohibit; to void
prometer   to promise
promover [o > ue]   to promote
el **pronóstico**   forecast
pronto   soon
   de pronto   suddenly
   estar pronto a   to be ready to
pronunciar   to pronounce
propagarse   to spread
propicio   propitious, favorable
el **propietario**   owner
la **propina**   tip
propio   characteristic, natural; own
proponer(se)   to propose; to intend
el **propósito**   purpose
prosperar   to prosper
proteger(se)   to protect; to protect oneself
el **provecho**   advantage, benefit; gain
   de provecho   useful
proveer   to provide; to supply
provenir [e > ie] de   to come from, to stem
provinciano   provincial
provisto de   equipped with
provocar   to provoke
próximo   next
proyectarse   to be projected
la **prueba**   proof, evidence
   a prueba de   proof against (i.e., fire-proof, bomb-proof)
psíquico   psychological
la **publicidad**   advertising
publicitario   publicity; advertising (*adj.*)
pueblerino   town (*adj.*)
el **pueblo**   town; people
el **puerco**   pig
la **puerta**   door
el **puerto**   harbor, port
el **puertorriqueño** (*n., adj.*)   Puerto Rican
pues   then
el **puesto de bus**   bus stop

puesto que since, inasmuch as
la **pugna** battle, fight, struggle
   pugnar por to strive for
el **pulgar** thumb
la **pulsera** bracelet
el **punto** point; period
   a punto de at the brink of
   el punto de reunión meeting place
   el punto de vista point of view
   el punto final end
   estar en su punto to be ready; to be in the
     prime
el **puñado** handful
el **puñal** dagger
el **pupitre** student desk
el **puré** purée

Q

quebrar [e > ie] to break
quedar(se) to be located; to remain; (*aux. verb*)
   to be, to remain; to stay
   quedarse corto de to fall short of
   quedarse dormido to fall asleep
quejarse to complain
la **quema** burning
quemar(se) to burn
querer [e > ie] to want
el **queso crema** cream cheese
quieto quiet, still
   estarse quieto to stay put, still
la **quinta** villa, country house
los **quintillizos** quintuplets
quinto fifth
quitar(se) to take off (clothes)
quizá(s) perhaps, maybe

R

el **rabanito** (*dimin.*) radish
la **rabieta** fit of temper
el **rabillo** end; tail
   con el rabillo de los ojos out of the corner of
     the eye
   radiofónico stereo
la **radiofusión** radio broadcasting
  raer to tear; to fray
la **raíz** root
la **raja** slice
la **rama** bough, branch
  rápido quick; fast

raro strange
el **rascacielos** skyscraper
el **rasgo** feature, trait
  raso flat
  rastro trace
el **rato** time, while, little while
   el rato libre free time
   pasar un mal rato to go through a difficult
     time
el **rayo** ray
   rayos y centellas lightning
la **raza** race
la **razón** reasoning
   a razón de at the rate of
   con razón no wonder
  reaccionar to react
el **real** coin
la **realidad** reality
   en realidad really; in reality
   hacerse realidad to become a reality
  realizar(se) to carry out; to fulfill; to be carried
   out
  reanudar to renew, to resume
la **rebaja** discount
  rebajar el precio to lower the price
  rebelde rebellious
la **rebeldía** rebellion
  rebosar to overflow
  recargar to recharge
el **recaudador** tax collector
  recaudar to collect; to earn
  recelar to distrust, to doubt
el **recelo** foreboding
el **receptor** receiver
la **receta** prescription; recipe
el **recibimiento** reception
  recibir to receive; to greet
  recién just
   el recién casado newlywed
   el recién nacido newborn
   el recién venido newcomer
el **recipiente** container
  recitar to recite
  recobrarse to recuperate
  recoger to gather
  recomendar to recommend
la **recompensa** reward
  recompensar to reward
  reconocer to recognize; to admit

reconstruir   to reconstruct
reconvenir [e > ie]   to remonstrate with, to reproach
recordar [o > ue]   to remember; to remind
recorrer   to go through
el recorrido   run
recrear   to recreate
el recreo   recess
el recuerdo   memory, remembrance
recuperar(se)   to recuperate, to recover
recurrir   to resort to
el recurso   resource
rechazar   to repel, to reject
la red   network
redondo   round
reducido   narrow
reducir   to reduce
reemplazar   to replace; to substitute
referente a   referring to, concerning
referirse a [e > ie]   to refer to
reflejar   to reflect
el reflejo   reflex
reformar   to renovate
el refrán   proverb, saying
refugiarse   to take refuge
el refugio   refuge, shelter
refunfuñar   to grumble, to growl
regalar   to give (a present)
el regidor   administrator
regir   to rule over
   regirse por   to follow (rules)
la regla   rule
reglamentar   to set rules for
el regocijo   rejoicing
el regreso   return
la reina   queen
reinar   to rule
reincidir   to relapse (into vice)
el reino   kingdom
reírse (de)   to laugh (at)
rejuvenecer   to rejuvenate
relacionar(se)   to relate
relajar(se)   to relax
el relámpago   (bolt of) lightning
relatar   to tell
el relato   story
releer   to read over
remediar   to remedy
el remedio   remedy, correction

no quedar más remedio que   to have no choice but to
no tener remedio   to be unavoidable
sin remedio   inevitable
el remitente   sender
remojar   to dip, to soak
la remolacha   beet
remontarse a   to go back (in time)
el remordimiento   remorse
   entrarle el remordimiento (a uno)   to start feeling remorse
remover(se) [o > ue]   to shake; to be removed
remunerar   to pay
renacer   to be born again
el renacimiento   rebirth
el renacuajo   tadpole
el rendimiento   yield
rendirse   to surrender
el renombre   fame
renovar [o > ue]   to renovate
la renta   income
renunciar   to renounce; to resign
reñir [e > i]   to scold; to fight
reparar en   to notice, to observe
el reparo   objection
   poner reparos   to make objections
el repartidor de correos   mailman
repartir   to deliver
el reparto   delivery
repasar   to review
de repente   suddenly
repetir [e > i]   to repeat
reponerse   to recover
el reportaje   report
reposar   to rest
la reposera   resting seat
representar   to represent; to mean
reprobar [o > ue]   to disapprove
reprochar(se)   to reproach
requerir [e > ie]   to require
la res   cattle
resaltar   to emphasize; to stand out
   hacer resaltar   to pinpoint
resbalar(se)   to slip
el rescate   redemption
reservado   cautious
residir en   to reside in; to consist in
la resina   resin
resistir(se) a   to resist

resolver [o > ue]   to solve
el resoplido   snort
el resorte   means, resource
respaldar   to support
respecto a   with respect to, in regard to
respetarse   to respect
el respeto   respect
  guardar respeto   to have respect for
respirar   to breath
resplandecer   to shine
responder   to answer
responsable   responsible
  ser responsable   to bear the responsibility
responsabilizarse   to assume responsibility
la respuesta   answer
restaurar   to restore
el resultado   result
  como resultado de   as a result of
  dar resultado   to give good results, to work
resultar   to become
  resultar ser   to come to be
resumir(se)   to summarize; to be summarized
resurgir   to come forth
retener [e > ie]   to retain
retirarse   to leave
retorcer [o > ue]   to twist
el retrato   picture, portrait
retroceder   to regress
retronar [o > ue]   to thunder, to rumble
la reunión   meeting
reunir   to put together
  reunirse a   to meet, to gather
revelar   to reveal
reverdecer   to rejuvenate
al revés   backwards
revisar   to examine
la revista   review
revivir   to revive
revolucionar   to revolutionize
revolverse [o > ue]   to shake oneself up
el revuelo   stir, commotion
la revuelta   revolt, revolution
el rey   king
rezar   to pray
el rezo   prayer
rico   rich
la rigidez   rigidity
el rincón   corner (of a room)
el río   river

la riqueza   richess; richness
la risa   laughter
  morirse de risa   to die of laughter
el ritmo   pace; rhythm
el rito   ritual
robar   to steal
el roble   oak
el robo   steal
la roca   rock
el roce   friction
rociarse con   to be sprayed with
la rodaja   slice (of bread)
rodar [o > ue]   to roll
rodear   to surround
la rodilla   knee
  de rodillas   on one's knees
  estar de rodillas   to be kneeling
rogar   to beg
rojo   red
rollizo   thick
el romance   ballad
romper(se)   to break
el ron   rum
la ropa   clothes
el ropero   dresser, wardrobe
rosado   pink
el rosario   Catholic prayer; rosary
el rostro   face
roto   broken
el rótulo   sign (poster)
la rotura   crack
rubio   blond
la rueda   circle
el ruego   request
rugir   to roar
el ruido   noise
rumbo a   bound for, in the direction of
  ir rumbo a   to head to, to be bound for
rutinario   routine

S
sabatino   Saturday (*adj.*)
el saber popular   folklore
saberse   to be known
la sabiduría   wisdom
el sabor   flavor
sabroso   comfortable; delightful; delicious
sacar(se)   to take out; to win
  sacar a relucir   to bring to light

saciar   to satisfy
el **saco**   (sport) jacket
el **sacón**   long jacket
sagrado   sacred
el **sajón**   Saxon
la **sala**   room, hall; living room
salado   salty
el **salchichón**   sausage
la **salida**   exit
   dar salida a   to give way to
salir   to leave; to come out; to spring; to result
  salir bien   to be successful
  salir mal   to fail
el **salón comedor**   dining room
salpicar   to dot
la **salsa**   sauce
saltar   to jump
  saltársele las lágrimas a uno   to burst into
   tears
el **salto**   jump
  dar un salto   to jump
la **salud**   health
saludar(se)   to greet, to salute
salvaje   wild, savage
el **salvajismo**   savagery
salvar   to save
salvo   except for, save
la **sandalia**   sandal
sangrar   to bleed
la **sangre**   blood
sano   healthy
sarnoso   mangy
el **sastre**   tailor
satirizar   to satirize
satisfacer   to satisfy
seco   withered; dry
la **sede**   seat
la **seguida**   series, succession
  en seguida   right away
seguidos   consecutive
seguir   to follow; (*aux. verb*) to keep (doing
  something)
  seguir siendo   to still be
según   according to
  según necesidad   as needed
la **seguridad**   security, safety; assurance
seguro   sure
seleccionar   to choose
la **selva**   jungle

el **sello**   seal
la **semana**   week
sembrar [e > ie]   to sow
semejante   similar; such
la **semejanza**   similarity
la **semilla**   seed
sencillo   single; simple
el **sendero**   path, way
la **senectud**   old age
el **seno familiar**   the center, heart of the family
sentar(se) [e > ie]   to set up; to be seated
el **sentido**   sense
  dar sentido a   to give meaning to
  el sentido del humor   sense of humor
  en tal sentido   in that sense
el **sentimiento**   feeling
sentir [e > ie]   to feel; to be sorry
el **sentir**   feeling
señalar   to indicate; to point out
la **seña**   (identifying) mark
el **señor**   lord; master
los **señores**   owners; Mr. and Mrs.
separar(se)   to separate
sepultar   to bury
el **ser**   being
el **servicio**   service
  prestar servicio   to render a service
  prestar servicio militar   to serve in the armed
   forces
sesgo   oblique; slanting, sloped
servir(se)   to serve; to be served
  servir de   to serve as
  servir para   to be good for, to be useful
la **sevillana corva**   type of knife
sexto   sixth
el **sí**   self
  de por sí   by itself
  en sí   in itself
  entre sí   to himself
  para sí mismo   for himself
la **sidra**   cider
siempre   always
  siempre y cuando   provided
la **sien**   temple
el **siglo**   century
el **significado**   meaning
significar   to mean
siguiente   following
el **silencio**   silence

mantener silencio   to keep silent
silencioso   silent
el sillón   armchair
la simiente   seed
simpático   likeable, pleasant
sin   without
sin ni   without even
el sindicato   syndicate, union
sino que   but instead
la sintonía   tune
    mantenerse en sintonía   to stay tuned
ni siquiera   not even
el sitio   place
sito   located, situated
    estar sito   to be located
    hallarse sito   to be located
situar(se)   to locate; to be located
la soberanía   sovereignty
la soberbia   excessive pride
la sobra   extra, surplus
    de sobra   in excess
    las sobras   leftovers
sobrar   to have in excess
el sobre   envelope
sobre   about; on; over
    sobre todo   especially, particularly
el sobrenombre   nickname
sobrepasar   to surpass, to outdo, to break; to exceed
la sobrepoblación   overpopulation
sobreponerse   to overcome
sobresaltar   to startle, to frighten
sobrevenir [e > ie]   to happen, to take place
sobrevivir   to survive
el sobrino   nephew
socavar   to undermine
el socio   partner
socorro   help
sofocado   breathless
el sol   sun
    a pleno sol   open to the sun
el solar   plot of land
la soledad   loneliness, solitude
soler(se) [o > ue]   to be accustomed to, to be used to
solicitar   to solicit, to ask
la solicitud   petition
la solidez   solidity; strength, soundness
solitario   lonely

solo   alone
sólo   only
soltar [o > ue]   to let go; to loosen, to untie
el solterón   old bachelor
solucionarse   to be solved
la sombra   shadow
el sombrero   hat
sombrío   somber; gloomy
someter   to subject; to submit
sonar [o > ue]   to ring; to sound; to blow
sondar, sondear   to sound, to probe
el sonido   sound
sonreír [ei > i]   to smile
    sonreírle a uno la dicha   to have fortune smile on one
la sonrisa   smile
soñar [o > ue]   to dream
    soñarse con   to dream about
la sopa   soup
la sopera   soup bowl
soplar   to blow
soportar   to bear, to endure
el soquete   mud
sorprender   to surprise
    sorprenderle a uno   to amaze
sortear   to draw or cast lots
el sorteo   casting of lots, drawing
sospechar   to suspect
sospechoso   suspicious
sostener [e > ie]   to support; to hold; to keep, to maintain
suave   soft
subdesarrollado   underdeveloped
subir(se)   to go up; to get into (a vehicle); to climb
súbito   sudden
succionar   to suck; to suck up
suceder   to happen
    suceder a continuación   to happen right after
el suceso   happening, event
la suciedad   dirt
sucio   dirty
sudar   to sweat
el suegro   father-in-law
la suela   sole
el sueldo   salary
el suelo   ground; soil, land
suelto   loose
el sueño   dream

la **suerte**   luck

　　estar de **suerte**   to be lucky

　　la buena **suerte**   good luck

　　por **suerte**   luckily

　　probar **suerte**   to try one's luck

　　tener la **suerte** de   to be lucky

sufrir   to suffer

la **sugerencia**   suggestion

sugerir [e > ie]   to suggest

suicidarse   to commit suicide

sujetar a   to subject to

el **sujeto**   guy; subject

sumamente   extremely

sumergir   to submerge

sumir   to sink

sumo   great

superar   to exceed; to surpass

la **superficie**   surface

superior   upper

suplicar   to beg

suplirse   to make up for

suponer   to imply, to presuppose

supuesto   supposed, assumed

　　por **supuesto**   of course, naturally

sureste   southeast

el **surgimiento**   rise

surgir   to arise

surtir efecto   to have the desired effect, to work

el **suspiro**   sigh

el **sustantivo**   noun

sustituir   to substitute

el **susto**   scare

T

el **tabaco**   tobacco

el **tabardillo**   fever

la **tabla**   board

el **tablero**   board

la **tableta**   bar

el **tacón**   shoe heel

taconear   to strut

tajante   cutting

el **tajo**   slash

　　darse **tajos**   to cut each other up

tal (y) **como**   just as

tal vez   perhaps

la **tala**   field, plantation

tal   such

　　tales como   such as

el **talón**   heel; check

el **tallo**   stalk

el **tamaño**   size

también   also

tampoco   neither; nor

tan   so, as

　　tan . . . **como**   as . . . as

tanto   so much

　　de **tanto** en **tanto**   from time to time

　　por (lo) **tanto**   therefore

　　tanto . . . **como**   both . . . and; as much . . . as

　　tanto que   so much that

　　un **tanto** más arriba, abajo   just above, below

tantos   so many; as many

la **tapa**   lid

el **tapado**   coat

tapar   to cover

tardar en   to delay, to take time

la **tarde**   evening; afternoon

　　más **tarde**   later

　　tarde o temprano   sooner or later

la **tarea**   chore, duty; task

la **tasa**   rate

la **taza**   cup

el **té**   tea

la **tecla**   key (on a keyboard)

el **techo**   ceiling, roof

tejer   to weave

el **tejido**   woven goods

la **tela**   canvas

la **telaraña**   cobweb

la **tele**   television

temblar [e > ie]   to tremble

temer   to fear

el **temor**   fear, dread

la **tempestad**   storm

la **temporada**   season

temprano   early

tender [e > ie]   to tend

tener [e > ie]   to have

　　tener puesto   to carry, to wear

　　tener que ver   to have to do with

la **tentación**   temptation

tentar [e > ie]   to tempt

tenue   delicate; light, soft

teñir   to dye; to tinge

teórico   theoretical

tercero   third

el **tercero**   third one

el **tercio**   third
  terminar   to finish, to end
el **término**   end, limit; term
la **ternura**   tenderness
la **terraza**   terrace
el **terremoto**   earthquake
el **terreno**   land; terrain
  terrestre   terrestrial
  tesonero   tenacious
el **testamento**   will
    hacer el testamento   to make a will
el **testigo**   witness
  testimoniar   to attest
  tibio   warm
el **tiburón**   shark
el **tiempo**   time
    a tiempo   on time
    al mismo tiempo   at the same time
    en poco tiempo   in a short period of time
la **tienda**   store
    ir de tiendas   to go shopping
  tierno   tender
la **tierra**   land
    bajo tierra   underground
    la tierra natal   homeland
el **timbre**   door bell
la **tiniebla**   darkness
  tintinear   to ring (a bell)
la **tintorería**   dry cleaners
el **tío**   uncle
  típico   native
el **tipo**   type, kind
la **tira cómica**   comic strip
  tirar   to pull
el **tiro**   shot
    darse un tiro   to shoot oneself
el **tiroteo**   skirmish
el **titán**   giant
el **titiritero**   puppeteer
el **título**   title
la **tiza**   chalk
  tocar   to play (a musical instrument); to touch
    por lo que toca   concerning
    tocarle a uno   to be one's turn
  todavía   still; yet
    todavía más   even more
  todo   all; everything
    del todo   entirely
  tolerar   to tolerate

tomar(se)   to take; to drink; to be taken
el **tonel**   cask
la **tontería**   foolishness
  tonto   dumb, silly
la **tormenta**   storm
el **torno**   lathe; wheel
    en torno a   around, in relation to
el **toro**   bull
  torpe   clumsy
la **torre**   tower
    la torre de señal   control tower
la **torta**   cake
la **tostada**   toast
  trabajado   fashioned, worked
  trabajador   industrious, hard-working
el **trabajador**   worker
el **trabajo**   work
    tomarse el trabajo de   to go to the trouble of
  traer   to bring
el **traficante**   drug dealer
  tragarse   to swallow
    tragarse la píldora   to swallow it (to believe something)
el **traje**   dress
el **trámite**   transaction
    realizar los trámites   to make the arrangements
  trancar   to bar
  tranquear   to walk in long strides
  transcurrir   to pass, to elapse
el **transcurso**   course (of time)
  transformar   to transform
    transformarse en   to transform into
el **transmisor**   transmitter
  transmitir   to transmit
  transmutar   to transmute
  transplantar   to transplant
  transportar   to transport
    verse transportado a   to find oneself transported to
  trasladarse a   to move to
el **traslado**   move
  traspasar   to pass
  trasquilar   to shear sheep
la **trastienda**   backroom (of a store)
  trastornar   to disturb
el **trastorno**   disturbance
el **tratado**   treaty
el **tratamiento**   treatment

tratar(se)   to treat; to do business
   tratar de   to try to
el trato   dealing
   el trato familiar   family relationship
el través   bend, bias, turn
   a través de   throughout; through; by means of
travieso   keen, shrewd, mischievous
el trayecto   stretch, run; passage, course
la trenza   braid
   trenzar   to prance; to braid
   trepar(se)   to climb (up)
la tribu   tribe
el tributo   tax
el trigo   wheat
el trino   trill
   triste   sad
      poner triste   to sadden
la tristeza   sadness
   triunfar   to triumph
la troca   (Anglicism) truck
   trocarse en   to transform into
la tromba licuadora   blender
la trompeta   trumpet
el tronco   trunk
el trono   throne
   tropezar(se) [e > ie] con   to run into, to come
      across; to stumble (over one another)
el trozo   slice
el tubérculo   tuber
la tuerca   screw
el tuerto   one-eyed man
la tumba   tomb, grave
   turbio   turbid, muddy, cloudy

U

ubicar   to locate
último   last; latter
   por último   lastly
   últimos   last few
ultramarino   overseas
el umbral   threshold
la unción   unction
   con unción   respectfully, with devotion
único   only; solely
la unidad escolar   school grounds
   unificar   to unify
   unir(se)   to unite; to become united
   unirse a   to join
al unísono   at the same time
la uña   nail

la urbanización   housing development
la urbe   metropolis
la urdimbre   warp; scheme, scheming
   usar(se)   to use; to be used
   útil   useful
la utilidad   usefulness
   utilizar   to utilize
la uva   grape

V

la vaca   cow
   vaciar   to empty
   vacío   empty
la vacuna   vaccine
el vagabundo callejero   loiterer
   valer   to be valid; to be useful; to cost
      valerse de   to make use of
      valerse por sí mismo   to take care of oneself
   valeroso   valorous, brave
   valiente   brave
la valija   valisse
   valor   courage; value
      por valor de   for the price of
   valorar   to value
el valle   valley
   vano   vain; hollow, empty
      en vano   in vain
el vapor   steam
el vaquero   cowboy
la variante   variation
   variar   to vary
la varilla   rod
   varios   several
el varón   male
   vasco   Basque
el vaso   glass
el vástago   child
la vastedad   vastness
el vaticinio   prophecy, prediction
   a veces   sometimes
la vecindad   neighborhood
el vecino   neighbor
el vegetal   vegetable
la vejez   old age
la vela   candle
el venado   deer
   vencer   to defeat; to outdo; to overcome
el vendedor   salesman
      el vendedor ambulante   peddler
   vender   to sell

venenoso   poisonous
venerar   to venerate, to revere
el venero   lode, vein
la venganza   revenge
venir   to come
la venta   sale
    a la venta   for sale
    tener a la venta   available for sale
la ventaja   advantage
la ventana   window
el ventorrillo   tavern
ver(se)   to see; to be seen; to be observed
    a ver   let's see
    hacer ver   to show, demonstrate
la verdad   truth
    a decir verdad   to tell the truth
    en verdad   truly
verdadero   true; real
la verdolaga   purslane
verdoso   greenish
el verdugo   executioner
la verdura   vegetable
la vereda   sidewalk
la vergüenza   shame
    darle vergüenza (a alguien)   to be ashamed
la verja   fence
verter(se) [e > ie]   to pour; to pour in
    verter lágrimas   to cry
vertiginoso   dizzy
la vestimenta   clothing
vestir(se) [e > ie]   to dress; to get dressed
la veta   vein
la vez   time
    a la (misma) vez   at the same time
    a su vez   in turn
    cada vez más   more and more, increasingly
    de vez en cuando   from time to time
    otra vez   again
    una vez   once
    una y otra vez   again and again
la vía   road, route, way
    en vías de   in the process of
viajar   to travel
el viaje   trip
el viajero   traveler
la víbora   viper
vibrar   to vibrate
la vida   life
    darse a la mala vida   to become a prostitute
    ganarse la vida   to earn a living

viejo   old
el viento   wind
el Viernes Santo   Good Friday
vigésimo   twentieth
vigilar   to watch over
el vilano   thistledown
el villorrio   village, small town
el vinagre   vinegar
el vínculo   bond, tie
el vino   wine
    el vino tinto   red wine
violar   to violate, to infringe
la virtud   virtue
la visión   view; scope
el visitante   visitor
la víspera   eve
la vista   view; vision
    a primera vista   at first sight
    con vista a   with a view to
    dirigir la vista   to look at
    en vista de que   given that
    saltar a la vista   to stand out
el viudo   widower
la vivienda   housing
vivir   to live
vivo   alive
el vocablo   word
vociferar   to vociferate, to shout
en volandas   flying
volar [o > ue]   to fly
volcado a   set for
volcar [o > ue]   to turn upside down
voltear   to walk around; to turn
la voluntad   will
volver(se) [o > ue]   to return; to turn; to become
    volver a   to do something again
votar   to vote
la voz   voice
    a media voz   in a low voice
    en voz alta   aloud
    las voces   screams
el vuelo   flight
    levantar vuelo   to take off (a flight)
la vuelta   journey, trip; return
    dar la vuelta   to turn (around)

Y
ya   already
la yarda   patio (Anglicism); yard (measure)
la yerba   herb

el **yerno** son-in-law
el **yo** self

Z

el **zagal** young man
la **zanahoria** carrot
la **zancada** leap

el **zanjón** deep ditch
la **zapatería** shoe store
el **zapatero** shoemaker
el **zapato** shoe
el **zorro** fox
el **zurrón** leather bag

87 9 8 7